Biblioteca

Mary Balogh

Mary Balogh

MÁS QUE UNA AMANTE

Traducción de
Ana Isabel Domínguez Palomo
María del Mar Rodríguez Barrena

CISNE

Título original: *More than a Mistress*

Primera edición en Debolsillo: junio, 2013

© 2000, Mary Balogh
   Publicado por acuerdo con Delacorte Press, un sello de The
   Random House Publishing Group, una división de Random
   House, Inc.
© 2012, Random House Mondadori, S. A.
   Travessera de Gràcia, 47-49. 08021 Barcelona
© 2012, Ana Isabel Domínguez Palomo y María del Mar
   Rodríguez Barrena, por la traducción

Printed in Spain – Impreso en España

ISBN: 978-84-9032-254-3 (vol. 67/14)
Depósito legal: B-11965-2013

Compuesto en La Nueva Edimac, S. L.

Impreso en Novoprint
Sant Andreu de la Barca (Barcelona)

M 322543

1

Los dos caballeros que se encontraban en mangas de camisa pese al frío de esa mañana primaveral estaban a punto de volarse los sesos. O de intentarlo, al menos. Se hallaban en un claro escondido en mitad de uno de los prados de Hyde Park, en Londres, de espaldas el uno contra el otro, ajenos a la existencia de cualquier otra persona hasta que llegara el momento de apuntar al contrario y disparar a matar.

Sin embargo, no estaban solos, ya que se trataba de un duelo de honor y se había seguido el protocolo indicado. Se había lanzado un guante, aunque no de forma literal, y el retador y el retado habían acordado el encuentro de esa mañana a través de sus padrinos. Dichos caballeros estaban presentes en ese momento, al igual que un cirujano y un grupito de espectadores interesados, todos hombres, que habían abandonado temprano sus camas (o no se habían acostado todavía después de los excesos de la noche anterior) por la emoción de ver cómo dos de sus pares intentaban matarse.

Uno de los duelistas, el retador, el más bajito y rechoncho de los dos, golpeaba el suelo con los pies, flexionaba los dedos y se humedecía los labios secos con la lengua más seca todavía. Estaba casi tan blanco como su camisa.

—Sí, puedes preguntarle —le dijo a su padrino entre dientes, mientras intentaba, en vano, que no le castañetearan—. Aunque no lo hará, claro, pero hay que ser honrado en este tipo de cosas.

Su padrino echó a andar con paso decidido hacia su homónimo, que a su vez se acercaba al otro duelista. Un caballero alto y elegante que ganaba prestancia sin la chaqueta. La camisa blanca no ocultaba los fuertes músculos de sus brazos, de sus hombros y de su torso; y los pantalones y las botas de montar acentuaban sus larguísimas piernas. Doblaba con despreocupación el encaje de los puños de la camisa sobre el dorso de sus elegantes y refinadas manos, mientras conversaba de temas banales con sus amigos.

—Oliver está temblando como una hoja —comentó el barón Pottier colocándose el monóculo—. Sería incapaz de darle a la fachada de una catedral a treinta pasos de distancia, Tresham.

—Y sus dientes hacen más ruido que los cascos de un caballo —añadió el vizconde de Kimble.

—¿Vas a matarlo, Tresham? —preguntó el señor Maddox, un caballero muy joven, lo que provocó que el duelista lo mirase con frialdad y arrogancia.

—Esa es la finalidad de los duelos, ¿no? —contestó el aludido.

—¿Desayuno en White's después, Tresh? —sugirió el vizconde de Kimble—. ¿Y luego vamos a Tattersall's? Le he echado el ojo a una pareja de tordos para mi tílburi.

—En cuanto zanje este asuntillo —afirmó el duelista. Sin embargo, dejó de atusarse los puños y de charlar cuando vio que su padrino se le acercaba—. ¿Y bien, Conan? —preguntó con un deje impaciente—. ¿Hay algún motivo para este retraso? Debo confesar que estoy ansioso por desayunar.

Sir Conan Brougham estaba acostumbrado a los nervios de acero de ese hombre. Había actuado como su padrino en anteriores duelos, tras los cuales su amigo había ingerido un copioso desayuno, sano y equilibrado, como si por la mañana no hubiera hecho nada más peligroso que echar una carrera por el parque.

—Lord Oliver está preparado para aceptar una disculpa como es debido —dijo Conan.

Sus conocidos rieron entre dientes.

Unos ojos de un castaño tan oscuro que la mayoría de la

gente los tenía por negros miraron a sir Conan sin parpadear. La cara afilada, arrogante y apuesta a la que pertenecían era una máscara inescrutable, salvo por una ceja ligeramente enarcada.

—¿Me ha retado a duelo porque su mujer le ha puesto los cuernos conmigo pero está dispuesto a conformarse con una simple disculpa? —preguntó—. ¿Tengo que disculparme, Conan? ¿Hacía falta que me consultaras?

—A lo mejor merece la pena contemplarlo —le aconsejó su amigo—. No estaría cumpliendo con mi deber si no te lo dijera, Tresham. Oliver tiene muy buena puntería.

—Pues que lo demuestre y me mate —replicó el duelista sin más—. Y que sea en cuestión de minutos, no de horas, amigo mío. Los espectadores comienzan a manifestar signos de aburrimiento.

Sir Conan movió la cabeza resignado y se alejó para comunicarle al vizconde de Russell, el padrino de lord Oliver, que Su Excelencia, el duque de Tresham, no veía la necesidad de disculparse con lord Oliver.

De modo que ya solo quedaba continuar con lo previsto. El vizconde de Russell estaba especialmente ansioso por terminar con ese encuentro. Hyde Park, y aunque estuvieran en un lugar tan recóndito como ese, era un sitio demasiado público para celebrar un duelo, dado que estaban prohibidos. El parque de Wimbledon Common, el punto más habitual para solventar cuestiones de honor, habría sido mucho más seguro. Sin embargo, su amigo había insistido en Hyde Park.

Cargaron las pistolas y los padrinos las inspeccionaron con sumo cuidado. Mientras se hacía un silencio entre los espectadores, los protagonistas eligieron un arma sin mirar al contrincante. Ocuparon sus puestos espalda contra espalda y a la señal convenida comenzaron a dar los pasos pertinentes antes de volverse. Apuntaron con cuidado, ambos de perfil para ofrecer la menor opción posible a su adversario. Y esperaron a que el vizconde de Russell dejara caer el pañuelo blanco que sostenía en alto, la señal para disparar.

Se hizo un silencio abrumador.

Y en ese momento sucedieron dos cosas a la vez.

El pañuelo cayó al suelo.

Y alguien chilló:

—¡Deténganse! ¡Deténganse!

Era una voz femenina y procedía de la arboleda cercana. Los espectadores comenzaron a cuchichear, indignados, ya que ellos habían guardado silencio y se habían mantenido inmóviles para no distraer a los duelistas.

El duque de Tresham, sorprendido y furioso, bajó el brazo derecho y se volvió para fulminar con la mirada a la persona que se había atrevido a interrumpir semejante encuentro y en ese preciso momento.

Lord Oliver, que también se había distraído un instante, se recuperó enseguida, volvió a apuntar y disparó.

La mujer gritó.

Su Excelencia no cayó al suelo. Lo cierto era que al principio ni siquiera parecía que le hubieran dado. Pero una brillante mancha roja apareció en su pantorrilla, justo por encima de la caña de sus relucientes botas de cuero, como si de repente una mano invisible la hubiera teñido con un pincel.

—¡Qué vergüenza! —exclamó el barón Pottier desde un lateral—. ¡Qué vergüenza, Oliver!

Al punto se le sumaron otras voces, censurando al hombre que se había aprovechado indebidamente de la distracción de su rival.

Sir Conan echó a andar hacia el duque mientras la mancha roja aumentaba de tamaño y el cirujano se inclinó sobre su maletín. Sin embargo, Su Excelencia levantó la mano izquierda para hacerles un gesto firme, indicándoles que se quedaran donde estaban, antes de levantar el brazo derecho y apuntar. No le tembló el pulso. Su cara tampoco expresó emoción alguna salvo una concentración intensa en su objetivo, a quien no le quedaba más remedio que esperar la llegada de la muerte.

Lord Oliver, había que reconocerlo, se quedó muy quieto, aunque la mano que sostenía la pistola a un lado le temblaba visiblemente.

Los espectadores volvieron a guardar silencio. Al igual que la desconocida. En el aire se palpaba una tensión insostenible.

Y en ese momento el duque de Tresham, al igual que hiciera en todos los duelos anteriores en los que había participado, dobló el brazo y disparó al aire.

La mancha roja de sus pantalones se extendía con rapidez.

Tuvo que echar mano de toda su fuerza de voluntad para mantenerse quieto mientras sentía que le clavaban un millar de agujas en la pierna. Sin embargo, y aunque estaba furioso por el hecho de que lord Oliver hubiera disparado cuando cualquier caballero de bien habría esperado a que se reanudara el duelo, Jocelyn Dudley, el duque de Tresham, jamás había tenido la intención de matar, ni siquiera herir, a su oponente. Solo quería que sudara un poco, que tuviera tiempo de ver la vida pasar ante sus ojos y de preguntarse si por fin él, un hombre afamado por su puntería pero también por malgastar sus balas al aire durante los duelos, cambiaría su forma de actuar.

Cuando terminó y tiró la pistola a la húmeda hierba, sentía cómo las agujas se le clavaban por todo el cuerpo. El dolor era agónico, y solo se mantuvo en pie porque prefería irse al infierno antes que darle a Oliver la satisfacción de poder alardear de que lo había tumbado.

También seguía furioso. Menudo eufemismo… Estaba consumido por una rabia absoluta que podría haber ventilado con Oliver de no tener un objetivo más evidente.

Volvió la cabeza y miró con los ojos entrecerrados hacia la arboleda por la que poco antes había aparecido la mujer, gritando como una loca. Sin duda se trataba de una criada, que hacía algún recado muy temprano y que había olvidado una de las reglas principales de la servidumbre: meterse en sus propios asuntos y dejar a los señores con los suyos. Una muchacha que se merecía una lección que no olvidaría jamás.

Seguía allí, observando absorta la escena, con las dos manos pegadas a la boca, aunque había dejado de gritar. Lástima que fuera una mujer. Le habría encantado darle unos cuantos latigazos antes de que se lo llevaran para atender su pierna. ¡Maldición, le dolía horrores!

Había pasado poco tiempo desde que disparó y tiró la pistola al suelo. Tanto Brougham como el cirujano corrían hacia él. Los espectadores bullían de excitación. Escuchó una voz inconfundible.

—¡Por Dios, muy bien hecho, Tresh! —exclamó el vizconde Kimble—. Habrías contaminado esa bala si le disparas al malnacido.

Jocelyn levantó la mano izquierda sin apartar la mirada de la mujer que estaba en la arboleda. Con la mano derecha le hizo un gesto imperioso para que se acercara a él.

De haber sido sensata, la muchacha habría salido corriendo en dirección contraria. Él no estaba en condiciones para perseguirla y dudaba mucho de que alguno de los presentes quisiera correr hasta los confines de la tierra en su nombre para dar caza a una insignificante criada vestida de gris.

No era sensata. Dio unos pasos vacilantes antes de acercarse a toda prisa y detenerse delante de él.

—¡Está loco! —exclamó ella con furia, olvidándose de su posición social y de las consecuencias de dirigirse a un par del reino de esa manera—. ¡Qué tontería más grande! ¿Tan poco respeta su vida que no le importa batirse en un estúpido duelo? Y ahora está herido. Déjeme decirle que le está bien empleado.

Jocelyn entrecerró los ojos todavía más mientras hacía caso omiso del palpitante dolor de su pierna y de la cada vez más inminente imposibilidad de seguir en pie.

—Silencio, muchacha —le ordenó con frialdad—. Si yo hubiera muerto esta mañana, es muy posible que te hubieran colgado por asesinato. ¿Tan poco respetas tu vida como para meterte en los asuntos de los demás?

La muchacha estaba ruborizada por la rabia. Pero se quedó blanca al escuchar las palabras del duque mientras lo miraba con los ojos como platos y los labios apretados.

—Tresham —dijo sir Conan desde un lugar cercano—, será

mejor que atendamos esa pierna, amigo mío. Estás perdiendo sangre. Déjame acompañarte hasta donde está Kimble, a la manta que el cirujano acaba de extender.

—¿Acompañarme? —Jocelyn soltó una carcajada desdeñosa. No había apartado los ojos de la criada—. Tú, muchacha. Acércate para que me apoye en tu hombro.

—Tresham… —Sir Conan parecía exasperado.

—Voy de camino al trabajo —dijo la muchacha—. Llegaré tarde si no me doy prisa.

Sin embargo, Jocelyn ya se había apoderado del hombro de la muchacha. Dejó caer casi todo su peso en ella, más de lo que le gustaría. Cuando por fin se puso en movimiento y se apoyó en la pierna herida, descubrió que, en comparación con lo que sentía en ese momento, el dolor previo era irrisorio.

—Tú eres la causante de esto, muchacha —la acusó con voz seria al tiempo que daba un paso vacilante hacia el cirujano, que de repente parecía estar lejísimos—. Y por Dios que vas a prestarme tu ayuda y a morderte esa lengua tan impertinente.

Mientras lord Oliver se ponía el chaleco y el abrigo, el vizconde de Russell guardaba su pistola y pasó junto a Jocelyn para recoger la otra.

—Sería mejor que se tragara el orgullo y permitiera que sus amigos lo llevaran en brazos —dijo la criada.

El hombro de la muchacha no cedió bajo su peso. Era bastante alta y delgada, pero no una debilucha. Sin duda estaba acostumbrada al duro trabajo manual. Seguramente también estaba habituada a recibir bofetadas y golpes por su impertinencia. En la vida había oído algo parecido en boca de una criada.

Estaba a punto de desmayarse cuando por fin alcanzó la manta que el cirujano había extendido en la hierba, bajo un roble.

—Túmbese, excelencia —le dijo el médico—, así podré ver qué daños le ha causado. No me gusta el lugar de la herida, por cierto. Ni toda esta sangre. Estoy casi seguro de que habrá que amputar la pierna.

Hablaba como un barbero que acabara de descubrir un mechón de pelo que desentonaba con el resto. Era un matasanos del ejército jubilado, que había llevado lord Oliver. Seguramente las sangrías y las amputaciones eran su solución a todos los problemas físicos.

Jocelyn soltó un improperio espantoso.

—Es imposible que esté tan seguro con un simple vistazo —comentó la criada dirigiéndose al cirujano con temeridad—, ni que pueda hacer un diagnóstico tan severo.

—Conan —dijo Jocelyn, que apretó los dientes en un intento inútil por controlar el dolor—, ve a por mi caballo. —Estaba atado a una rama no muy lejos de allí.

Se escuchó un coro de protestas, procedente de sus amigos, que se habían congregado a su alrededor.

—¿Su caballo? Está tan loco como de costumbre.

—He traído mi carruaje, Tresham. Puedes ir en él. Ordenaré que lo acerquen.

—Quédate donde estás, Brougham. Se ha vuelto loco.

—Bien dicho, Tresham. Demuéstrales de lo que eres capaz, amigo mío.

—¡Tráeme el dichoso caballo! —masculló Jocelyn, que aferraba con fuerza el hombro de la muchacha.

—Voy a llegar tardísimo —protestó ella—. Seguro que pierdo el trabajo.

—Y te lo tendrás merecido —replicó Jocelyn, devolviéndole las palabras sin piedad, mientras su amigo se alejaba para acercarle el caballo y el cirujano comenzaba a protestar—. ¡Silencio, señor! —ordenó Jocelyn—. Mandaré llamar a mi propio médico para que vaya a verme a Dudley House. Él tendrá más en cuenta su futuro antes de sugerir amputarme la pierna. Ayúdame a montar, muchacha.

Sin embargo, lord Oliver apareció delante de él antes de que pudiera darse la vuelta.

—Que sepas que no estoy satisfecho, Tresham —le dijo con voz jadeante y temblorosa, como si fuera él quien estuviera herido—. Sin duda alguna, usarás la distracción de esta muchacha para manchar mi buen nombre. Y todo el mundo se reirá de mí cuando corra la voz de que disparaste al aire con sumo desdén.

—¿Me estás diciendo que preferirías estar muerto? —La muerte le parecía un estado muy apetecible en ese instante. Si no se concentraba, iba a perder el conocimiento de un momento a otro.

—En el futuro te mantendrás alejado de mi esposa si sabes lo que te conviene —lo amenazó lord Oliver—. La próxima vez a lo mejor no te concedo la dignidad de un duelo. Puede que te dispare como el perro que eres.

Lord Oliver se alejó sin esperar respuesta mientras se escuchaba otra tanda de «¡Qué vergüenza!» procedente de los espectadores, algunos de los cuales se habían llevado una decepción al verse privados de la posibilidad de asistir a una amputación en mitad de Hyde Park.

—Mi caballo, muchacha. —Jocelyn le apretó el hombro todavía más y se acercó unos pasos a Cavalier, cuya cabeza sujetaba Conan.

Montar fue una tarea desalentadora, y habría sido casi imposible de no estar su orgullo en juego… y de no haber contado con la ayuda de su silencioso, aunque disgustado, amigo. Jocelyn no terminaba de creerse que una herida tan pequeña causara tanto dolor. Y lo peor estaba por llegar. La bala estaba alojada en su pantorrilla. Y a pesar de lo que le había dicho al cirujano, no estaba convencido de que pudieran salvarle la pierna. Apretó los dientes y aceptó las riendas de manos de Conan.

—Te acompaño, Tresham —dijo su amigo con voz seca—. ¡Menudo necio!

—Yo iré al otro lado —se ofreció el vizconde de Kimble alegremente—. Así uno de los dos podrá sujetarte te caigas hacia donde te caigas. Por cierto, bien hecho, Tresh. Has puesto al matasanos en su sitio.

La criada se quedó mirando a Jocelyn.

—Ya llevo media hora de retraso por lo menos —dijo—. Todo por su culpa, por su absurda disputa y por su duelo todavía más absurdo.

Jocelyn rebuscó en uno de los bolsillos de su chaqueta, pero en ese momento recordó que solo llevaba la camisa, los pantalones y las botas de montar.

—Conan —dijo con sequedad—, hazme el favor de sacar un soberano del bolsillo de mi chaqueta y de dárselo a esta muchacha, ¿quieres? Eso compensará de sobra la pérdida de media hora de salario.

Sin embargo, la muchacha ya había dado media vuelta y se alejaba por el prado, con la espalda tiesa por la indignación.

—Menos mal que las dependientas no pueden desafiar a duelo a los duques, Tresham —comentó el barón Pottier, que miraba a la muchacha a través del monóculo—. Porque si no, mañana te verías aquí de nuevo. —Se echó a reír—. Y yo no apostaría en su contra.

Jocelyn dejó de pensar en ella. Todos sus pensamientos, sus sentidos y su instinto se concentraron en sí mismo, en el dolor y en la necesidad de regresar a casa, a Grosvenor Square y más concretamente a Dudley House, antes de sufrir la vergüenza de caerse desmayado del caballo.

Jane Ingleby había estado buscando trabajo durante dos semanas. En cuanto asimiló que no conocía a nadie en Londres a quien pedirle ayuda y que no podía regresar al lugar del que había salido, y en cuanto se dio cuenta de que el poco dinero que se había llevado a la ciudad apenas le duraría un mes, y eso siendo muy ahorradora, empezó a buscar, a ir de tienda en tienda, de agencia de empleo en agencia de empleo.

A la postre, cuando a la escasez de recursos se había sumado la ansiedad al miedo casi paralizante que ya sentía por otros motivos, encontró trabajo como aprendiz de costurera. La faena consistía en pasar muchas horas realizando labores pesadas para una jefa malhumorada y quisquillosa, que se hacía llamar madame de Laurent, con acento francés y manos muy activas, pero dicho acento se transformaba en el de los barrios bajos londinenses en cuanto la mujer regresaba al taller con las costureras. El salario era mínimo.

Pero al menos era un trabajo. Al menos ganaba lo suficiente a la semana para alimentar tanto el cuerpo como el alma y pagar el alquiler de la diminuta habitación que Jane había encontrado en un barrio poco recomendable.

Llevaba dos días trabajando. Ese era el tercero. Y llegaba tarde. No quería ni pensar en lo que eso supondría aunque contase con una buena excusa. No estaba segura de que madame de Laurent fuera muy comprensiva con las excusas.

Y desde luego que no lo era. A los cinco minutos de llegar a la tienda, Jane ya salía corriendo de ella.

—Dos caballeros batiéndose en duelo —dijo madame, con los brazos en jarras, después de que Jane le contara su historia—. No me he caído de un guindo, guapa. Los señoritingos ya no se baten en duelo en Hyde Park. Ahora van al parque de Wimbledon Common.

Jane había sido incapaz de facilitar los nombres completos de los dos caballeros implicados. Solo sabía que el caballero herido (el hombre arrogante, malhumorado y de pelo oscuro) se llamaba Tresham. Y que vivía en Dudley House.

—¿En Grosvenor Square? ¡Ah, Tresham! —exclamó madame, agitando las manos—. Bueno, eso lo explica todo. Es imposible encontrar a un caballero más peligroso e imprudente que Tresham. Es el mismísimo diablo, ¿no?

Por un momento Jane se permitió un suspiro aliviado. Después de todo, iba a creerla. Sin embargo, madame echó la cabeza hacia atrás de repente y soltó una risotada desdeñosa. Después echó un vistazo por el taller, mirando a las otras muchachas, y estas, como borregas, también se rieron con desdén.

—¿Y quieres que me trague que el duque de Tresham ha necesitado la ayuda de una aprendiz de costurera después de que le dispararan en la pierna? —preguntó madame. El interrogante era, a todas luces, retórico. Porque no esperó la respuesta—. No vas a tomarme el pelo, guapa. Viste algo raro y te quedaste para husmear, ¿verdad? ¿Le quitaron los pantalones para curarle la pierna? No puedo culparte por quedarte a mirar. Debajo de sus pantalones no hay relleno, que lo sepas.

Las otras muchachas se echaron a reír mientras Jane se sonrojaba… por una mezcla de vergüenza y de enfado.

—¿Me está llamando mentirosa? —preguntó ella sin pensar.

Madame de Laurent la miró, estupefacta.

—Sí, señoritinga —contestó la modista a la postre—. Eso mismo. Y ya no me haces falta. A menos que... —Se detuvo para mirar a las demás con una mueca socarrona—. A menos que puedas traerme una nota firmada por el duque de Tresham en persona que confirme tu historia.

Las muchachas estallaron en carcajadas al tiempo que Jane se daba media vuelta y salía del taller. Mientras se alejaba, recordó que ni siquiera había exigido la paga de los dos días que había trabajado.

¿Qué podía hacer en ese momento? ¿Regresar a la agencia que le había buscado ese empleo? ¿Dos días después de haber comenzado a trabajar? En parte, el problema a la hora de encontrar trabajo se debía a que no tenía referencias ni experiencia previa en ningún puesto. Pero muchísimo peor que la falta de referencias y de experiencia sería el hecho de haber trabajado dos días y acabar despedida por llegar tarde y ser una mentirosa.

Había gastado el poco dinero que le quedaba tres días antes en comida para aguantar hasta el día de paga y en el vestido que llevaba.

Jane se detuvo de repente en mitad de la acera, con las rodillas temblorosas por el miedo. ¿Qué podía hacer? ¿Adónde iba a ir? No le quedaba dinero, aunque decidiera recurrir a Charles. No tenía dinero con el que mandar una carta. Y tal vez la estuvieran buscando en ese preciso momento. Al fin y al cabo, llevaba más de dos semanas en Londres y no había hecho nada por ocultar su rastro. Tal vez alguien la había seguido, sobre todo si...

Sin embargo, se quedó en blanco cuando su mente descartó esa posibilidad.

En cualquier momento podría toparse con una cara conocida y descubrir la verdad en dicho rostro: que la estaban persiguiendo. No obstante, acababan de privarla de la posibilidad de desaparecer en el mundo relativamente anónimo de la clase trabajadora.

¿Debería probar en otra agencia de empleo y no mencionar

la experiencia de esos dos días? ¿Quedaban agencias a las que no hubiera visitado al menos seis o siete veces?

En ese momento un caballero regordete se dio de bruces con ella y la maldijo antes de continuar su camino. Jane se frotó el hombro dolorido y sintió que la rabia crecía en su interior. Un sentimiento muy común ese día. Se había enfadado con el duelista malhumorado… el que parecía ser el duque de Tresham. La había tratado como a un objeto cuya única función en la vida era servirlo. Y se había enfadado con madame, que la había llamado mentirosa y que la había convertido en objeto de escarnio.

¿Se sentirían las mujeres de las clases bajas tan impotentes, carecerían del derecho a que las respetasen?

Ese hombre debía saber que había sido el culpable de que ella perdiera el trabajo. Debía saber lo que un empleo significaba para ella: ¡la supervivencia! Y madame debía saber que no podía llamarla mentirosa sin pruebas. ¿Qué era lo que le había dicho esa mujer? ¿Que podía conservar el trabajo si le llevaba una nota firmada por el duque en persona que confirmara la veracidad de su historia?

Pues muy bien, conseguiría esa nota.

Y él la firmaría.

Sabía dónde vivía el duque. En Grosvenor Square. Conocía esa dirección. Durante sus primeros días en Londres, antes de comprender lo terriblemente sola que estaba, antes de que el miedo la atenazara y la obligara a buscar refugio como la fugitiva en la que se había convertido, había estado en Mayfair. El duque vivía en Dudley House, en Grosvenor Square.

Jane echó a andar por la acera.

2

El conde de Durbury se alojaba en el hotel Pulteney. Puesto que viajaba poco a Londres, no tenía residencia en la ciudad. Aunque habría preferido un establecimiento más barato, debía mantener las apariencias. Ojalá no tuviera que prolongar su estancia demasiado tiempo y pudiera regresar pronto a Candleford Abbey, a Cornualles.

El hombre que se encontraba en la sala de estar de su suite, sombrero en mano y con actitud respetuosa que no servicial, tendría mucho que ver en la duración de la estancia del conde en Londres. Se trataba de un individuo bajito y aseado, con el pelo peinado con fijador. Si bien no se ajustaba a la imagen que Su Ilustrísima tenía de un investigador de Bow Street, esa era su ocupación.

—Espero que todos sus hombres estén buscándola —dijo el conde—. No debería ser difícil localizarla. Al fin y al cabo no es más que una jovencita recién llegada del campo y no tiene ningún conocido en la capital, salvo lady Webb, que está fuera de la ciudad.

—Discúlpeme, señor —replicó el investigador—, pero estamos trabajando en otros casos. Contaré con la ayuda de otros dos investigadores. Dos hombres muy capaces, se lo aseguro.

—Eso espero —masculló el conde—, teniendo en cuenta lo que le pago.

El investigador se limitó a inclinar la cabeza en señal de respeto.

—Si pudiera darme una descripción de la joven... —le sugirió.

—Alta y delgada —dijo Su Ilustrísima—. Rubia. Demasiado guapa para su bien.

—¿De qué edad, señor?

—Veinte.

—¿Eso quiere decir que solo se trata de una fuga? —El investigador afianzó su postura y separó más los pies, que descansaban sobre la alfombra—. Tenía la impresión de que había algo más en todo este asunto.

—Y lo hay, desde luego. —El conde frunció el ceño—. La joven es una delincuente de la peor calaña. Es una asesina. Ha matado a mi hijo... o, en realidad, podría decirse que lo ha hecho. Se encuentra en estado comatoso y no esperamos que se recupere. Además, es una ladrona. Escapó con una fortuna en joyas y dinero en efectivo. Hay que encontrarla a toda costa.

—Y llevarla ante la justicia —añadió el investigador—. Y ahora, señor, si me lo permite, le haré unas cuantas preguntas más concretas sobre la muchacha. Peculiaridades sobre su apariencia, comportamiento, preferencias, lugares y actividades predilectas. Ese tipo de cosas. Cualquier detalle que pueda ayudarnos a una rápida localización de la joven.

—Supongo que será mejor que se siente —dijo Su Ilustrísima a regañadientes—. ¿Cómo se llama?

—Boden, señor —contestó el investigador—. Mick Boden.

Jocelyn se hallaba en un estado de agradable embriaguez. Muy satisfactorio, salvo por el hecho de estar acostado, ya que en dicho estado prefería la posición vertical. En esa postura la estancia no tendería a fluctuar de esa manera a su alrededor.

—¡Ni hablar! —Levantó una mano, o al menos eso creyó que hizo, cuando sir Conan le ofreció otra copa de brandi—. Si sigo bebiendo, ese matasanos me cortará la pierna antes de que pueda protestar. —Tenía la impresión de que ni la lengua ni los dientes eran suyos. Ni tampoco el cerebro.

—Ya le he dado mi palabra de que no le amputaré la pierna sin su consentimiento, excelencia —le aseguró con tirantez el doctor Timothy Raikes, sin duda molesto por el apelativo de «matasanos»—. Pero parece que la bala está alojada muy profundamente. En caso de que haya llegado al hueso…

—Sác… Sácal… —Jocelyn se concentró con todas sus fuerzas. Aborrecía a los borrachos que eran incapaces de articular palabra—. Sácala de ahí, entonces. —El entumecimiento había hecho que el malestar desapareciera, pero su atolondrada mente comprendía el hecho de que el alcohol ingerido no camuflaría el dolor que estaba a punto de padecer. No había motivos para retrasar lo inevitable—. Adel… adelante, doctor.

—En cuanto llegue mi hija —replicó el doctor, inquieto—. Es una ayudante muy capaz y firme en este tipo de casos. Ordené que fueran a buscarla en cuanto vinieron a por mí, pero supongo que ya no estaba en la biblioteca de Hookham cuando le llegó el mensaje.

—¡Al cuerno con tu hija! —exclamó Jocelyn de muy mala manera—. Sáca…

Sin embargo, Conan lo interrumpió:

—Aquí está —dijo con evidente alivio.

—No, señor —lo contradijo el doctor Raikes—. Es solo una doncella. Pero tendrá que ayudarnos. Ven aquí, muchacha. ¿Eres aprensiva? ¿Te desmayas al ver la sangre como le ha sucedido al ayuda de cámara de Su Excelencia?

—No a ambas preguntas —respondió la doncella—. Pero creo que debe de haber un err…

—Acércate —le ordenó el doctor con voz autoritaria—. Tengo que sacar la bala de la pierna de Su Excelencia. Tú me irás dando el instrumental según te lo pida y limpiarás la sangre para que yo pueda ver lo que estoy haciendo. Acércate. Ponte aquí.

Jocelyn se preparó aferrándose a ambos extremos del colchón. Antes de que la muchacha desapareciera detrás de Raikes, atisbó su cara un instante. Y al cabo de un momento, la coherencia abandonó sus pensamientos en cuanto su cuerpo, su mente y su mundo se vieron inundados por un dolor abrasador. No había rincón alguno donde esconderse mientras el médico cortaba, hurgaba y profundizaba en busca de la bala. Conan le sujetaba el muslo con ambas manos para inmovilizarle la pierna. Jocelyn logró mantener el resto del cuerpo inmóvil gracias a su enorme fuerza de voluntad y al ansia con la que se agarraba al colchón, con los ojos y los labios apretados. Además, se esforzaba por no gritar.

El tiempo dejó de existir. Le pareció que había transcurrido una eternidad antes de que el médico anunciara con una calma exasperante que había extraído la bala.

—Está fuera, Tresham —repitió Conan, que parecía haber estado corriendo un buen trecho cuesta arriba—. Lo peor ya ha pasado.

—¡La madre que lo…! —exclamó Jocelyn, después de una sarta de improperios—. Raikes, ¿tenías que pasarte toda la mañana para llevar a cabo la sencilla tarea de sacar una bala?

—Lo he hecho lo más rápido posible, excelencia —repuso el médico—. Estaba alojada en los músculos y los tendones. Es difícil valorar el daño que ha causado. Pero de haberla extraído con rapidez, estoy seguro de que lo hubiera dejado lisiado y a la postre la amputación habría sido inevitable.

Jocelyn volvió a echar pestes por la boca. Y después sintió el indescriptible consuelo de un paño húmedo, primero en la frente y después en las mejillas. No se había percatado de lo acalorado que se encontraba. Abrió los ojos.

Y la reconoció al instante. Su pelo rubio dorado estaba peinado con implacable severidad. Tenía los labios apretados, como la primera vez que la vio. En Hyde Park. Se había quitado la capa gris y el bonete que llevaba entonces, pero el vestido que lucía no mejoraba en absoluto su aspecto. Un vestido gris barato y feo, con un recatado cuello alto. Pese a su estado de embriaguez, que a esas alturas casi había desaparecido por el dolor, Jocelyn logró recordar que estaba acostado en su cama, en su dormitorio, en su residencia londinense. A ella la vio en Hyde Park, de camino a su trabajo.

—¿Qué demonios haces aquí? —exigió saber.

—Ayudando a enjugar la sangre y ahora, el sudor —contestó la muchacha, que se volvió para meter el paño en una palangana con agua y estrujarlo antes de volver a colocárselo en la frente.

Menuda impertinente, pensó él.

—¡Caray! —exclamó Conan, que obviamente acababa de reconocerla.

—¿Quién te ha dejado pasar? —Jocelyn hizo una mueca de dolor y soltó un improperio cuando el doctor Raikes le aplicó algún ungüento sobre la herida.

—Su mayordomo, supongo —contestó ella—. Le he dicho que quería hablar con usted, y me ha acompañado escaleras arriba. Según él, me estaban esperando. Debería aconsejarle que se muestre más precavido con las personas a las que admite. Es evidente que podría haber sido cualquiera.

—¡Tú eres una cualquiera! —rugió Jocelyn mientras le movían la pierna y el dolor lo asaltaba, abrumándolo por completo. El médico le estaba vendando la herida—. ¿Qué demonios quieres?

—Quienquiera que seas —terció el doctor con voz nerviosa— estás molestando a mi paciente. Si fueras tan amable…

—Lo que quiero… lo que exijo —se corrigió ella con firmeza, pasando por alto las palabras del médico— es una nota firmada en la que asegure usted que esta mañana me he demorado por su culpa y que por eso he llegado tarde al trabajo.

Jocelyn supuso que estaba más borracho de lo que había pensado.

—Vete al cuerno —le dijo a la impertinente criada.

—Tal vez tenga que hacerlo —replicó ella—. Si pierdo mi empleo. —Comenzó a pasarle el paño húmedo por la barbilla y por el cuello.

—Si fueras tan amable… —repitió el doctor.

—¿Y a mí qué más me da que pierdas tu empleo y que acabes en la calle muerta de hambre? —replicó Jocelyn—. De no ser por ti, yo no estaría acostado, tan indefenso como una ballena varada en la playa.

—Yo no fui quien le apuntó con la pistola —señaló ella—. Ni quien apretó el gatillo. Les advertí a los dos que se detuvieran, por si no lo recuerda.

¿De verdad estaba discutiendo con una sirvienta?, se preguntó de repente Jocelyn. ¿En su propia casa? ¿En su dormitorio? Le apartó el brazo de un empujón.

—Conan —dijo con brusquedad—, dale a la muchacha el soberano que antes no quiso, si eres tan amable, y échala a la fuerza si se niega a salir por su propio pie.

Sin embargo, su amigo solo alcanzó a dar un paso al frente.

—Desde luego que la muchacha se niega a salir por su propio pie —replicó ella, que se enderezó mientras lo fulminaba con la mirada y un fuerte rubor le cubría las mejillas. Al parecer, tenía la suprema desfachatez de enfurecerse con él y demostrárselo—. Y no cederá hasta tener en sus manos la nota firmada.

—Tresham —dijo Conan con un deje jocoso en la voz—, no tardarás nada, amigo mío. Ordenaré que traigan papel, pluma y tinta. Yo mismo escribiré la nota y lo único que tendrás que hacer es firmarla. Es la forma de sobrevivir de la muchacha.

—¡Y un cuerno! —exclamó Jocelyn—. No pienso dignarme a contestar siquiera a esa sugerencia. Que se quede ahí plantada si quiere hasta que venga un criado para sacarla a rastras de la oreja. ¿Has acabado, Raikes?

El médico, cuya labor había concluido, se volvió hacia su maletín.

—He acabado, excelencia —contestó—. El daño es considerable, y mi deber es advertírselo. Espero que no sea permanente. Pero lo será a no ser que deje que la pierna descanse en alto al menos durante las próximas tres semanas.

Jocelyn lo miró, espantado. ¿Tres semanas de completa inactividad? No se le ocurría un destino peor.

—Si no quiere escribir la nota, tendrá que ofrecerme un empleo para reemplazar el que he perdido —exigió la muchacha—. Me niego a morir de hambre.

Jocelyn volvió la cabeza para mirarla. Para mirar la fuente de sus desdichas. Era su cuarto duelo. En los tres primeros no había sufrido ni un simple arañazo. Oliver habría fallado al menos por un metro si el chillido de esa muchacha no le hubiera facilitado un blanco mayor al que apuntar y un oponente que a su vez no le apuntaba.

—Lo tienes —masculló—. Ya tienes trabajo, muchacha. Para las próximas tres semanas. Serás mi enfermera. Te aseguro que antes de que acaben pensarás que morirte de hambre habría sido la mejor alternativa.

La muchacha lo miró sin pestañear.

—¿Y qué hay de mis honorarios? —le preguntó.

Jane se despertó desorientada a la mañana siguiente. No escuchaba los gritos de los borrachos, ni las voces de las mujeres, ni los llantos o las peleas de los niños. Tampoco le llegaba el olor rancio de las coles cocidas, de la ginebra ni de otras cosas peores al que casi se había acostumbrado. Solo había silencio, una cama calentita y un agradable perfume a limpio.

Estaba en Dudley House, en Grosvenor Square, recordó casi al instante. Apartó las mantas y bajó los pies para disfrutar del lujo de un suelo alfombrado. El día anterior, después de marcharse para comunicarle las noticias a su casera y recoger sus exiguas pertenencias, volvió a Dudley House y se dirigió a la entrada del servicio. Aunque esperaba que la instalaran en alguna de las habitaciones del ático con las criadas, el ama de llaves le informó de que la servidumbre de la casa estaba completa, de modo que no había ni una sola cama disponible. La enfermera de Su Excelencia tendría que alojarse en una de las habitaciones de invitados.

Era una estancia pequeña, ciertamente, situada en la parte posterior de la casa y orientada al jardín, pero para Jane era todo un lujo después de sus más recientes experiencias. Al menos le ofrecía intimidad. Y comodidad.

No había visto a su nuevo jefe desde el día anterior por la mañana, cuando le exigió con atrevimiento, y gran desesperación, que le ofreciera un empleo si no quería ayudarla a mantener el que ya tenía. Al parecer, después de que el médico se marchara, el duque había tomado una dosis de láudano sin dar su aprobación, ya que el ama de llaves la había camuflado en un caldito caliente, y el brebaje había reaccionado muy mal con el alcohol que había ingerido previamente, de modo que había sufrido unos violentos vómitos antes de sumirse en un profundo sueño.

Jane suponía que el dolor de cabeza que sufriría esa mañana sería monstruoso. Por no mencionar el de la pierna. Si el duque seguía contando con dos piernas esa mañana, era gracias a la labor de un gran médico.

Se lavó con agua fría, se vistió con rapidez y se cepilló el pelo antes de trenzárselo con agilidad y recogérselo en la coronilla. Después se puso una de las dos cofias blancas que se había comprado el día anterior con el dinero que había ganado trabajando para la modista. Había regresado al establecimiento para avisar de su renuncia de forma oficial y para explicar que iba a trabajar para el duque de Tresham. Madame de Laurent le había entregado su salario completo, posiblemente por la sorpresa, suponía Jane.

Salió de su habitación y bajó a la cocina, donde esperaba poder desayunar algo antes de que la llamaran para que diera comienzo su trabajo de enfermera.

Según había predicho el duque el día anterior, lograría que deseara haber muerto de hambre. No tenía la menor duda de que Su Excelencia trataría de hacerle la vida imposible por todos los medios a su alcance. Era difícil encontrar una persona más arrogante, más malhumorada y más grosera. Claro que sus circunstancias eran extremas, reconoció Jane. El duque sufría un dolor considerable, que había soportado con gran estoicismo, si bien no había logrado contener la lengua. Porque se había explayado a placer, y bien que lo habían oído todos.

Se preguntó en qué consistirían sus obligaciones. Bueno, pensó mientras entraba en la cocina y descubría con gran bochorno que era la última en llegar, al menos su vida laboral no sería tan aburrida como había sido en el establecimiento de madame de Laurent. Además, iba a ganar el doble y contaba con alojamiento y manutención.

Claro que solo duraría tres semanas.

Cuando despertó, Jocelyn descubrió que la pierna le dolía una barbaridad. A juzgar por la luz que entraba en su dormitorio, supuso que estaba amaneciendo o anocheciendo. Amaneciendo, decidió. Había dormido toda la tarde y toda la noche, y había sufrido un sinfín de pesadillas dantescas. No se sentía en absoluto descansado. Más bien todo lo contrario.

No había forma de escapar del dolor que sentía en la pierna. Y no quería analizar siquiera el terrible dolor de cabeza, que parecía haber aumentado. Tenía la impresión de que una mano invisible la estaba usando como tambor… pero desde el interior. En cuanto al estómago, era mejor no hacerle caso. Y en la boca parecían haberle metido un estropajo de un sabor asqueroso.

Tal vez lo único positivo de tan abrumadora situación fuera el hecho de que, a primera vista, no tenía fiebre. Porque más que la herida en sí, solía ser la fiebre la causante de la muerte después de una operación.

Jocelyn tiró con impaciencia del cordón de la campanilla del servicio que colgaba junto a su cama y después ventiló su mal humor con el ayuda de cámara, que todavía no le había llevado el agua para afeitarlo.

—Excelencia, he pensado que querría descansar esta mañana —adujo el hombre.

—¡Has pensado! ¿Acaso te pago para que pienses, Barnard?

—No, excelencia —contestó el ayuda de cámara con voz servicial y paciente.

—Pues entonces trae el agua —le ordenó Jocelyn—. Tengo la cara tan áspera que bien podría rallar queso.

—Sí, excelencia —replicó Barnard—. El señor Quincy desea saber cuándo podrá verlo.

—¿Quincy? —Jocelyn frunció el ceño. ¿Su secretario deseaba verlo?—. ¿Ahora? ¿Mientras estoy acostado? ¿Por qué demonios espera que lo reciba en mi dormitorio?

Barnard miró a su señor con evidente incomodidad.

—Excelencia, se le advirtió que debía descansar durante tres semanas —le recordó.

Jocelyn se quedó sin habla. ¿Su servidumbre esperaba que guardara cama durante tres semanas completas? ¿Acaso habían perdido el juicio? Haciendo gala de una colorida elocuencia, procedió a explicarle al infortunado criado lo que pensaba de los consejos y de la intromisión de los médicos, de los ayudas de cámara, de los secretarios y de la servidumbre en general. Acto seguido, apartó las mantas, bajó los pies al suelo… y dio un respingo.

En ese momento recordó otra cosa.

—¿Dónde está esa dichosa mujer? —preguntó—. Esa criatura tan entrometida a quien recuerdo haber contratado como enfermera. Durmiendo rodeada de lujos, ¿verdad? Esperando que le lleven el desayuno a la cama, ¿no es cierto?

—Está en la cocina, excelencia —contestó Barnard—, esperando sus órdenes.

—¿También quiere atenderme aquí en el dormitorio? —Jocelyn soltó una risotada—. Seguro que espera atenderme aquí, enjugar el sudor de mi frente con su paño húmedo y ponerme los nervios de punta con esa lengua tan afilada que tiene, ¿a que sí?

Su ayuda de cámara demostró ser prudente al abstenerse de contestar.

—Que vaya a la biblioteca —dijo Jocelyn—, una vez que yo acabe de desayunar en el comedor matinal. Y ahora ve a por el agua para afeitarme y ya puedes ir borrando de tu cara esa expresión recriminatoria.

Durante la siguiente media hora se lavó y se afeitó, se puso una camisa y se sentó mientras Barnard le anudaba la corbata a su gusto, bien almidonada, pero con un nudo sencillo, no con esas florituras ridículas de las que adolecían los dandis. Sin embargo, se vio obligado a reconocer que no podría ponerse ni calzas ni pantalones. Si la tendencia de la moda no dictara que ambas prendas fueran ajustadas, tal vez las cosas habrían sido distintas. Pero era imposible luchar contra los dictados de la moda. Jocelyn no tenía calzas que no se le ajustaran a las piernas como si de una segunda piel se tratase. Así que se puso un batín de brocado de seda de color vino que le llegaba a los tobillos, y unas pantuflas.

Accedió a que un fornido lacayo, que se esforzó en todo momento en mantener una expresión tan pétrea que parecía inanimado, lo ayudara a bajar las escaleras. Sin embargo, Jocelyn sintió la humillación de saberse un inútil. Una vez que desayunó y leyó el periódico, tuvieron que ayudarlo de nuevo a trasladarse a la biblioteca, donde se sentó en un sillón orejero junto al fuego en vez de hacerlo tras su escritorio, como solía hacer todas las mañanas durante una hora.

—Una cosa —le dijo con brusquedad a su joven secretario cuando este apareció—. No quiero oír ni una sola palabra sobre lo que estoy haciendo aquí o sobre dónde debería estar. Ni una sola palabra si valoras tu empleo.

Le gustaba Michael Quincy, un caballero dos años menor que él, que llevaba unos cuatro a su servicio. Un hombre callado, respetuoso y eficiente, que jamás se mostraba obsequioso. En ese instante tuvo la desfachatez de sonreír.

—El periódico matinal está en el escritorio, excelencia —le informó—. Se lo traeré.

Jocelyn lo miró con los ojos entrecerrados.

—Esa mujer —le dijo—. A estas alturas Barnard debería haberle dicho que se presentara aquí. Ya va siendo hora de que se gane el sueldo. Michael, dile que venga de inmediato. Estoy tan irritado que creo que disfrutaré de su compañía.

Su secretario abandonó la biblioteca con una sonrisa en los labios.

Jocelyn creyó que tenía la cabeza quince veces más grande de lo normal.

Cuando la mujer entró en la biblioteca, le resultó evidente que había decidido adoptar el papel de empleada sumisa esa mañana. Sin duda se había corrido la voz entre la servidumbre de que estaba de mal humor. La muchacha se detuvo nada más entrar por la puerta de la biblioteca, con las manos unidas al frente, a la espera de instrucciones. La irritación de Jocelyn creció al instante. La ignoró por completo durante unos minutos, mientras trataba de descifrar una larga carta llena de tachaduras y escrita con la atroz caligrafía de su hermana. Aunque vivía a unos escasos diez minutos a pie, le había escrito muy nerviosa, nada más enterarse de lo del duelo. Al parecer, había sufrido palpitaciones, vahídos y otras indisposiciones indescifrables tan serias que habían tenido que ir en busca de Heyward, su marido, a la Cámara de los Lores.

A Heyward no debía de haberle hecho ni pizca de gracia.

Jocelyn alzó la vista. La muchacha estaba espantosa. Llevaba el vestido gris del día anterior, que la cubría desde el cuello a los pies, pasando por los brazos. La prenda, de muy mala calidad, carecía por completo de adornos que mejoraran un poco su aspecto. Esa mañana se había puesto una cofia blanca. Su porte era erguido y tenía la espalda muy recta. Jocelyn llegó a la conclusión, después de desnudarla con su experimentada mirada, de que su aspecto por debajo de esa prenda era muy femenino, aunque había que observarla con detenimiento para percatarse de las pruebas. Creyó recordar que el día anterior, inmerso en la marea de dolor, había descubierto que tenía el pelo rubio dorado. En esos momentos lo llevaba cubierto.

Su actitud era servil. Pero su mirada no estaba decentemente clavada en el suelo. Lo estaba mirando sin disimular.

—¡Acércate! —le ordenó con impaciencia.

La chica obedeció con pasos firmes y se detuvo a un metro de su sillón. Esos ojos, de un azul sorprendente, seguían mirándolo. La verdad, reconoció Jocelyn con cierta sorpresa, tenía un rostro de belleza clásica. Unas facciones sin un solo defecto, salvo quizá el recuerdo de esos labios apretados. En reposo, eran exquisitos y estaban deliciosamente formados.

—¿Y bien? —le preguntó con brusquedad—. ¿Qué tienes que decir? ¿Estás lista para disculparte?

La muchacha se tomó su tiempo para contestar.

—No —respondió a la postre—. ¿Está usted listo para disculparse?

Jocelyn se acomodó en el sillón e intentó pasar por alto el agónico dolor que sentía en la pierna.

—Vamos a dejar una cosa clara —dijo con ese tono de voz sereno y casi agradable que sabía que aterraba a su servidumbre—. Tú y yo no somos iguales ni por asomo. —Guardó silencio y frunció el ceño—. ¿Cómo demonios te llamas?

—Jane Ingleby.

—Tú y yo no somos iguales ni por asomo, Jane —siguió—. Yo soy el señor y tú eres la empleada. Una empleada de categoría muy inferior. No es preciso que acompañes todos y cada uno de mis comentarios con alguna impertinencia ingeniosa. Te dirigirás a mí con el debido respeto. Y me llamarás «excelencia» siempre. ¿Queda claro?

—Sí —contestó ella—. Por mi parte, excelencia, creo que debería vigilar el uso del lenguaje en mi presencia. No apruebo las maldiciones ni el uso del nombre de Dios en vano, como parece ser lo habitual en esta casa.

¡Por el amor de Dios!, exclamó Jocelyn para sus adentros mientras se aferraba con fuerza a los brazos del sillón.

—¿Ah, sí? —replicó con su voz más gélida—. ¿Tienes alguna instrucción más que comunicarme, Jane?

—Sí, dos más —respondió—. Preferiría que me llamara «señorita Ingleby», y por tanto, que no me tuteara.

Jocelyn buscó el monóculo con la mano derecha e hizo ademán de llevárselo al ojo.

—¿Y la otra?

—¿Por qué no está en la cama?

3

*L*a joven observó cómo el duque de Tresham se llevaba el monóculo al ojo, cuya lente lo agrandó confiriéndole un aspecto grotesco, al tiempo que apoyaba la mano libre en el montón de cartas que tenía en el regazo. Estaba mostrándose muy arrogante, por supuesto, en su intento por asustarla. Y casi lo había conseguido. Pero sería un suicidio demostrárselo.

Sus criados, según había comprobado durante el desayuno, le tenían pánico, sobre todo cuando estaba de mal humor como esa mañana, en palabras de su ayuda de cámara. Y tenía un aspecto formidable, aunque estuviera calzado con unas pantuflas y llevara un batín sobre la camisa blanca y la elegante corbata.

Era un hombre de aura poderosa y pelo oscuro, con ojos negros, nariz prominente, labios finos y cara alargada, que parecía lucir una perpetua expresión cínica y cruel. Y arrogante.

Por supuesto, admitió Jane, ese no debía de ser uno de sus mejores días.

Había llegado a la estancia acompañando al señor Quincy, el educado y amabilísimo secretario del duque, y había decidido comportarse como lo que se suponía que debía ser: una enfermera tímida y apocada que tenía suerte de contar con ese puesto aunque solo fuera por tres semanas.

Sin embargo, le costaba no ser ella misma… tal como había descubierto para su desgracia hacía casi un mes. El estómago le dio un vuelco y alejó esos recuerdos de su mente.

—¿Cómo dices? —preguntó el duque en ese momento, dejando el monóculo una vez más contra el pecho.

Era una pregunta retórica. El duque no tenía, a su entender, problemas de oído.

—Le han advertido que debe guardar cama al menos tres semanas y mantener la pierna en alto —le recordó ella—. Sin embargo, está sentado con el pie en el suelo, aunque es evidente que le duele. Lo sé por la tensión de su cara.

—La tensión de mi cara —repitió él con una expresión amenazadora y los ojos entrecerrados— es el resultado de un tremendo dolor de cabeza y de tu monumental impertinencia.

Jane pasó por alto sus palabras.

—¿No le parece una tontería correr riesgos solo porque sería aburrido quedarse en la cama?

Los hombres eran muy tontos. Había conocido a varios como el duque a lo largo de sus veinte años de vida, hombres cuya determinación por ser más varoniles los llevaba a arriesgar su salud y su seguridad.

El duque se repantingó en el sillón y la observó en silencio, provocándole muy a su pesar un escalofrío que le corrió por la espalda. Seguramente en cuestión de diez minutos estaría de patitas en la calle con la pequeña bolsa donde guardaba sus pertenencias, pensó. Tal vez sin dicha bolsa.

—Señorita Ingleby —el duque pronunció su nombre como si fuera el peor de los insultos—, tengo veintiséis años. Llevo nueve años ostentando el título, así como las obligaciones y las responsabilidades que conlleva, desde la muerte de mi padre. Hace mucho tiempo que nadie me habla como si fuera un colegial travieso que necesitara una reprimenda. Y pasará más tiempo aún antes de que tolere que alguien vuelva a hablarme así.

No había réplica posible. Jane no dio ninguna. Unió las manos por delante del cuerpo y lo miró en silencio. No era guapo, decidió. Ni mucho menos. Pero el aura tan masculina que lo rodeaba lo haría irresistible para cualquier mujer a quien le gustara ser avasallada, dominada o verbalmente apaleada. Y existían muchísimas mujeres así, no le cabía la menor duda.

Por su parte, estaba harta de hombres como él. Volvió a darle un vuelco el estómago.

—Pero tiene razón en algo, como supongo que le encantará saber —siguió él—. Me duele, y no solo la dichosa cabeza. Salta a la vista que mantener el pie en el suelo no es la mejor opción. Pero que me parta un rayo si me voy a quedar tumbado en la cama durante tres semanas solo porque alguien me distrajo lo suficiente durante un duelo para que me pegasen un tiro en la pierna. Y que me parta otro rayo si permito que me vuelvan a drogar hasta perder el sentido para mitigar el dolor. En la sala de música adyacente encontrará un escabel junto a la chimenea. Tráigamelo.

Mientras se daba la vuelta para salir de la estancia volvió a preguntarse cuáles serían sus deberes durante las próximas tres semanas. El duque no parecía tener fiebre. Y desde luego no estaba dispuesto a interpretar el papel de convaleciente inválido. Cuidarlo, hacer recados y llevarle cosas no sería un trabajo a jornada completa. Seguramente le diría al ama de llaves que le asignara otras tareas. Le daba igual siempre y cuando dichas labores no la obligaran a relacionarse con las visitas. Había sido una imprudencia regresar a Mayfair, llamar a la puerta de una gran mansión de Grosvenor Square y exigir un puesto de trabajo. Exponerse al público.

Sin embargo, era todo un placer volver a estar en un ambiente limpio, elegante, espacioso y civilizado, admitió para sus adentros al abrir la puerta adyacente a la biblioteca y entrar en la sala de música.

Cerca de la chimenea no había ningún escabel.

Jocelyn la vio alejarse y se percató de que andaba con la espalda muy derecha y movimientos elegantes. El día anterior debía de estar muy aturdido, pensó, para suponer que era una criada, aunque al final resultó que era solo una simple aprendiz de costurera. Por supuesto, iba vestida como le correspondía. Su atuendo era barato y de pésima calidad. Y al menos una talla más grande de la cuenta.

Sin embargo, no era una criada pese a su aspecto. Ni tampoco la habían educado para pasarse la vida en el taller de una modista, si no le fallaba la vista. Hablaba con el acento cultivado de una dama.

¿Una dama venida a menos?

La muchacha se tomó su tiempo para regresar. Cuando lo hizo, llevaba el escabel en una mano y un mullido y enorme cojín en la otra.

—¿Ha ido a la otra punta de Londres a por el escabel? —preguntó con sequedad—. ¿Y ha tenido que esperar a que lo fabricasen?

—No —contestó ella con bastante calma—. Pero no se encontraba donde me dijo que estaría. De hecho, no estaba por ninguna parte. He traído un cojín, ya que el escabel parece demasiado bajo.

Jane Ingleby dejó el escabel en el suelo, colocó el cojín encima y se arrodilló para levantarle la pierna. Jocelyn temía el momento del contacto. Sin embargo, sus manos fueron delicadas y seguras a la vez. Tanto que apenas sintió más dolor. Tal vez, pensó, debería obligarla a que le acunara la cabeza entre las manos. Apretó los labios para contener una carcajada.

Se le había abierto el batín, de modo que fue evidente que el vendaje se le clavaba en la piel enrojecida de la pantorrilla. Jocelyn frunció el ceño al observarlo.

—¿Lo ve? —preguntó Jane Ingleby—. La pierna se ha hinchado y seguro que ahora le duele mucho más de lo que debería. Tiene que mantenerla en la postura que le han indicado, por más inconveniente y molesta que sea. Supongo que le parecerá poco viril demostrar malestar por una dolencia. Los hombres pueden ser así de tontos.

—¿De verdad? —replicó él con gelidez, mirando asqueado la coronilla de su espantosa y flamante cofia. Aún no entendía por qué no le había dado una patada, figuradamente hablando, y la había plantado de patitas en la calle diez minutos antes. Ni tampoco acababa de comprender por qué la había contratado, ya que la culpaba de sus desgracias. Era una bruja que lo abrumaría con un sinfín de preocupaciones antes de que las tres semanas llegaran a su fin.

Sin embargo, la alternativa era que lo cuidase Barnard y se pusiera lívido cada vez que viera el vendaje.

Además, iba a necesitar un estímulo mental mientras estaba encerrado en su casa londinense, decidió. No podía esperar que sus amigos y su familia acamparan en el salón y le hicieran compañía a todas horas.

—Sí, de verdad —respondió ella, que se puso en pie mirándolo.

Sus ojos no solo eran de un azul clarísimo, se percató Jocelyn, además estaban enmarcados por unas largas pestañas bastante más oscuras que su casi invisible pelo. Eran la clase de ojos en los que cualquier hombre podría ahogarse si el resto de su cuerpo y de su persona estuvieran a la altura. Sin embargo, la boca situada no mucho más abajo seguía hablando.

—Hay que cambiar el vendaje —estaba diciendo—. Este es el mismo que le puso el doctor Raikes ayer por la mañana. Creo recordar que dijo que no volvería hasta mañana. Es demasiado tiempo para mantener un vendaje, aunque no hubiera inflamación. Yo le vendaré la herida de nuevo.

Jocelyn no quería que nadie se acercara a menos de un metro del vendaje ni de la herida que este cubría. Pero sabía que era una actitud cobarde. Además, lo sentía demasiado apretado. Y también estaba el hecho de que la había contratado como su enfermera. De modo que decidió que debía ganarse el sueldo.

—¿A qué espera? —preguntó con irritación—. ¿A que le dé permiso? ¿Cabe la posibilidad de que le parezca necesario tener mi consentimiento para saltarse lo establecido por uno de los médicos más eminentes de todo Londres y manosearme, señorita Ingleby? —Le molestaba no haber insistido en llamarla Jane. Un nombre bonito y vulgar. Y totalmente inadecuado para la arpía que lo miraba con serenidad.

—No tengo intención de manosearlo, excelencia —replicó ella—, sino de lograr que se sienta más cómodo. No le haré daño. Se lo prometo.

Jocelyn apoyó la cabeza en el respaldo del sillón y cerró los ojos. Y al punto volvió a abrirlos. Los dolores de cabeza, por supuesto (al menos uno del calibre del que él padecía desde que se había despertado hacía un par de horas), no se aliviaban al entornar los párpados.

La muchacha cerró la puerta sin hacer ruido al salir de la estancia, se percató él, al igual que hiciera cuando salió en busca del escabel. Bendito fuera Dios por esos pequeños favores. Ya solo tenía que mantener la boca cerrada...

Por primera vez en muchísimo tiempo Jane se sentía en territorio conocido. Retiró el vendaje del duque con sumo cuidado y lentitud, separándolo de la herida, que había sangrado un poco, y por ese motivo se había pegado. Alzó la vista mientras lo quitaba del todo.

El duque no se inmutó aunque debía de dolerle. Estaba repantingado en el sillón, con un codo apoyado en uno de los brazos y la cabeza recostada en una mano mientras la miraba con los ojos entrecerrados.

—Lo siento —se disculpó ella—. La sangre se ha secado.

Lo vio medio asentir con la cabeza mientras ella le limpiaba la herida con agua caliente antes de aplicar el polvo balsámico que había encontrado entre el material del ama de llaves.

Había cuidado de su padre a lo largo de una enfermedad degenerativa hasta que murió hacía año y medio. Pobre papá, pensó. Nunca fue un hombre muy fuerte y perdió sus ansias de vivir después de la muerte de su madre, como si hubiera permitido que la enfermedad campara a sus anchas sin oponer resistencia. Al final, había dependido de ella para todo. Su padre se había quedado delgadísimo. La pierna de ese hombre era fuerte y musculosa.

—¿Es nueva en Londres? —preguntó él de repente.

Alzó la vista al escucharlo. Ojalá no quisiera entretenerse inmiscuyéndose en su pasado. Era una esperanza que quedó aplastada al punto.

—¿De dónde viene? —siguió él.

¿Qué debía responderle? Detestaba mentir, pero era imposible decirle la verdad.

—De un lugar muy, muy lejano.

El duque dio un respingo cuando le aplicó los polvos. Pero eran necesarios para evitar la infección que aún amenazaba con costarle la pierna. La inflamación le preocupaba.

—Es usted una dama educada… —dijo él, como afirmación, no como pregunta.

Jane había simulado el acento de los bajos fondos, con resultados ridículos. Había fingido un tono más neutro, algo que la hiciera parecer una mujer del pueblo llano. Sin embargo, y aunque era capaz de distinguir los distintos acentos, le resultaba imposible copiarlos. De modo que dejó de intentarlo.

—La verdad es que no —lo contradijo—. No soy una dama, pero sí he recibido una buena educación.

—¿Dónde?

Era una mentira que ya había contado. Se ceñiría a ella, dado que así pondría fin al resto de las preguntas.

—En un orfanato —contestó—. Uno excelente. Supongo que mi padre era alguien que no podía reconocerme pero que sí podía permitirse que me criaran como es debido.

¡Ay, papá!, pensó. ¡Ay, mamá!

Sus padres le habían prodigado todo su amor y su atención, ya que era hija única, y le habían ofrecido una maravillosa familia durante dieciséis años. También se habrían ocupado de dejarle el porvenir resuelto y una vida tan tranquila como la suya si la muerte no los hubiera reclamado antes.

—Mmm —se limitó a murmurar el duque de Tresham.

Ojalá eso fuera todo lo que tenía que decir sobre el tema. Apretó el vendaje lo suficiente para que no se soltara, pero no lo bastante como para oprimir la inflamación.

—El escabel no es lo bastante alto ni con el cojín. —Frunció el ceño y echó un vistazo a su alrededor, momento en el que reparó en el diván situado en un rincón de la biblioteca—. Supongo que me dirá de todo si le sugiero que se tumbe en el diván

—dijo al tiempo que lo señalaba—. Podría mantener su orgullo masculino al quedarse en la biblioteca, pero podría extender la pierna todo lo necesario y elevarla con el cojín.

—¿Me va a desterrar a un rincón, señorita Ingleby? —preguntó él—. ¿Tal vez de espaldas a la sala?

—Supongo que el diván no está anclado al suelo —replicó—. Supongo que podría desplazarse hasta el lugar que usted prefiera. ¿Cerca del fuego tal vez?

—Al cuerno con el fuego —contestó él—. Que lo coloquen al lado de la ventana. Y que lo haga alguien más corpulento que usted. No seré el culpable de que se disloque la espalda aunque fuera una forma de justicia poética. El cordón de la campanilla está junto a la repisa de la chimenea. Avise.

Un criado movió el diván hasta la luz de la ventana. Sin embargo, el duque se apoyó en el hombro de Jane mientras cojeaba del sillón hasta la nueva posición. Se había negado en redondo, por supuesto, a que lo llevaran en brazos.

—Que la parta un rayo —le dijo el duque cuando se lo sugirió—. Me llevarán en alto en mi entierro, señorita Ingleby. Hasta ese momento me desplazaré por mis propios medios de un lugar a otro, aunque precise un poco de ayuda.

—¿Siempre ha sido tan testarudo? —preguntó Jane mientras el criado la miraba boquiabierto, como si esperase que la fulminara un rayo en cualquier momento.

—Soy un Dudley —adujo el duque de Tresham a modo de explicación—. Somos testarudos desde que nos conciben. Los bebés Dudley son famosos por patear las entrañas de sus madres con ferocidad y por provocarles muchísimo dolor durante el alumbramiento. Y eso solo es el comienzo.

Intentaba escandalizarla, comprendió Jane. Esos ojos negros la miraban fijamente, unos ojos que había descubierto que, en realidad y vistos de cerca, eran de un castaño muy oscuro. Qué hombre más tonto. Ella había ayudado en el parto de incontables bebés desde que tenía catorce años. Su madre la había educado con la convicción de que el servicio a los demás era una parte integral de una vida privilegiada.

El duque pareció encontrarse bastante más cómodo en cuanto estuvo sentado en el diván, con el pie apoyado en el cojín. Jane se apartó, a la espera de que la despachara o al menos de que le ordenara presentarse ante el ama de llaves para recibir más instrucciones. El criado ya se había ido. Sin embargo, el duque la miró pensativo.

—En fin, señorita Ingleby —dijo—, ¿cómo tiene pensado entretenerme estas tres semanas?

Jane sintió una punzada de alarma. El hombre estaba incapacitado y además no había oído ningún deje sugerente en su voz. No obstante, ella tenía buenos motivos para recelar de los caballeros aburridos.

Se libró de contestar cuando se abrió la puerta de la biblioteca. Pero no lo hizo despacio, como cabría de esperar, para dejar paso al mayordomo o al señor Quincy. De hecho, la puerta no se abrió después de que llamaran como dictaban las buenas costumbres, sino que se estampó de forma estruendosa contra la estantería que había junto a la pared. Tras lo cual entró una dama.

Jane se alarmó muchísimo. Era una mujer joven, elegantemente ataviada, aunque con un gusto de lo más cuestionable. Jane no la reconoció, pero en ese momento se dio cuenta de la estupidez que cometía al estar allí. Si hubieran anunciado la visita, ella habría desaparecido sin ser vista. Sin embargo, en ese instante solo podía quedarse donde estaba o, como mucho, retroceder un par de pasos para apartarse con la esperanza de ocultarse entre las sombras que había a la izquierda de las cortinas de la estancia.

La recién llegada entró en tromba en la biblioteca.

—Creo que ordené que no me molestasen esta mañana —murmuró el duque.

No obstante, la dama siguió avanzando como si nada.

—¡Tresham! —exclamó—. ¡Estás vivo! No me iba a quedar tranquila hasta verlo con mis propios ojos. Si supieras todo lo que pasé ayer, nunca lo habrías hecho. Heyward se ha marchado esta mañana a la Cámara de los Lores, un gesto espantoso por su parte cuando tengo los nervios destrozados. Te juro que anoche no pegué ojo. Si se me permite decirlo, lord Oliver se portó muy mal al dispararte. Si lady Oliver fue lo bastante indiscreta como para permitirle descubrir que tú eras su último amante, y si él es lo bastante tonto como para proclamar sus cuernos a los cuatro vientos con un desafío tan público (y en Hyde Park, nada más y nada menos), debería ser él quien recibiera el balazo. Pero dicen que tú, muy galantemente, disparaste al aire, lo que demuestra lo caballeroso y lo civilizado que eres. Tendría bien merecido que lo hubieras matado. Pero en ese caso te habrían colgado, o lo habrían hecho de no ser un duque. Tendrías que haber huido a Francia, y Heyward tuvo la desfachatez de decirme que no me llevaría a París para visitarte. Aunque todo el mundo sabe que es el lugar más elegante para vivir. A veces me pregunto por qué me casé con él.

El duque de Tresham se sujetaba la cabeza con una mano. Levantó la mano libre cuando la dama se detuvo para tomar aire.

—Te casaste con él, Angeline —le recordó—, porque te gustaba y porque era un conde casi tan rico como yo. Aunque sobre todo porque te gustaba.

—Sí. —La recién llegada sonrió y puso de manifiesto que era una joven guapísima pese a su parecido con el duque—. Fue por eso, ¿verdad? ¿Cómo estás, Tresham?

—Salvo por una pierna hinchada y una cabeza demasiado grande para mi cuello —contestó él—, bastante bien, gracias por preguntar, Angeline. Siéntate.

Pronunció la última palabra con ironía. La dama ya se había sentado en una silla, junto al diván.

—Cuando me vaya —siguió ella—, daré órdenes para que nadie salvo la familia pueda verte. Pobre mío, solo faltaba que un montón de visitas te pongan la cabeza como un bombo con su cháchara.

—Mmm —murmuró el duque, y Jane vio cómo se llevaba el monóculo al ojo y que de repente parecía más compungido que antes—. Qué bonete más espantoso —dijo—. ¿Amarillo mostaza? ¿Con ese tono de rosa? Si piensas ponértelo para el desayuno veneciano que lady Lovatt celebrará la semana que viene, me alegra poder decirte que me será imposible acompañarte.

—Heyward me ha contado —prosiguió la dama, que se inclinó hacia él e hizo caso omiso de la opinión del duque sobre su gusto en bonetes— que lord Oliver anda diciendo por ahí que no está satisfecho porque no intentaste matarlo. ¿Se te ocurre algo más absurdo? Los hermanos de lady Oliver tampoco están satisfechos, y ya sabes cómo son. Están diciendo, aunque tengo entendido que ninguno estuvo presente en el duelo, que te apartaste como un cobarde y evitaste que lord Oliver te matara. Pero si te retan a duelo, tienes que negarte. Piensa en mis nervios.

—En este preciso instante, Angeline —le aseguró él—, me preocupan los míos.

—En fin, al menos puedes tener la satisfacción de saber que de todas formas eres la comidilla de la alta sociedad —continuó ella—. ¡Qué golpe de efecto el volver a casa a caballo cuando tenías un disparo en la pierna, Tresham! Ojalá hubiera podido presenciarlo. Al menos has conseguido que dejen de hablar de lo de Hailsham y del asunto de Cornualles. ¿Es verdad que una vagabunda gritó y te distrajo?

—No era una vagabunda exactamente —contestó él—. Está allí, junto a la cortina. Te presento a la señorita Jane Ingleby.

Lady Heyward se volvió en la silla y miró a Jane con evidente sorpresa. Saltaba a la vista que no se había dado cuenta de que había alguien más en la estancia aparte de su hermano y de ella. Cierto que la cortina no ofrecía demasiado cobijo, pero Jane iba vestida como una criada. Se sintió aliviada al darse cuenta de que ese hecho la convertía en un ser casi invisible.

—¿Tú, muchacha? —preguntó lady Heyward con tal altivez que se acentuó todavía más su parecido con el duque. Debería ser uno o dos años mayor que ella, pensó Jane—. ¿Por qué estás ahí? ¿Has ordenado que la azoten, Tresham?

—Es mi enfermera —contestó él—. Y prefiere que se le llame señorita Ingleby a «muchacha». —Su voz destilaba una docilidad muy engañosa.

—¿De verdad? —La sorpresa de la mujer aumentó—. Qué curioso. Pero tengo que irme ya. Había quedado en reunirme con Martha Griddles en la biblioteca hace veinte minutos. Pero antes tenía que venir para ofrecerte todo el consuelo posible.

—¿Para qué están las hermanas? —murmuró Su Excelencia.

—Precisamente. —Se inclinó sobre él y besó el aire cerca de su mejilla izquierda—. Es posible que Ferdie venga a verte después. Ayer estaba indignado por el afán de los hermanos de lady Oliver en mancillar tu honor. Estaba decidido a retarlos a duelo… a todos ellos. Sin embargo, Heyward le dijo que estaba haciendo el tonto. Palabras textuales, te lo juro, Tresham. No entiende el temperamento de los Dudley. —Suspiró y abandonó la estancia tan abruptamente como había entrado, dejando la puerta abierta de par en par.

Jane se quedó donde estaba. Se sentía aterida, sola y asustada.

¿Qué era lo que se comentaba en los salones de la alta sociedad y a lo que la hermana de Tresham se había referido de pasada?

«Al menos has conseguido que dejen de hablar… del asunto de Cornualles.»

¿Qué asunto de Cornualles?, se preguntó ella.

—Creo que esto merece una copa de brandi, señorita Ingleby —dijo el duque—. Y aténgase a las consecuencias si me dice que beber más alcohol solo empeorará mi dolor de cabeza. Vaya a por la licorera.

—Sí, excelencia. —Jane no tenía ganas de discutir.

4

ord Ferdinand Dudley apareció casi una hora después de que lady Heyward se marchara. Al igual que ella había hecho, entró en la biblioteca sin anunciarse y estampando la puerta contra la estantería.

Jocelyn dio un respingo y deseó no haber rechazado la licorera del brandi sin haber probado ni gota. Acababa de beberse una taza de chocolate, ya que Jane Ingleby le había dicho que tal vez le asentara el estómago y le aliviara el dolor de cabeza. De momento no había logrado ninguno de los dos efectos deseados.

Se percató de que la muchacha volvía a medio ocultarse entre las cortinas.

—¡Que me aspen! —exclamó su hermano menor a modo de saludo—. Don Cascarrabias ha intentado impedirme la entrada, Tresham. ¿Puedes creértelo? ¿De dónde saca la servidumbre esas ideas tan disparatadas?

—Normalmente de sus superiores —contestó Jocelyn.

—¡Válgame Dios! —Su hermano se detuvo al punto—. Es verdad que te estás haciendo el inválido. Mamá solía pasarse los días en ese diván asegurando estar a las puertas de la muerte después de llevar tres noches seguidas bailando y apostando. Los rumores no son ciertos, ¿verdad?

—Por lo general no —respondió Jocelyn con desgana—. ¿A qué rumores en concreto te refieres?

—Al que asegura que no volverás a andar —contestó su hermano al tiempo que se dejaba caer en el sillón que antes había ocupado Angeline—. Al que dice que acabaste forcejeando por el suelo con Raikes para evitar que te cortara la pierna. La verdad, Tresham, los médicos de hoy en día prefieren sacar una sierra del maletín antes que molestarse en buscar la bala.

—Te aseguro que ayer no tenía ganas de forcejear en el suelo con nadie —replicó Jocelyn—, salvo quizá con el alcornoque que Oliver llevó a Hyde Park para que hiciera las veces de cirujano. Raikes hizo un magnífico trabajo y volveré a andar.

—Lo que yo pensaba —comentó Ferdinand con una sonrisa de oreja a oreja—. El tema está causando furor en el libro de apuestas de White's. He apostado cincuenta libras a que dentro de un mes estarás bailando el vals en Almack's.

—Vas a perder. —Jocelyn se llevó el monóculo al ojo—. Nunca bailo el vals. Y nunca pongo un pie en Almack's. Las madres en general pensarían que estoy en el mercado matrimonial. ¿Cuándo vas a despedir a ese desastre de ayuda de cámara que tienes y a contratar a alguien capaz de no cortarte el cuello cada vez que te afeita, Ferdinand?

Su hermano se tocó el pequeño corte que tenía bajo la barbilla.

—¿Lo dices por esto? —preguntó—. Ha sido culpa mía, Tresham. Volví la cabeza sin avisarle. Los hermanos Forbes van por ti. Tres de ellos están en la ciudad.

Sí, era lógico, pensó. La reputación de los hermanos de lady Oliver era tan mala como la suya propia y la de sus hermanos. Y puesto que la dama en cuestión era la única mujer entre tanto hermano, estos la protegían con excesivo celo incluso después de llevar tres años casada con lord Oliver.

—Tendrán que venir a casa a buscarme —replicó Jocelyn—. Cosa que no les resultará difícil, ya que mi mayordomo, al parecer, admite a cualquiera que llama a la puerta.

—¡Caray! —exclamó Ferdinand, ofendido—. Tresham, yo no soy cualquiera. Y debo protestar porque no me pidieras ser tu padrino ni me informaras siquiera de la celebración del duelo. Por cierto, ¿es verdad que fue una sirvienta la causante de todo el alboroto? Brougham asegura que te siguió hasta tu casa hecha una furia, que logró llegar a tu dormitorio y que te echó un sermón porque había perdido su trabajo. —Rió entre dientes—. Supongo que es un cuento chino, pero de todas formas es muy bueno.

—La tienes ahí mismo, junto a las cortinas —dijo Jocelyn, señalando con la cabeza en dirección a su enfermera, que parecía una estatua desde la llegada de su hermano.

—¡Vaya! —Ferdinand se puso en pie de un brinco y la miró con evidente interés—. ¿Qué diantres está haciendo aquí? Muchacha, deberías saber que no está bien visto intervenir en cuestiones de honor. Son asuntos de caballeros. Podrías haberle causado la muerte a Tresham y, en consecuencia, acabar en la horca.

Jocelyn se percató de que Jane Ingleby miraba a su hermano con la misma expresión con la que solía verlo a él. Reconoció las señales al punto: la vio cuadrar los hombros, apretar los labios y observar a su hermano sin pestañear. Esperó con avidez a que hablara.

—Si hubiera muerto —replicó ella—, sería por culpa de la bala que le disparó el hombre con quien se batía en duelo. Y menuda tontería llamar a ese enfrentamiento una «cuestión de honor». Aunque sí ha acertado al tildarlo como un asunto de caballeros. Las mujeres poseen mucho más sentido común.

Lord Ferdinand Dudley pareció quedarse perplejo después de recibir la regañina de una criada espantosamente vestida.

—Verás, Ferdinand, el caso es que la muchacha viene equipada con una mente propia —señaló Jocelyn con fingido desinterés— y con una lengua de doble filo.

—¡Caray! —Su hermano volvió la cabeza para mirarlo, atónito—. ¿Qué narices está haciendo aquí?

—¿Conan no te ha contado la historia completa? —le preguntó—. La he contratado como enfermera. No veo necesario que el resto de mi servidumbre tenga que aguantar mi mal humor durante las próximas tres semanas mientras estoy encarcelado en mi propia casa.

—¡Que me aspen! —exclamó su hermano—. Pensé que Conan estaba bromeando.

—Nada de bromas —dijo Jocelyn al tiempo que agitaba una mano—. Te presento a la señorita Jane Ingleby, Ferdinand. Eso sí, ten cuidado si te ves en la necesidad de dirigirte a ella. Insiste en ser tratada de usted y en ser llamada «señorita Ingleby» en vez de «Jane» o «muchacha». A lo cual he accedido ya que ella ha dejado de ningunearme y de vez en cuando se dirige a mí con el tratamiento de «excelencia». Señorita Ingleby, le presento a mi hermano menor, lord Ferdinand Dudley. —Casi esperó que ella hiciera una genuflexión. Y casi esperó que su hermano estallara. Porque esa debía de ser la primera vez que le presentaban a una criada.

Jane Ingleby lo saludó con una elegante inclinación de cabeza que Ferdinand correspondió con una breve reverencia, obviamente avergonzado.

—¡Caray, Tresham! —exclamó—. ¿La herida te ha afectado la cabeza?

—Creo que estabas a punto de marcharte —sugirió él, llevándose una mano a la mencionada cabeza—, ¿verdad, Ferdinand? Aunque antes de que te vayas, permíteme un consejo, claro que no sé para qué malgasto saliva aconsejándote cuando los Dudley somos famosos por no escuchar a nadie. Deja que yo me encargue de los Forbes. Están furiosos conmigo, no contigo.

—¡Son una panda de libertinos y rufianes! —replicó su hermano, irritado—. Más bien deberían darle una buena lección a su hermana. No entiendo cómo has acabado relacionándote con esa mala pécora. Porque…

—¡Ya vale! —lo interrumpió Jocelyn con brusquedad—. Hay una… —Estaba a punto de decir que había una dama presente, pero se contuvo a tiempo—. No tengo por qué darte explicaciones sobre mis asuntos. Márchate si eres tan amable, y dile a Hawkins que venga. Voy a dejarle bien claro que si deja entrar a alguien más en lo que queda de día, su empleo en esta casa peligra. Creo que me va a estallar la cabeza de un momento a otro, y mis sesos van a quedar esparcidos sobre los libros.

Lord Ferdinand se marchó y al cabo de un par de minutos el mayordomo entró en la biblioteca, un tanto atemorizado.

—Excelencia, le pido disculpas… —comenzó, pero Jocelyn lo interrumpió levantando una mano.

—Admito que habría hecho falta un regimiento de soldados experimentados y un destacamento de artillería para detener a lord Ferdinand y a lady Heyward, tan dispuestos como estaban a entrar —dijo—. Pero nadie más, Hawkins. No admitas a nadie más, aunque sea el mismísimo príncipe regente quien llame a la puerta. ¿Queda claro?

—Sí, excelencia. —Su mayordomo ejecutó una servil reverencia y se marchó, tras lo cual tuvo la deferencia de cerrar sin hacer ruido.

Jocelyn exhaló un hondo suspiro.

—Y ahora, señorita Ingleby —dijo—, venga a sentarse aquí cerca y cuénteme cómo planea entretenerme durante las próximas tres semanas. Ha tenido mucho tiempo para pensar una respuesta.

—Sí, conozco los juegos de cartas más comunes —respondió Jane a una pregunta—, pero no juego por dinero. —Esa había sido una de las reglas de sus padres: nada de apuestas en casa, salvo que se jugara con peniques; y las apuestas acababan en cuanto se perdía media corona, es decir, dos chelines y seis peniques—. Además —añadió—, no tengo dinero para apostar. Supongo que a usted no le gustará jugar a menos que las apuestas sean altas.

—Me alegro de ver que supone usted conocerme tan bien —replicó el duque—. ¿Juega al ajedrez?

—No. —Jane negó con la cabeza. Su padre sí sabía jugar, pero albergaba unas ideas un tanto extrañas sobre las mujeres. El ajedrez era un juego masculino, solía decir con cariñoso paternalismo siempre que ella le pedía que la enseñara a jugar. Su continua negativa acicateaba el deseo de Jane de aprender—. No me han enseñado.

El duque la miró con expresión pensativa.

—Supongo que no sabe leer —dijo.

—¡Por supuesto que sé leer! —¿Acaso la había tomado por

una analfabeta? Sin embargo, recordó demasiado tarde el papel que estaba interpretando.

—Claro, por supuesto —replicó el duque en voz baja al tiempo que entornaba los párpados—. Y supongo que también tiene una preciosa caligrafía. ¿Qué clase de orfanato era, señorita Ingleby?

—Ya se lo he dicho —respondió ella—. Uno excelente.

El duque le lanzó una mirada adusta, pero abandonó el tema.

—¿Y qué más talentos posee con los que pueda entretenerme? —le preguntó.

—¿El trabajo de una enfermera consiste en entretenerlo?

—El trabajo de mi enfermera consiste en lo que yo diga. —Sus ojos la miraron de arriba abajo como si pudieran ver por debajo de la ropa.

Jane encontró dicho escrutinio un tanto desconcertante.

—Al fin y al cabo —siguió el duque—, no creo que vaya a tardar las veinticuatro horas del día en cambiarme la venda y colocarme el pie sobre los cojines, ¿verdad?

—No, excelencia —admitió.

—Sin embargo, le estoy ofreciendo alojamiento y manutención —le recordó él—. Y creo que le estoy pagando un salario muy atractivo. ¿Va a negarme un poco de entretenimiento?

—Creo que no tardará en cansarse de lo que puedo ofrecerle —respondió Jane.

El duque esbozó una media sonrisa que, en vez de suavizar su expresión, le otorgó una apariencia un tanto feroz. Jane vio que tenía el monóculo en la mano, aunque no se lo llevó al ojo.

—Ya veremos —repuso él—. Quítese la cofia, señorita Ingleby. Me ofende. Es rematadamente fea y le echa por lo menos diez años encima. ¿Cuántos años tiene?

—Excelencia —contestó Jane—, no creo que mi edad sea de su incumbencia. Y preferiría llevar cofia mientras cumplo con mis obligaciones.

—¿Ah, sí? —De repente, su actitud se tornó altiva y un tanto alarmante solo con enarcar las cejas—. Quítesela —añadió con voz más suave.

Mostrarse rebelde parecía inútil. Al fin y al cabo, Jane no había llevado cofia hasta el día anterior. Le había parecido un buen disfraz, algo bajo lo que poder ocultarse al menos en parte. Tenía muy claro que el pelo era su rasgo más distintivo. Se desató con desgana la cinta que aseguraba la cofia bajo la barbilla y se la quitó. Mientras la mirada del duque se clavaba en su pelo, se colocó la prenda en el regazo.

—Es evidente, señorita Ingleby —comentó el duque—, que el pelo es su rasgo más glorioso. Sobre todo cuando no lo lleve trenzado y recogido con un estilo tan severo. Lo que me obliga a preguntarle a qué viene ese afán por ocultarlo. ¿Tiene miedo de mí o de mi reputación?

—Desconozco su reputación —respondió. Si bien no hacía falta mucha imaginación para hacerse una idea.

—Ayer me batí en duelo —señaló él— por haber mantenido... digamos que... relaciones con una dama casada. No era el primer duelo en el que he participado. Tengo fama de ser un hombre falto de principios y peligroso.

—¿Y lo dice con orgullo? —Jane enarcó las cejas.

Se percató de que el duque movía los labios, pero no supo si se debía al buen humor o a la ira.

—Tengo ciertos principios —admitió—. Nunca me he aprovechado de una sirvienta. Ni he tomado a la fuerza a una mujer bajo mi propio techo. Ni me he acostado con ninguna en contra de su voluntad. ¿Eso la tranquiliza?

—Por completo —respondió ella—. Puesto que creo que encajo en los tres casos.

—Pero daría cualquier cosa —añadió el duque en voz baja y con un deje tan peligroso como los rumores aseguraban que era— por verla con el pelo suelto.

Los liliputienses habían rodeado al Hombre Montaña y lo habían inmovilizado con gran ingenuidad en el suelo, atándole incluso el pelo.

Jane Ingleby le estaba leyendo *Los viajes de Gulliver,* un libro al que no podía encontrarle defectos puesto que le había dejado a ella la opción de elegir la lectura. La había observado deambular por la biblioteca, de balda en balda, durante media hora, mirando y acariciando los lomos de los libros y sacando alguno de vez en cuando para abrirlo. Trataba los libros con reverencia, como si los adorara. A la postre se volvió hacia él con el volumen que estaba leyendo en las manos.

—¿Este? —le preguntó en aquel momento—. ¿*Los viajes de Gulliver*? Es uno de esos libros que siempre he querido leer.

—Como desee —respondió él, que se encogió de hombros.

Era perfectamente capaz de leer en silencio, pero no quería estar solo. Nunca había disfrutado de su propia compañía más tiempo del necesario. No, eso no era cierto, se corrigió. Era algo que le sucedía desde hacía diez años.

La irritación que sentía había ido aumentando a lo largo del día, a medida que asimilaba la realidad de su condición. Era un hombre inquieto y vigoroso, que ocupaba sus días con un sinfín de actividades, la mayoría de las cuales implicaba ejercicio físico como la equitación, el boxeo, la esgrima o… sí, incluso el baile, aunque nunca bailaba el vals, mucho menos en una institución tan insípida como Almack's. Hacer el amor también era, por supuesto, una de sus ocupaciones preferidas. Una actividad que podía llegar a ser la más vigorosa de todas.

Pero durante tres semanas, si acaso era capaz de soportar la tortura todo ese tiempo, tendría que guardar reposo, y solo contaría con las visitas de sus amigos y familiares. Y con la presencia de la remilgada y estirada Jane Ingleby, por supuesto. Y con el dolor.

Había intentado distraerse despachando a su enfermera y pasando la tarde con Michael Quincy. Esa mañana había llegado el informe mensual de Acton Park, su casa solariega. Aunque siempre los examinaba a conciencia, nunca los había analizado tan a fondo ni le había prestado tanta atención a los detalles como hizo ese día.

Sin embargo, la noche prometía ser eterna. Las noches eran el período del día en el que más se relacionaba con los demás, primero en el teatro, en la ópera, en algún baile elegante o en algún evento multitudinario, y después en alguno de sus clubes o en la cama, si la actividad en cuestión prometía ser lo bastante interesante como para sacrificar una velada con sus amigos.

—¿Quiere que siga? —le preguntó Jane Ingleby, que hizo una pausa en la lectura y levantó la vista del libro.

—Sí, sí. —Gesticuló con una mano en dirección a la muchacha, que devolvió la mirada al libro y retomó la lectura.

Jocelyn se percató de que estaba sentada de tal forma que su espalda no tocaba el respaldo del sillón. Sin embargo, parecía estar cómoda y su postura era muy elegante. Leía muy bien, ni muy rápido ni muy lento, y su voz no era monótona ni adolecía de un exceso de dramatismo. Usaba un tono modulado y tenía una dicción exquisita. La sombra de sus pestañas caía sobre sus pómulos, ya que tenía la cabeza inclinada para leer el libro que tenía cerca del regazo. Su cuello era largo y elegante como el de un cisne.

Y su pelo parecía oro bruñido. Pese al magnífico trabajo que había realizado para que su melena pareciera severa e insignificante, la única manera para que no llamara la atención sería que se afeitara la cabeza. Esa misma mañana había reparado en la belleza de su rostro y de sus ojos. Pero fue esa tarde, al quitarse la cofia, cuando descubrió que la realidad superaba todas sus expectativas, ya que Jane Ingleby era una mujer de belleza extraordinaria.

La observó leer mientras se frotaba el muslo con la palma de la mano, como si de esa forma pudiera aliviar el dolor que sentía en la pantorrilla. Era una sirvienta, una empleada a sueldo bajo su techo, y una mujer virtuosa, saltaba a la vista. Tal como ella misma había señalado con su irritante franqueza esa misma mañana, estaba triplemente protegida. Pero le encantaría ver esa melena sin las horquillas, sin el moño y sin las trenzas.

Tampoco le importaría verla sin ese vestido tan barato, tan feo y tan mal cortado, y sin cualquier prenda que llevara debajo.

Suspiró y ella dejó de leer otra vez para mirarlo.

—¿Le gustaría irse ya a la cama? —le preguntó.

Jocelyn llegó a la conclusión de que esa mujer era capaz de enderezar cualquier situación gracias a su cordura. No había ni rastro de insinuación en su rostro, pese a la elección de palabras.

Jocelyn miró el reloj situado en la repisa. ¡Por el amor de Dios, si no eran ni las diez! La noche no había empezado siquiera.

—Señorita Ingleby, puesto que ni Gulliver ni usted han demostrado ser una compañía estimulante —contestó con crudeza—, supongo que esa es mi mejor opción. Me pregunto si ha reparado usted en lo bajo que he caído por culpa de las circunstancias.

Una noche de sueño sin la ayuda de algún licor ni del láudano para adormecerlo no había mejorado el humor del duque de Tresham, tal como Jane descubrió a la mañana siguiente. Cuando llegó el médico, la llamaron para que subiera al dormitorio de Su Excelencia, para lo cual tuvo que dejar el desayuno a medias en la cocina.

—Se ha tomado su tiempo —comentó el duque a modo de saludo cuando entró en su dormitorio, tras llamar a la puerta apenas un par de minutos después de que fueran a buscarla—. Supongo que estaba muy ocupada disfrutando de mi casa y de mi comida.

—Ya había acabado de desayunar, gracias, excelencia —repuso ella—. Buenos días, doctor Raikes.

—Buenos días, señorita —la saludó el médico, con una educada inclinación de cabeza.

—¡Quítese esa monstruosidad! —le ordenó el duque, señalando su cofia—. Como vuelva a verla, le aseguro que la hago trizas con las manos.

Jane se quitó la cofia, la dobló pulcramente y la guardó en el bolsillo de su vestido.

El duque se dirigió al médico:

—Fue la señorita Ingleby quien me cambió el vendaje —dijo, al parecer en respuesta a una pregunta formulada antes de que ella llegara— y quien limpió la herida.

—Ha hecho un trabajo admirable, señorita —la elogió el médico—. No hay indicios de infección ni de putrefacción. Tiene experiencia en el cuidado de los enfermos, ¿me equivoco?

—Mínima, señor —admitió Jane.

—Supongo que le daba cucharadas de purgante a los huérfanos cuando sufrían de empacho —murmuró el duque con voz irritada—. Y no estoy enfermo. Tengo un agujero en la pierna. Creo que el ejercicio la beneficiará más que los mimos. Tengo la intención de ejercitarla.

El doctor Raikes pareció horrorizado por la idea.

—Con el debido respeto, excelencia —dijo—, le advierto que no lo haga. Ha sufrido un gran daño en los músculos y en los tendones, que deben sanar antes de someterlos al uso más suave.

El duque lo puso de vuelta y media.

—Creo que le debe una disculpa al doctor —terció Jane en ese momento—. Se está limitando a ofrecerle su opinión profesional, para lo cual lo ha hecho llamar y le está pagando. Las groserías sobran.

Ambos hombres la miraron con idéntico asombro mientras ella observaba con las manos en la cintura. Y después dio un respingo cuando vio que el duque de Tresham apoyaba la cabeza en la almohada y se echaba a reír a mandíbula batiente.

—Raikes —dijo el duque—, creo que parte de la bala de la pierna debió de separarse y la tengo alojada en el cerebro. ¿Puedes creerte que he pasado un día entero sufriendo esta impertinencia sin haberle puesto fin?

Saltaba a la vista que el doctor no lo creía.

—Señorita —respondió el médico—, le aseguro que Su Excelencia no me debe disculpa alguna. Hay que comprender la frustración que le provoca la herida.

Jane no estaba dispuesta a zanjar el tema ni mucho menos.

—Esa no es excusa para que recurra al insulto —sentenció—. Mucho menos hacia sus subordinados.

—Raikes —dijo el duque, irritado—, si pudiera, hincaría una rodilla en el suelo humildemente arrepentido por mis palabras. Pero debo evitar semejantes esfuerzos, ¿verdad?

—Desde luego, excelencia. —El médico, que había acabado de vendar de nuevo la pierna del duque, parecía bastante azorado.

Y por su culpa, pensó Jane. Todo se debía a la educación que había recibido en un hogar civilizado, donde se trataba a la servidumbre como personas que eran y donde se practicaba la amabilidad hacia los demás. Realmente debía aprender a morderse la lengua si quería contar con el salario de esas tres semanas, que la ayudaría a enfrentarse al incierto futuro que la esperaría después.

El duque de Tresham cedió a ser llevado en brazos a la planta baja, aunque no antes de que hubiera despachado a Jane con instrucciones de mantenerse fuera de su vista hasta que volviera a llamarla. La orden llegó media hora después. Ese día estaba en el salón de la planta baja, acomodado en un sofá.

—Mi cabeza parece haber recuperado su tamaño normal esta mañana —le dijo—. Le alegrará saber que no será necesario que emplee sus numerosos talentos para entretenerme. Le he dado permiso a Hawkins para que admita a cualquier visitante que llame a la puerta, dentro de lo razonable, claro está. Le he prohibido terminantemente admitir a cualquier costurera que se presente en la puerta o a alguien de su calaña.

La simple idea de recibir visitas hizo que a Jane se le encogiera el estómago.

—Excelencia, me marcharé siempre que llegue alguien —dijo.

—¿Ah, sí? —El duque la miró con los ojos entrecerrados—. ¿Por qué?

—Supongo que las visitas serán del género masculino en su mayoría —respondió ella—. Mi presencia sería un estorbo que inhibiría la conversación.

La pronta sonrisa del duque la sorprendió, ya que lo transformó en un caballero de expresión picarona y le restó años. Y lo hizo parecer casi guapo.

—Señorita Ingleby —dijo—, creo que es un poco pazguata.

—Sí, excelencia —admitió—, lo soy.

—Vaya a la biblioteca en busca del cojín —le ordenó—. Y colóquemelo bajo la pierna.

—Déjeme decirle que de vez en cuando podría pedir las cosas por favor —replicó mientras caminaba hacia la puerta.

—Podría —repuso él—. O no. Estoy en la posición de dar órdenes a placer. ¿Por qué fingir que son simples peticiones?

—Tal vez para demostrarse un poco de respeto a sí mismo —respondió, volviéndose para hablar—. Tal vez por consideración hacia los sentimientos de los demás. La mayoría de las personas responde mejor a las peticiones que a las órdenes.

—Sin embargo —replicó el duque en voz baja—, parece que usted está a punto de cumplir mi orden, señorita Ingleby.

—Lo hago con un corazón rebelde —repuso, y se marchó de la estancia antes de que él pudiera decir la última palabra.

Volvió al salón al cabo de unos minutos llevando el cojín, atravesó la estancia en silencio y, sin mirarlo siquiera, se lo colocó con cuidado bajo la pierna. Esa mañana en el dormitorio se había percatado de que la inflamación había remitido. Pero también había notado su costumbre de frotarse el muslo y apretar los dientes de vez en cuando, señales ambas del intenso dolor que sufría. Claro que, siendo un hombre orgulloso, era de esperar su renuencia a admitirlo.

—De no ser por el rictus de sus labios —comentó el duque—, no se nota que esté usted enfadada conmigo, señorita Ingleby. Esperaba que al menos me levantara la pierna sin muchos miramientos y la dejara caer sobre el cojín. Estaba preparado para lidiar con ese despliegue temperamental. De modo que me ha privado de la oportunidad de una buena reprimenda tal como lo he ensayado.

—Excelencia, estoy a su servicio como enfermera —le recordó Jane—. Estoy aquí para reconfortarlo, no para hacerle daño a fin de divertirme. Además, en caso de que algo me indigne, usaré las palabras para hacérselo saber. No necesito recurrir a la violencia.

Una mentira como una catedral de grande, pensó Jane mientras hablaba. Por un momento se sintió mareada y a punto de vomitar, y el estómago se le contrajo con la ya conocida sensación de pánico.

—Señorita Ingleby —oyó que decía el duque de Tresham con docilidad—, gracias por traerme el cojín.

Vaya. Eso la dejó sin palabras.

—Creo que he estado a punto de arrancarle una sonrisa —comentó el duque—. ¿Sonríe usted alguna vez?

—Cuando algo me hace gracia o cuando estoy contenta, excelencia —respondió.

—Y en mi compañía no sucede ni lo uno ni lo otro —repuso él—. Debo de estar perdiendo la chispa. Mi talento para entretener y contentar a las damas es ampliamente reconocido.

Jane había percibido su masculinidad de una forma puramente académica hasta que el duque pronunció esas palabras y la miró, como ya era habitual, con los ojos entrecerrados. No obstante, lo que sentía de repente tenía muy poco de académico: una oleada de deseo físico, desconocido hasta entonces, con unos alarmantes efectos en sus pechos, en la parte baja del abdomen y entre los muslos.

—No lo dudo —replicó con impertinencia—. Pero supongo que este mes ya ha gastado todo su arsenal de trucos seductores con lady Oliver.

—Jane, Jane… —lo oyó decir en voz baja—. Detecto cierto rencor en tu comentario —añadió, tuteándola—. Ve en busca de Quincy y dile que traiga el correo. Por favor —añadió mientras ella caminaba hacia la puerta.

Ella volvió la cabeza y le sonrió.

—¡Ah! —exclamó el duque.

5

Angeline regresó bien entrada la mañana, acompañada en esa ocasión por Heyward, quien accedió a mostrarse interesado por la salud de su cuñado. Ferdinand llegó antes de que ellos se marcharan, pero más para hablar de sí mismo que para comprobar cómo marchaba la recuperación de su hermano. Había acabado involucrado en una apuesta que consistía en conducir con su tílburi hasta Brighton contra lord Berriwether, cuya maña con las riendas no tenía rival, salvo Jocelyn.

—Vas a perder, Ferdinand —dijo Heyward sin rodeos.

—Vas a partirte el cuello, Ferdie —añadió Angeline— y mis nervios nunca se recuperarán de semejante golpe después de lo de Tresham. Pero estarás guapísimo volando sobre el camino tan rápido como el viento. ¿Vas a encargar una chaqueta nueva para la ocasión?

—El secreto está en dar rienda suelta a los caballos cada vez que tengas un trecho recto —explicó Jocelyn—, pero no dejarte llevar por la emoción ni correr riesgos innecesarios en curvas cerradas, como si fueras un saltimbanqui. Y todo el mundo sabe que adoleces de ambas cosas, Ferdinand. Pero será mejor que ganes ahora que te has comprometido a la carrera. Nunca alardees de nada ni lances un desafío que seas incapaz de llevar a cabo. Sobre todo si eres un Dudley. Porque seguro que estabas alardeando.

—Estaba pensando que podrías dejarme tu nuevo tílburi, Tresham —replicó su hermano con despreocupación.

—No —se negó Jocelyn—. De eso nada. Me sorprende que hayas malgastado el aliento en preguntarlo, a menos que creas que el agujero de la pierna me ha reblandecido el seso.

—Somos hermanos —señaló Ferdinand.

—Pero a este hermano le funciona el cerebro y tiene bastante sentido común —repuso Jocelyn—. Las ruedas de tu tílburi eran lo bastante redondas la última vez que las vi. Es la persona que lleva las riendas y no el vehículo lo que decanta el resultado de una carrera, Ferdinand. ¿Cuándo se celebrará?

—Dentro de dos semanas —contestó su hermano.

¡Maldición! Eso quería decir que no podía presenciar ni el comienzo, pensó Jocelyn. No si obedecía las órdenes de Raikes, el dichoso matasanos. Sin embargo, si seguía atado a un sofá dos semanas más, su cordura estaría en grave peligro.

Jane Ingleby, que guardaba silencio un tanto apartada, le había leído el pensamiento, no le cabía la menor duda. Le bastó una mirada para comprobar que tenía los labios apretados en señal de desaprobación. ¿Qué tenía pensado hacer? ¿Atarlo hasta el último día de esas tres semanas?

Jocelyn había rechazado la petición de Jane de retirarse cuando llegaron los familiares. Volvió a rehusarla cuando anunciaron más visitas, mientras ella aceptaba de una en una las cartas que él le iba dando después de leerlas a fin de ordenarlas en tres montones según sus indicaciones: invitaciones que debía rechazar, invitaciones que debía aceptar y cartas que necesitaban que se las dictase a su secretario. Las invitaciones, salvo aquellas para eventos no muy cercanos, por supuesto, tenían que ser rechazadas.

—Será mejor que me marche, excelencia —dijo ella, que se puso en pie después de que Hawkins, que parecía controlar mucho mejor sus dominios ese día en lo tocante a las visitas, apareciera para anunciar la llegada de varios de sus amigos.

—Pues no —replicó él, con las cejas enarcadas—. Va a quedarse aquí.

—Por favor, excelencia —suplicó ella—, no puedo servirle de ayuda mientras tenga compañía.

Jane parecía, pensó él, casi asustada. ¿Acaso creía que sus

amigos y él iban a participar en una orgía con ella? Seguramente la habría despachado por iniciativa propia, supuso, de no haberle dicho que pretendía marcharse. En ese momento, por pura terquedad, se negaba a dejarla ir.

—Tal vez toda esta excitación me provoque un desmayo y necesite los cuidados de mi enfermera, señorita Ingleby —repuso.

Sin duda alguna Jane habría discutido con él de no ser porque la puerta se abrió para que entraran las visitas. No obstante, se alejó hasta el rincón más apartado de la estancia, donde seguía de pie cuando a Jocelyn se le ocurrió mirar al cabo de unos minutos. Estaba consiguiendo con mucho éxito fundirse con el mobiliario. La cofia volvía a adornar su cabeza, cubriendo todo su pelo.

Sus amigos más íntimos habían acudido en masa: Conan Brougham, Pottier, Kimble, Thomas Garrick y Boris Tuttleford, acompañados por su buen humor. Se produjo un gran escándalo mientras lo saludaban, preguntaban por cortesía por su salud, exclamaban al ver el batín y las zapatillas, admiraban el vendaje y buscaban asientos.

—¿Dónde está el clarete, Tresham? —preguntó Garrick, que echó un vistazo a su alrededor.

—La señorita Ingleby irá a buscarlo —contestó Jocelyn. En ese preciso momento buscó por la estancia y la encontró en el rincón—. Caballeros, mi enfermera, que me hace recados y que me provoca desventuras y me las solventa al mismo tiempo. Señorita Ingleby, dígale a Hawkins que nos traigan clarete y brandi, y que un criado venga con una bandeja con las copas. Por favor.

—¿Por favor, Tresh? —Kimble se echó a reír—. ¿Una palabra nueva en tu vocabulario?

—Me obliga a decirlo —contestó Jocelyn con suavidad mientras veía cómo Jane salía de la estancia con la cara vuelta—. Me reprende si se me olvida.

Sus amigos se echaron a reír de buena gana.

—¡Vaya! —exclamó Tuttleford cuando controló las risas—, Tresham, ¿no es la misma que gritó justo cuando estabas acobardando a Oliver al apuntarlo directamente a la cabeza?

—La ha contratado como enfermera —comentó Conan con una sonrisa—. Y ha amenazado con hacer que se arrepienta de haber nacido o algo por el estilo. ¿Se ha arrepentido, Tresham? ¿O te has arrepentido tú?

Jocelyn jugueteó con el mango de su monóculo y apretó los labios.

—Veréis —comenzó—, tiene la irritante costumbre de replicar, y yo tengo la irritante necesidad de estimulación mental, ya que estoy encerrado e inmovilizado, y lo estaré durante un par de semanas más por lo menos.

—¡Estimulación mental, qué bueno! —Pottier se golpeó el muslo y se echó a reír, y el resto siguió su ejemplo—. ¿Desde cuándo necesitas a una mujer para que te estimule mentalmente, Tresham?

—¡Por Dios! —Kimble balanceó su monóculo por la cinta—. Cuesta imaginárselo, ¿verdad? ¿De qué otra forma te estimula, Tresh? Creo que esa es la cuestión. Vamos, vamos, ha llegado el momento de confesar.

—Tiene una pierna inmovilizada. —Tuttleford se echó a reír de nuevo—. Pero me apuesto lo que queráis a que eso no le supone impedimento alguno, ¿a que no, Tresham? Al menos no en el tema de la estimulación. ¿Le gusta montar? ¿Y hacer todo el trabajo para que tú puedas quedarte quietecito?

Las carcajadas tenían un cariz muy obsceno en ese momento. Todos se mostraban muy ocurrentes… y agudizando el ingenio por momentos. Jocelyn se llevó el monóculo al ojo.

—Podría mencionar como quien no quiere la cosa que la mujer en cuestión trabaja para mí y que se encuentra bajo mi techo, Tuttleford —comentó en voz baja—. Hasta yo tengo unos límites.

—Creo, queridos amigos —dijo Conan Brougham, ya que era más perspicaz que los demás—, que al infame duque no le hace gracia.

Lo que había sido un error, se percató Jocelyn enseguida, cuando la puerta se abrió y Jane regresó a la estancia llevando dos licoreras en una bandeja. Un criado la seguía con la bandeja de las copas. Ella se convirtió, por supuesto, en el centro de atención de todos, un hecho que a él debería haberle hecho gracia al tiempo que a ella la desconcertaba. Sin embargo, solo sentía irritación al pensar que cualquiera de sus amigos lo creyera capaz, aunque fuera por un instante, de tener el pésimo gusto de acostarse con su propia criada.

Jane podría haber intentado escapar con el criado, pero no lo hizo. En cambio, se retiró al rincón con la vista clavada en el suelo. Llevaba la cofia todavía más calada sobre la frente.

El vizconde de Kimble silbó.

—¿Una belleza oculta, Tresh? —murmuró, demasiado bajo como para que ella pudiera escucharlo.

Solo Kimble podía ver más allá de su disfraz. Kimble, con ese aire de adonis rubio, era todo un donjuán, por supuesto. Un entendido a la altura del propio Jocelyn.

—Pero es una criada —replicó él— bajo la protección de mi casa, Kimble.

Su amigo lo entendió. Kimble sonrió y le guiñó un ojo. Sin embargo, no le haría proposiciones indecentes a Jane Ingleby. Jocelyn se preguntó de pasada por qué le importaba.

La conversación pronto se desvió hacia otros temas, dado que difícilmente podían hablar de Jane en su presencia. Sin embargo, a nadie le pareció inapropiado discutir delante de ella lo contenta que parecía estar lady Oliver por su notoriedad la noche anterior en el teatro, rodeada por una corte de admiradores; la presencia de sus tres hermanos y de su marido en el palco; la expresa determinación de dichos hermanos de retar a duelo al duque de Tresham en cuanto pudiera ponerse en pie por haber mancillado a su hermana; los extremos tan ridículos a los que Hailsham pensaba llegar para demostrar que su primogénito, de nueve años y del que se rumoreaba que era retrasado, era un bastardo, de modo que pudiera proclamar a su segundo hijo, y su preferido, como heredero; y, finalmente, los últimos y sensacionales detalles del escándalo de Cornualles.

—Ahora se rumorea que Jardine está muerto —afirmó Brougham a ese respecto—. Que jamás recuperó la conciencia después del ataque.

—Pues tuvo que ser un señor golpe en la cabeza —añadió Kimble—. Los rumores más disparatados insisten en que se le podían ver los sesos a través del pelo y la sangre. Los salones londinenses están llenos de mujeres desmayadas estos días. Lo que nos alegra la vida a los que estamos lo bastante cerca de ellas cuando lo hacen. Una pena que estés incapacitado, Tresh. —Se echó a reír.

—Si no me falla la memoria —dijo Pottier—, Jardine no tenía mucho pelo. Ni tampoco muchos sesos.

—Nunca recuperó la conciencia. —Jocelyn, en su intento por cambiar de postura para aliviar los calambres, tiró sin querer el cojín al suelo—. Señorita Ingleby, venga a colocarlo bien si le apetece. Nunca recuperó la conciencia y sin embargo, según algunos rumores, fue capaz de dar una versión detallada del ataque y de su heroica y denodada defensa. Fue capaz de identificar a su atacante y de explicar el motivo de que le abriera la cabeza. Qué inconsciencia más rara.

Jane se inclinó sobre él y colocó el cojín en la posición justa, le levantó la pierna izquierda con la delicadeza habitual y ajustó la parte superior del vendaje, que se había doblado hacia dentro. Sin embargo, tenía los labios blancos, según comprobó al mirarla.

Casi se arrepentía de haber insistido en que se quedara en la estancia. Era evidente que se sentía incómoda acompañada por tantos hombres. Y sin duda alguna también la incomodaba su conversación. Por más estoica que se hubiera mostrado con su herida, cabía la posibilidad de que toda esa cháchara sobre pelo ensangrentado y sesos desparramados fuera demasiado para ella.

—Puede que hayan exagerado al decir que ha muerto —comentó Garrick con cinismo al tiempo que se levantaba para servirse otra copa—. Es posible que le dé vergüenza dejarse ver en público después de admitir que lo había derrotado una ladronzuela.

—¿No tenía una pistola en cada mano? —preguntó Jocelyn—. Por supuesto, eso lo dice el hombre que nunca recuperó la conciencia desde que esa ladronzuela lo golpeó con una de las pistolas… Pero basta de tonterías. ¿En qué disparate se ha metido Ferdinand esta vez? ¡Una carrera en tílburi contra Berriwether nada menos! ¿Quién lanzó el desafío?

—Tu hermano —contestó Conan—, cuando Berriwether comenzó a decir que tendrías que abandonar todos tus antiguos deportes ahora que te verías obligado a arrastrarte con una pierna lisiada. Proclamó que el apellido Dudley jamás volvería a pronunciarse con admiración y asombro.

—¿Delante de Ferdinand? —Jocelyn meneó la cabeza—. No muy sensato.

—No, no fue delante de Ferdinand —precisó su amigo—. Pero tu hermano se enteró, por supuesto, y entró en White's echando humo por las orejas. Por un momento temí que le cruzara la cara a Berriwether con un guante, pero se limitó a preguntarle con absoluta urbanidad cuál creía Berriwether que era tu mejor habilidad, aparte de las armas. Por supuesto, dijo que tu destreza con las riendas. Y en ese momento llegó el desafío.

—¿Y cuánto ha apostado Ferdinand por el resultado? —preguntó Jocelyn.

Garrick fue el encargado de contestar:

—Mil guineas —dijo.

—Mmm. —Jocelyn asintió con la cabeza muy despacio—. El honor familiar vale mil guineas. Vaya, vaya.

Jane Ingleby ya no estaba de pie en el rincón, se percató de repente. Estaba sentada muy tiesa en un taburete, de espaldas a la estancia.

No se movió hasta que sus amigos se marcharon más de una hora después.

—¡Deme esa dichosa cosa! —El duque de Tresham tenía extendida una mano con gesto imperioso.

Jane, de pie junto al sofá, donde él le había ordenado colocarse nada más salir las visitas por la puerta del salón, se desató las cintas de debajo de la barbilla y se quitó la espantosa cofia. Pero la sostuvo entre sus manos.

—¿Qué piensa hacer con ella? —preguntó.

—Lo que pienso hacer —contestó él, irritado— es mandarla en busca de las tijeras más afiladas que pueda darle el ama de llaves. Y después voy a obligarla a mirar mientras hago jirones esa atrocidad. No, me corrijo. Voy a obligarla a que usted la haga jirones.

—Es mía —le recordó ella—. La he comprado. No tiene el menor derecho a destruir mi propiedad.

—¡Pamplinas! —replicó él.

Y en ese momento, para su más absoluta consternación, Jane comprendió por qué el duque se había convertido en un mancha borrosa delante de sus ojos. Se le escapó un sollozo justo cuando se daba cuenta de que tenía los ojos llenos de lágrimas.

—¡Por el amor de Dios! —exclamó él, espantado—. ¿Tanto significa para usted esa dichosa cofia?

—¡Es mía! —repitió con vehemencia, pero también con un lamentable temblor en la voz—. La compré, junto con otra, hace un par de días. Me costaron todo lo que tenía. No voy a permitir que las destroce para divertirse. Es usted un déspota insensible.

Pese a la rabia y al alarde de sus palabras, estaba llorando, sollozando e hipando de forma espantosa. Se secó las mejillas con la cofia y lo fulminó con la mirada.

El duque la miró en silencio un buen rato.

—No tiene nada que ver con la cofia, ¿verdad? —le preguntó a la postre—. Es porque la he obligado a permanecer en la estancia con una horda de visitas masculinas. He ofendido tu sensibilidad, Jane —dijo, tuteándola—. Supongo que en el orfanato había segregación de sexos, ¿verdad?

—Sí —contestó.

—Estoy cansado —soltó él de repente—. Creo que intentaré dormir un poco. No voy a requerir de su presencia aquí para que escuche mis ronquidos. Márchese a su habitación y quédese allí hasta la hora de la cena —continuó, retomando el tratamiento formal—. Preséntese ante mí esta noche.

—Sí, excelencia —dijo Jane, dándose la vuelta. No podía darle las gracias aunque supiera que era su modo de ser amable con ella. No creía que el duque quisiera dormir. En realidad, se había percatado de su necesidad de estar sola.

—Señorita Ingleby —dijo él cuando llegó a la puerta, si bien no se volvió para mirarlo—. No vuelva a provocarme. No llevará cofia mientras esté a mi servicio.

Jane salió en silencio y corrió escaleras arriba hasta su dormitorio, donde se alegró de poder cerrarle la puerta al resto del mundo para arrojarse sobre el colchón. Todavía aferraba la cofia con una mano.

Estaba muerto.

Sidney Jardine había muerto y no había una sola persona sobre la faz de la tierra que fuera a creer que ella no lo había asesinado.

Se aferró a la colcha con la mano libre y pegó la cara al colchón.

¡Estaba muerto!

Había sido odioso y ella lo detestaba más de lo que nunca había creído posible. Sin embargo, no le había deseado la muerte. Ni siquiera una desgracia. Había sido un acto reflejo agarrar ese pesado libro y un acto instintivo, llevada por su deseo de supervivencia, el golpearle la cabeza con él. Salvo que había hecho oscilar el libro en vez de levantarlo para golpearlo desde arriba porque pesaba demasiado. Y así fue como lo golpeó con el pico.

Sin embargo, Sidney no se cayó al suelo. Se llevó una mano a la herida, se miró los dedos ensangrentados y, estallando en carcajadas, la llamó bruja y avanzó hacia ella. Pero logró esquivarlo. Entonces él se abalanzó sobre ella, y el movimiento hizo que perdiera el equilibrio, de modo que cayó de bruces sobre la chimenea de mármol y se oyó un espantoso crujido cuando se golpeó la frente. Se quedó inmóvil.

Hubo varios testigos del sórdido incidente, pero no podía esperar que ninguno de ellos contara la verdad sobre lo sucedido. No le cabía la menor duda de que todos estarían encantados de perjurar que la habían sorprendido robando. La pulsera de oro con incrustaciones de piedras preciosas que podría indicar que estaban en lo cierto aún se encontraba en el fondo de su bolsa de viaje. Todos esos testigos eran amigos de Sidney. Ninguno era amigo suyo. Charles (sir Charles Fortescue, su vecino, su amigo y su pretendiente) no se encontraba en casa. Aunque tampoco lo habrían invitado a esa fiesta en concreto.

Sidney no había muerto tras esa caída, aunque todos los presentes en la estancia así lo creyeron. Ella fue quien se acercó a él con las piernas temblorosas y el estómago revuelto. Le latía el pulso con fuerza. De modo que llamó a varios criados para que lo llevaran a su habitación, donde ella misma lo atendió y le lavó las heridas hasta la llegada del médico, a quien llamaron por orden suya.

Sin embargo, había permanecido inconsciente todo el rato. Y tan blanco que había tenido que comprobar su pulso de nuevo con dedos temblorosos y helados.

—Recuerda que los asesinos van a la horca —había dicho alguien desde la puerta del dormitorio, con un deje burlón.

—Los cuelgan del cuello hasta morir —había añadido otra voz con morboso regocijo.

Huyó durante la noche, llevándose únicamente las pertenencias necesarias para poder llegar a Londres en coche de postas… y la pulsera, por supuesto, así como el dinero que había cogido del escritorio del conde. Huyó no porque creyera que Sidney iba a morir y a ella la acusarían de su asesinato. Huyó porque… En fin, por un sinfín de razones.

Se había sentido muy sola. El conde, un primo de su padre y su sucesor, y la condesa se habían marchado ese fin de semana a una fiesta campestre. De todas maneras no le tenían mucho aprecio. No quedaba nadie en Candleford Abbey a quien recurrir en caso de apuro. Y Charles no estaba en casa. Se había marchado para hacerle una visita prolongada a su hermana mayor, que vivía en Somersetshire.

Jane huyó a Londres. Al principio no se le ocurrió ocultarse, solo ansiaba encontrar a alguien que fuera comprensivo con su situación. Su destino era la casa de lady Webb en Portland Place. Lady Webb era la mejor amiga de su madre desde que fueron presentadas juntas en sociedad durante su juventud. La dama era una asidua visitante de Candleford Abbey. Y además era su madrina. Jane la llamaba tía Harriet. Sin embargo, lady Webb no se encontraba en casa y no se esperaba un regreso inminente.

Llevaba más de tres semanas casi paralizada por el pánico, con miedo a que Sidney hubiera muerto, con miedo a que la acusaran de asesinato, con miedo a que la tacharan de ladrona, con miedo a que los agentes de la ley fueran a buscarla. Sabrían, por supuesto, que se había marchado a Londres. No había hecho nada para ocultar su rastro.

Lo peor de todo durante todas esas semanas era el no saber nada. Suponía casi un alivio saberlo por fin.

Saber que Sidney estaba muerto.

Que la historia que circulaba afirmaba que lo había matado después de que la sorprendiera robando en la casa.

Que era considerada una asesina.

No, por supuesto que no era un alivio.

Se sentó de repente en la cama y se frotó la cara con las manos. Sus peores pesadillas se habían convertido en realidad. Su única esperanza había sido desaparecer entre las hordas anónimas de londinenses. Sin embargo, ese plan se había ido al traste cuando cometió la estupidez de interferir en ese duelo en Hyde Park. ¿Qué podía importarle a ella que esos dos caballeros no supieran qué hacer con sus vidas más que volarse los sesos?

Así que allí estaba, en Mayfair, en una de las grandiosas mansiones de Grosvenor Square, como una especie de enfermera o de dama de compañía de un hombre que obtenía algún tipo de satisfacción al mostrársela a todas sus amistades. Ninguno de sus amigos la conocía, por supuesto. Había vivido recluida en Cornualles. Era bastante posible que ninguna de las visitas que pasaran por Dudley House en las próximas semanas la reconociera. Pero no estaba convencida.

Seguro que solo era cuestión de tiempo…

Se puso en pie y atravesó la estancia para llegar hasta el lavamanos con las piernas temblorosas. Por suerte había agua en el aguamanil. La echó en la palangana y cogió un poco con ambas manos antes de bajar la cabeza.

Lo que debía hacer, lo que debería haber hecho al principio, era entregarse a las autoridades y confiar en la justicia. Pero ¿quiénes eran las autoridades? ¿Y adónde debía dirigirse? Además, al huir y ocultarse durante más de tres semanas solo había conseguido parecer culpable.

Él sabría qué debía hacer y a quién dirigirse con su historia. Se refería al duque de Tresham, por supuesto. Podía contárselo todo y dejar que él diera el siguiente paso. Sin embargo, al pensar en esa expresión desabrida y cruel y en su desdén por sus emociones sintió un escalofrío.

¿La colgarían? ¿Podrían colgarla por asesinato? ¿O por robo? No tenía la menor idea. De todas formas, tuvo que aferrarse al lavamanos de repente para evitar tambalearse.

¿Cómo podía confiar en la verdad cuando todas las pruebas y todos los testigos estarían en su contra?

Uno de los caballeros que había ido de visita dijo que Sidney tal vez no estuviera muerto. Jane sabía muy bien cómo podían malinterpretarse los rumores y tergiversar la verdad. ¿Acaso no decían que ella se había enfrentado a Sidney con una pistola en cada mano? Tal vez los rumores sobre la muerte de Sidney se habían extendido solo porque dicho final era el esperado para las personas que gustaban de creer lo peor.

Tal vez solo siguiera inconsciente.

Tal vez se estaba recuperando adecuadamente.

Tal vez ya se había recuperado del todo.

Y tal vez estaba muerto…

Jane se secó las acaloradas mejillas con una toalla y se sentó en la dura silla situada junto al lavamanos. Esperaría hasta descubrir la verdad, decidió con la vista clavada en las manos que tenía sobre el regazo… y que le seguían temblando. Cuando lo hiciera, ya determinaría qué hacer.

¿La estarían buscando?, se preguntó. Se llevó los dedos a los labios y cerró los ojos. Por si acaso, debía permanecer lejos de las siguientes visitas. Debía permanecer encerrada en casa todo lo posible.

Ojalá pudiera continuar llevando sus cofias…

Nunca había sido cobarde. Nunca se había escondido de sus problemas ni se había acurrucado en un rincón. Todo lo contrario. Pero de repente se había convertido en eso, en una cobarde.

Por supuesto, nunca antes la habían acusado de asesinato.

6

$\mathcal{M}$ick Boden, el investigador de Bow Street, se encontraba de nuevo en el hotel Pulteney, en la sala de estar de la suite del conde de Durbury, una semana después de su primera visita. No tenía noticias que trasladarle salvo el hecho de no haber descubierto el menor rastro de lady Sara Illingsworth.

Un fracaso que no le agradaba. Aborrecía ese tipo de trabajo. Si hubieran reclamado sus servicios para que fuese a Cornualles e investigara el intento de asesinato de Sidney Jardine, podría haberse empleado a fondo a fin de identificar y aprehender al asesino. Sin embargo, no había misterio alguno en ese crimen. La dama estaba robando en la residencia del conde aprovechando la ausencia de este cuando Jardine la descubrió. Ella lo golpeó en la cabeza con algún objeto pesado, sin duda sorprendiéndolo porque eran conocidos y posiblemente no imaginara lo que se proponía, y después se marchó con los objetos robados. El ayuda de cámara de Jardine había presenciado la escena. Se trataba de un individuo cobarde en opinión de Mick, ya que la ladrona era una muchacha que contaba con algo tan letal como un objeto pesado a modo de arma con el que intentar golpearlo.

—Si está en Londres, la encontraremos, señor —dijo en ese instante.

—¿Si está en Londres? ¿¡Si está en Londres!? —El conde echaba humo por las orejas—. Por supuesto que está en Londres, oiga usted. ¿Dónde va a estar si no?

Mick podría haber enumerado una lista de posibles lugares sin tener que quebrarse mucho los sesos, pero se limitó a tirarse del lóbulo de la oreja.

—Posiblemente en ningún lado —admitió—. Y si no se marchó de la ciudad hace un par de semanas, ahora le resultará más difícil hacerlo, señor. Hemos visitado todas las casas de postas y hemos interrogado a todos los cocheros de la ciudad. Nadie recuerda a una mujer que encaje con esa descripción salvo el hombre que la trajo a Londres. De momento estamos vigilando dichos establecimientos.

—Admirable —comentó Su Ilustrísima con sarcasmo—. ¿Y qué está haciendo para localizarla en la ciudad? Una semana debería haberle bastado e incluso debería haberle sobrado tiempo aunque se hubiera estado rascando la barriga los primeros cinco o seis días.

—No ha vuelto a la residencia de lady Webb, señor —contestó Mick—. Lo hemos comprobado. Hemos descubierto el hotel donde se alojó las dos primeras noches, pero nadie sabe qué camino tomó después. Según ha afirmado usted mismo, no conoce a nadie en la ciudad. Sin embargo, si lleva encima una fortuna, lo normal sería que buscara otro hotel o tal vez algunos aposentos de alquiler en un barrio respetable. Por ahora no hemos encontrado el menor rastro de su persona.

—Supongo que no se les ha ocurrido que quiera evitar llamar la atención gastándose una fortuna —sugirió el conde, que se acercó a la ventana y comenzó a tamborilear con los dedos sobre el alféizar—, ¿verdad?

A Mick Boden le parecía extraño que alguien robara una fortuna y después no la gastara. ¿Por qué iba la joven a robar nada si, puesto que era la hija del difunto conde y familia del actual, vivía en Candleford Abbey rodeada de lujos? Además, si tenía veinte años y era tan guapa como el conde afirmaba, ¿no estaría deseando comprometerse con un joven adinerado para mejorar así su situación?

Mick pensó que allí había gato encerrado, y no era la primera vez que llegaba a esa conclusión.

—¿Se refiere a que quizá haya buscado empleo? —le preguntó al conde.

—Se me ha pasado por la cabeza, sí. —Su Ilustrísima seguía tamborileando con los dedos mientras miraba por la ventana con el ceño fruncido.

¿Cuánto dinero habría robado la joven?, se preguntó Mick. La cantidad debía de ser considerable si se había visto obligada a asesinar para conseguirla. Sin embargo, también estaban las joyas, y había llegado el momento de perseguir esa línea de investigación para localizarla.

—Mis hombres y yo empezaremos a preguntar en las agencias de empleo, señor —le aseguró—. Será el primer paso. También hablaremos con los prestamistas y los joyeros que podrían haberle comprado las joyas. Necesitaré una descripción de todas las piezas, señor.

—No pierda el tiempo —replicó el conde con voz gélida—. No empeñará las joyas. Inténtelo en las agencias. Hable con cualquiera que haya podido contratarla. Encuéntrela.

—Desde luego que no dejaremos suelta a una asesina que ponga en peligro la vida de quien la haya contratado —convino Mick—. ¿Se le ocurre algún nombre falso que pueda estar usando?

El conde se volvió para mirar al investigador de Bow Street.

—¿Un nombre falso?

—En la residencia de lady Webb usó el verdadero —le explicó Mick— y también lo hizo en el hotel, durante las dos primeras noches. Después desapareció. Se me ha ocurrido que la joven ha llegado a la conclusión de que es más sensato ocultar su identidad. ¿Qué nombre podría usar aparte del habitual? ¿Sabe usted si tiene otro? ¿Conoce el apellido de soltera de su madre? ¿O el nombre de su doncella? ¿El de su antigua niñera? Cualquiera que pueda haber usado en las agencias de empleo, en caso de que no haya constancia de ninguna Sara Illingsworth.

—Sus padres siempre la llamaban Jane. —El conde se rascó la cabeza y frunció el ceño—. Déjeme pensar. Su madre se apellidaba Donningsford. Su doncella…

Mick anotó todos los nombres que le fue facilitando.

—La encontraremos, señor —le aseguró al conde de Durbury nuevamente a modo de despedida, unos minutos después.

Sin embargo, el asunto era muy extraño. El único hijo del conde estaba en coma, a las puertas de la muerte o de una invalidez. Tal vez estuviera muerto a esas alturas. No obstante, su padre lo había abandonado para buscar a la mujer que había intentado matarlo. Y no había salido de la habitación del hotel ni una sola vez, hasta donde Mick sabía. La presunta asesina había robado una fortuna, pero el conde sospechaba que tal vez estuviera buscando trabajo. Había robado joyas, pero Su Ilustrísima se mostraba renuente a describirlas o a buscarlas en las casas de empeño.

Sí, allí había gato encerrado.

Después de pasarse una semana trasladándose de la cama al sofá del salón o de la cama al diván de la biblioteca, Jocelyn adolecía de un aburrimiento mortal. Un eufemismo como la copa de un pino. Sus amigos lo visitaban con frecuencia, todos los días, de hecho, y le llevaban las últimas noticias y cotilleos. Su hermano no hablaba de otra cosa que no fuera la carrera de tílburis en la que Jocelyn habría pagado una fortuna por participar. Su hermana también fue a verlo, pero solo hablaba de sombreros y de sus nervios, ambos temas muy emocionantes. Su cuñado lo visitó en un par de ocasiones y trataron temas políticos.

Los días eran largos, las tardes más largas todavía y las noches, interminables.

Jane Ingleby se convirtió en su constante compañía. Un hecho tan gracioso como irritante. Comenzaba a verse como una anciana con una dama de compañía contratada para hacer recados y evitar la soledad.

Jane le cambiaba el vendaje una vez al día. En una ocasión le masajeó el muslo, un experimento que Jocelyn no quiso repetir pese al hecho de encontrarlo muy relajante. Porque también le resultó increíblemente erótico, de ahí que se burlara de ella por haberse ruborizado como una mojigata y que le ordenara que se sentase. Además, le hacía recados. Le organizaba el correo mientras él leía las cartas y se lo devolvía a Quincy con las instrucciones precisas. También le leía y jugaba a las cartas con él.

Una noche Jocelyn invitó a Quincy a una partida de ajedrez y la obligó a que se sentara para presenciarla. Jugar al ajedrez con Michael le resultó tan emocionante como jugar al críquet con un niño de tres años. Aunque su secretario era un jugador competente, no hacían falta grandes dotes de ingenio para derrotarlo. Ganar siempre era algo satisfactorio, por supuesto, pero no era muy interesante cuando se veía la victoria unos diez movimientos antes del final.

Después de esa partida, empezó a jugar al ajedrez con Jane. La primera vez Jane lo hizo tan rematadamente mal que si la invitó a repetir la experiencia al día siguiente, fue solo para no morir de aburrimiento. En esa segunda ocasión se mostró algo más competente, casi a la altura del juego de Michael, si bien no se podía decir lo mismo del suyo. La quinta partida que jugaron la ganó ella.

Jane celebró su victoria con carcajadas y palmas.

—Esto es lo que pasa por no prestar atención y mostrarse tan arrogante y mirarme por encima del hombro como si solo fuera un insecto mientras disimula los bostezos. No estaba concentrado —le dijo.

Cosa que era cierta.

—En ese caso —replicó él—, ¿reconoce que habría ganado de haber estado concentrado?

—¡Por supuesto! —admitió—. Pero no lo estaba y por eso ha perdido. De una forma humillante, debo añadir.

Después de esa partida, Jocelyn se concentró siempre.

A veces se limitaban a hablar. Le resultaba extraño conversar con una mujer. Se le daba muy bien charlar con las damas en los eventos sociales. Reconocía su habilidad para batirse verbalmente con las cortesanas. Sin embargo, no recordaba haber hablado en la vida de forma normal con una mujer.

Una noche Jane le estaba leyendo mientras él se distraía reflexionando sobre el hecho de que con el pelo apartado de la cara de esa forma tan tirante, sus ojos parecían rasgados. Se trataba de una pequeña rebelión por parte de la muchacha, claro estaba, para intentar que su cabeza fuera lo menos atractiva posible pese a la ausencia de la cofia. Jocelyn deseaba, si bien era un deseo inmisericorde, que le provocara un dolor de cabeza.

—Señorita Ingleby —dijo con un suspiro, interrumpiéndola en mitad de una frase—, no puedo seguir escuchándola. —De todas formas, tampoco le había prestado mucha atención—. En mi opinión, aunque tal vez usted disienta, Gulliver es un imbécil.

Tal como esperaba, ella apretó los labios con fuerza. Uno de los pocos entretenimientos de los que había disfrutado a lo largo de los últimos días: provocarla. La vio cerrar el libro.

—Supongo que cree que debería haber pisoteado a los liliputienses hasta dejarlos aplastados en el suelo solo porque era más grande y fuerte que ellos —replicó ella.

—Es usted una compañía muy relajante, señorita Ingleby —repuso Jocelyn—. Pone palabras en mi boca, librándome de ese modo de la necesidad de pensar y de hablar por mí mismo.

—¿Busco otro libro? —le preguntó.

—Seguramente elegiría un compendio de sermones —respondió él—. No, vamos a hablar.

—¿Sobre qué? —quiso saber la muchacha después de un breve silencio.

—Hábleme sobre el orfanato —contestó Jocelyn—. ¿Qué tipo de vida llevó en él?

Ella se encogió de hombros.

—No hay mucho que contar.

El orfanato debía de haber sido excelente, no cabía duda. Sin embargo, un orfanato era un orfanato.

—¿Se sintió sola? —quiso saber—. ¿Se siente sola?

—No.

Saltaba a la vista que no tenía la intención de explayarse con sus vivencias personales, se percató Jocelyn. No era como muchas mujeres (y otros tantos hombres, para ser justo), que apenas necesitaban de un leve empujoncito para lanzarse a hablar con gran entusiasmo y sin freno sobre sí mismas.

—¿Por qué no? —le preguntó, mirándola con los ojos entrecerrados—. Creció sin padre, madre ni hermanos. Se ha mudado a Londres con veinte años, si no me equivoco mucho, sin duda con el sueño de hacer fortuna, pero sin conocer a nadie. ¿Cómo no va a sentirse sola?

La observó soltar el libro en la mesita auxiliar que tenía al lado y entrelazar las manos en el regazo.

—La soledad no siempre implica sentirse solo —contestó—. No si uno aprende a quererse y a disfrutar de su propia compañía. Supongo que si uno no se quiere a sí mismo, es posible sentirse solo aunque se cuente con la compañía de un padre, de una madre y de unos hermanos. O si se tiene la impresión de que no merece el amor de los demás.

—¡Cuánta razón lleva! —exclamó Jocelyn, irritado.

De repente, se percató de que esos ojos tan azules lo miraban fijamente.

—¿Eso fue lo que le pasó a usted? —la oyó preguntar.

Al comprender lo que le estaba preguntando, la naturaleza íntima del interrogante, lo invadió una furia tan incontenible que estuvo a punto de decirle que se retirara a sus aposentos. La impertinencia de esa mujer no conocía límites. Sin embargo, una conversación era cosa de dos, por supuesto, y él había sido quien la inició.

En realidad, jamás mantenía conversaciones, ni siquiera con sus amigos. No hablaba sobre temas personales. Nunca hablaba sobre sí mismo.

¿Fue eso lo que le había pasado a él?

—Siempre he querido mucho a Angeline y a Ferdinand —contestó al tiempo que se encogía de hombros—. Nos peleábamos a todas horas, como supongo que es lo habitual entre hermanos, aunque nuestra herencia Dudley sin duda nos hacía ser más ruidosos y traviesos que los demás. Compartíamos juegos y aventuras. Ferdinand y yo solíamos ofrecernos caballerosamente para recibir las azotainas que Angeline merecía por sus travesuras, aunque supongo que a la postre la castigábamos a nuestra manera.

—¿Por qué ser un Dudley implica ser más travieso, más cruel y más peligroso que los demás? —le preguntó ella.

Jocelyn reflexionó sobre la pregunta, sobre su familia, sobre la visión que tenían de ellos mismos y del lugar que ocupaban en el esquema de las cosas. Una visión que les habían inculcado desde que llegaban al mundo o tal vez incluso antes.

—Si hubiera conocido a mi padre y a mi abuelo —respondió—, esa pregunta no sería necesaria.

—¿Y se siente en la obligación de estar a la altura de sus reputaciones? —quiso saber ella—. ¿Lo hace de forma deliberada? ¿O se vio atrapado de repente en el papel de hermano mayor, de heredero y, finalmente, de duque de Tresham?

Jocelyn rió entre dientes.

—Señorita Ingleby —contestó—, si estuviera usted al tanto de mi reputación, esa pregunta tampoco sería necesaria. Le aseguro que no me he limitado a vivir de la fama de mis antepasados. He creado la mía propia.

—Sé que se le considera más competente que a la mayoría de los caballeros en el uso de una amplia variedad de armas —señaló ella—. Sé que se ha batido en duelo más de una vez. Supongo que todos fueron por el honor de alguna mujer, ¿verdad?

Jocelyn inclinó la cabeza.

—Sé que mantiene relaciones con mujeres casadas —siguió la muchacha—, sin mostrar el menor respeto por la santidad del matrimonio ni por los sentimientos del cónyuge engañado.

—Presume saber mucho sobre mí —comentó él con sorna.

—Tendría que ser ciega y sorda para no saber eso —replicó ella—. Sé que ve a cualquier persona que está por debajo de usted en el escalafón social, prácticamente el mundo entero por tanto, como un peón siempre dispuesto a cumplir sus órdenes sin protestar.

—Y sin pedirles por favor ni dar las gracias siquiera —añadió Jocelyn.

—Supongo que participa en las apuestas más arriesgadas —continuó la señorita Ingleby—. No ha mostrado la menor preocupación por la inminente carrera de tílburis hasta Brighton en la que participará lord Ferdinand. Podría partirse el cuello.

—¿Ferdinand? Imposible —le aseguró—. Tiene el cuello de acero, como yo.

—Lo único que le importa es que gane la carrera —concluyó—. De hecho, creo que le encantaría estar en su lugar para que fuera su propio cuello el que acabara roto.

—Señorita Ingleby, no tiene sentido participar en una carrera a menos que se quiera ganar —adujo él—. Aunque, por supuesto, hay que saber comportarse como un caballero si se pierde. ¿Por casualidad me está usted sermoneando? ¿Me está regañando por mis modales y mi ética?

—No son de mi incumbencia, excelencia —respondió—. Me limito a comentar lo que he observado.

—Me ve usted con muy malos ojos —protestó.

—Pero supongo que mi opinión le importa un bledo —apostilló ella.

Jocelyn rió entre dientes.

—En otra época era distinto, se lo aseguro —dijo—. Mi padre me rescató. Se cercioró de que completara mi educación a fin de convertirme en un caballero a su imagen y semejanza. Tal vez, señorita Ingleby, haya tenido suerte al no conocer a sus padres.

—Los suyos debieron de quererlo —replicó ella.

—¿Quererme? —Jocelyn se echó a reír—. Supongo que tiene un concepto idealizado del amor porque nunca lo ha experimentado ni ha recibido lo que a veces solo es un sucedáneo. Si el amor es la devoción generosa hacia el ser amado, no existe tal cosa. Porque somos egoístas y solo buscamos nuestra propia comodidad, esa que el ser amado suele intensificar. Depender de otra persona no es amor. Dominar a otra persona no es amor. El deseo tampoco lo es, desde luego, aunque de vez en cuando puede ser un estupendo sustituto.

—Me da lástima —repuso la señorita Ingleby.

Jocelyn aferró el mango del monóculo y se lo llevó al ojo. Ella le devolvió la mirada, al parecer bastante tranquila. Sometida al escrutinio de su lente, la mayoría de las mujeres se pavoneaban o se echaban a temblar. En esa ocasión, su uso fue una mera afectación. Su ojo la veía perfectamente sin necesidad del aumento. Al cabo de un instante, soltó el monóculo, que cayó sobre su pecho.

—Mis padres fueron una pareja muy feliz —afirmó—. Nunca los oí discutir ni los vi mirarse con el ceño fruncido. Tuvieron tres hijos, una señal inequívoca de la devoción que se profesaban.

—En fin —replicó ella—, eso desmiente su teoría.

—Tal vez porque solo se veían unos cuantos minutos tres o cuatro veces al año. Cuando mi padre llegaba a Acton Park, mi madre estaba a punto de marcharse a Londres. Cuando ella volvía a casa, mi padre estaba a punto de partir. Un arreglo sensato y amigable, ¿entiende usted? —Una situación que en aquel entonces le parecía normal. La capacidad de los niños para adaptarse en su ignorancia a cualquier situación era muy curiosa.

La señorita Ingleby guardó silencio y no se movió siquiera.

—También demostraron una maravillosa discreción —siguió Jocelyn—. Como cualquier pareja con el deseo de mantener la armonía matrimonial. Jamás llegó a Acton Park el menor comentario sobre la horda de amantes de mi madre. No supe nada de ellos hasta que vine a Londres a los dieciséis años. Por suerte, físicamente me parezco a mi padre. Igual que Angeline y Ferdinand. Sería humillante albergar la sospecha de que se es un bastardo, ¿verdad?

No lo había dicho con la intención de resultar hiriente. Sin embargo, recordó demasiado tarde que Jane Ingleby no conoció a sus padres. Se preguntó quién le habría dado el apellido. ¿Por qué no Smith o Jones? Tal vez fuera la costumbre de ese excelente orfanato diferenciar a sus huérfanos de los comunes al darles apellidos distintivos.

—Pues sí —contestó—. Lo siento. Ningún niño debería sentirse traicionado de esa manera, aunque sea lo bastante mayor, según la opinión generalizada, para enfrentarse a la realidad. Debió de ser un golpe muy duro para usted. Pero supongo que su madre lo quiso.

—Si el número y el esplendor de los regalos que llevaba a Acton Park sirven de indicación —repuso—, mi madre nos adoraba. Mi padre no dependía de sus estancias en Londres para divertirse. En Acton Park hay un pabellón muy pintoresco situado en un rincón bastante alejado de la propiedad. Con un arroyo que corre tras el jardín trasero, y rodeado por colinas boscosas. Un lugar verdaderamente idílico. Durante mi infancia fue el hogar de una pariente pobre, una mujer de gran simpatía y belleza. No comprendí quién era hasta cumplir los dieciséis.

Siempre había tenido la intención de ordenar que demolieran el pabellón. Todavía no lo había hecho. Sin embargo, en ese momento estaba deshabitado y le había ordenado a su administrador que no gastara ni un solo penique en él. Con el tiempo se derrumbaría por la falta de mantenimiento.

—Lo siento —repitió ella como si fuera la responsable de la falta de sutileza de su padre al alojar a su amante, o a una de ellas al menos, en la propiedad donde residían sus hijos.

No obstante, Jane Ingleby no sabía ni la mitad de lo que había sucedido y él no estaba dispuesto a contárselo.

—Alcanzar su fama es todo un reto para mí —afirmó Jocelyn—. Pero sé que estoy haciendo todo lo posible para perpetuar la reputación familiar.

—No debería sentirse obligado por el pasado —le aconsejó ella—. Ni usted ni nadie. El pasado puede influir en nuestras decisiones, sí, tal vez incluso abrumarnos en cierto modo con las expectativas que nos impone. Pero no debe ser una obligación. Para eso está el libre albedrío, y en su caso más que en el de los demás. Por su rango social, por su fortuna y por el poder para vivir su vida como le apetezca.

—Que es justo lo que estoy haciendo, mi pequeña moralista —replicó él en voz baja, mirándola con los ojos entrecerrados—. Salvo en las actuales circunstancias, claro está. Toda esta inactividad es como una maldición. Pero tal vez sea un castigo merecido por haberme metido en la cama de una mujer casada, ¿no le parece?

La señorita Ingleby se sonrojó y bajó la mirada.

—¿Le llega a la cintura? —le preguntó él—. ¿O más abajo?

—¿Se refiere al pelo? —preguntó ella a su vez a tiempo que

alzaba la vista, sorprendida—. Solo es pelo. Me llega por debajo de la cintura.

—Solo es pelo —murmuró Jocelyn—. Solo es oro bruñido. Una telaraña mágica en la que cualquier hombre se dejaría enredar gustoso, Jane.

—No le he dado permiso para que se dirija a mí con esa familiaridad, excelencia —protestó ella de forma remilgada.

Jocelyn rió entre dientes.

—¿Cómo es posible que siga tolerando tanto descaro? —preguntó—. Es mi sirvienta.

—Pero no su esclava —apostilló ella—. Puedo levantarme y salir por esa puerta cuando me plazca y no volver nunca. El dinero que va a pagarme por estas tres semanas de trabajo no lo convierte en mi dueño. Ni tampoco excusa su impertinencia al hablar de esa forma tan descarada de mi pelo. Y no me vaya a negar que sus palabras y su mirada tenían un claro tinte sugerente.

—No pienso negarlo —admitió—. Señorita Ingleby, siempre intento decir la verdad. Vaya en busca del tablero de ajedrez a la biblioteca. A ver si esta noche demuestra ser una oponente interesante. Y de paso dígale a Hawkins que traiga el brandi. Tengo la lengua tan seca como la arena del desierto. Y estoy muy irritable.

—Sí, excelencia —dijo ella, que se puso en pie al punto.

—Y, señorita Ingleby —añadió Jocelyn—, le advierto que no vuelva a llamarme impertinente. Mi paciencia tiene un límite y podría desquitarme.

—Pero está confinado en el sofá —le recordó ella— mientras que yo puedo salir por esa puerta cuando quiera. Creo que eso me otorga cierta ventaja.

El día menos pensado sería él quien dijera la última palabra, pensó mientras la señorita Ingleby desaparecía por la puerta. Aunque solo fuera una vez durante las dos semanas que seguiría a su servicio. No recordaba que le hubiera pasado nada similar con otra persona, ya fuera hombre o mujer, en los últimos diez años.

Sin embargo, le alegró que la conversación hubiera retomado los derroteros habituales antes de que ella se marchara. No sabía muy bien cómo había conseguido Jane Ingleby hacerse con las riendas de la situación. Fue él quien intentó sonsacarle algo sobre sí misma y al final había acabado confesándole ciertas cosas sobre su infancia y su adolescencia en las que ni siquiera quería pensar, mucho menos compartir con otra persona.

Había estado a punto de desnudar su corazón.

Y prefería pensar que carecía de dicho órgano.

7

—*V*enga aquí —le ordenó unos días más tarde el duque de Tresham a Jane tras una partida de ajedrez que él había conseguido ganar, si bien se había visto obligado a meditar cada movimiento y la había acusado de intentar distraerlo con su cháchara.

Jane apenas había hablado durante la partida. Tras esta se alejó para devolver el tablero de ajedrez a su armario.

El tono de voz del duque no le inspiraba confianza. De hecho, y si se paraba a pensarlo, no confiaba en él. A lo largo de esos últimos días había entre ellos cierta tensión que incluso ella identificaba, pese a su inexperiencia. El duque la veía como a una mujer y ella, que Dios la ayudara, era muy consciente de que él era un hombre. Mientras se acercaba al sofá rezó una plegaria dando gracias porque siguiera confiando en él, aunque perdería el empleo en cuanto dejara de estarlo, por supuesto.

La idea de abandonar ese puesto, y Dudley House, en cuestión de semana y media le resultaba cada vez más abrumadora. En mitad de sus distendidas conversaciones, los amigos del duque habían comentado en varias ocasiones que el primo de su padre, el conde de Durbury, se encontraba en Londres y que había hecho que los temibles investigadores de Bow Street se pusieran a buscarla. Tanto el duque como sus amigos parecían estar del lado de Jane. Aplaudieron el hecho de que hubiera vencido a Sidney, un hombre que no parecía contar con el favor de mucha gente. Sin embargo, su actitud cambiaría en un abrir y cerrar de ojos si descubrían que lady Sara Illingsworth y Jane Ingleby eran la misma persona.

—Enséñeme sus manos —le dijo el duque. Por supuesto, era una orden, no una petición.

—¿Por qué? —preguntó ella, pero el duque se limitó a enarcar las cejas con ese gesto tan arrogante y a mirarla fijamente.

Le tendió las manos, titubeante, con las palmas hacia abajo. Sin embargo, el duque se las aferró y les dio la vuelta.

Fue uno de los momentos más incómodos de su vida. Las manos del duque engullían las suyas, aunque se las había tomado sin apretarlas. Podría haberse apartado con suma facilidad, y su instinto le pedía a gritos que lo hiciera. Sin embargo, de ese modo revelería su incomodidad, así como el único motivo para sentirla. Experimentaba el atractivo de su masculinidad como algo tangible. Le costaba respirar.

—No tiene callos —señaló él—. Eso quiere decir que no ha realizado muchos trabajos manuales, ¿verdad, Jane?

Ojalá el duque no usara de vez en cuando el nombre por el que solo la habían llamado sus padres.

—No muchos, excelencia —contestó.

—Tiene unas manos bonitas —continuó él—, como era de esperar. Igualan al resto de su persona. Cambian vendajes sin provocar más dolor del debido. Hacen que uno se pregunte qué otra magia pueden obrar con sus caricias. Jane, sería la cortesana más solicitada de toda Inglaterra si se lo propusiera.

En ese momento hizo ademán de apartar las manos, pero el duque se las agarró más deprisa de lo que ella se había movido.

—He añadido «si se lo propusiera» —precisó él con un brillo travieso en los ojos—. ¿Qué otra magia puede obrar?, me pregunto. ¿Son manos musicales? ¿Toca algún instrumento? ¿El piano?

—Un poco —admitió.

A diferencia de su madre, Jane nunca había sido una virtuosa del piano.

El duque seguía agarrándole las manos. Sus ojos oscuros la atravesaban. Su alarde de salir por la puerta sin más era ridículo en ese momento. Si le daba un tironcito de las manos, podría tenderlo en cualquier instante.

Lo fulminó con la mirada, decidida a no demostrarle ni miedo ni incomodidad.

—Demuéstremelo. —Le soltó las manos para señalar el piano emplazado en el extremo más alejado del salón.

Era un instrumento precioso, según se había percatado antes, aunque no tan magnífico como el de la sala de música.

—Estoy algo oxidada —protestó ella.

—¡Por el amor de Dios, señorita Ingleby! —exclamó él—. No se haga la modesta. Tengo por costumbre retirarme a la sala de juegos cuando las jovencitas de la alta sociedad están a punto de demostrar sus dotes musicales en cualquier evento social. Pero he caído tan bajo que estoy casi ansioso por escuchar la interpretación de una joven que admite sin tapujos que solo toca un poquito y que está un poco oxidada. Ahora siéntese al piano antes de que a mi mente se le ocurra otro tipo de entretenimiento mientras sigue lo bastante cerca como para agarrarla.

Y así lo hizo.

Tocó una de las piezas que había memorizado hacía mucho tiempo, una fuga de Bach. Por suerte, solo cometió dos errores, ambos en los primeros acordes y ninguno de ellos garrafal.

—Venga aquí —repitió el duque cuando terminó de tocar.

Cruzó la estancia, se sentó en la silla que solía ocupar y lo miró a los ojos. Había descubierto que si lo hacía, evitaba que la avasallara. Tal parecía que el duque tenía la sensación de que era capaz de dar y tomar en la misma medida.

—Tenía razón —comentó él con brusquedad—. Toca un poco. Muy poco. Toca sin sentimiento. Toca cada nota como si fuera una entidad separada sin conexión alguna con la que la antecede o con la que la sucede. Pulsa cada tecla como si solo fuera una pieza de marfil inanimada, como si creyera que es imposible sacar música de ella. Debió de tener un profesor bastante mediocre.

Podía aceptar la crítica hacia su persona con bastante ecuanimidad. Al fin y al cabo, nunca se había hecho ilusiones acerca de su habilidad. Sin embargo, se indignó al escuchar las críticas hacia su madre.

—¡Por supuesto que no! —replicó—. ¿Cómo se atreve a juzgar a mi profesora por mi actuación? Tenía más talento en un meñique de lo que yo tengo en todo el cuerpo. Cuando tocaba daba la impresión de que la música brotaba de ella más que de un mero instrumento. O que era ella quien la transmitía desde una procedencia… en fin, de una procedencia divina. —Lo fulminó con la mirada, indignadísima y muy consciente de lo cortas que se quedaban sus palabras.

El duque la miró en silencio un rato, con una expresión rara y desconocida en sus ojos.

—Ah —dijo a la postre—, veo que lo entiende, ¿no es así? No se trata de que sea un ser sin gusto por la música, sino que carece de un talento superior. Pero ¿por qué iba semejante parangón a impartir clases en un orfanato?

—Porque era un ángel —contestó Jane, y se enjugó las lágrimas que amenazaban con resbalar por sus mejillas. ¿Qué le pasaba? Hasta hacía bien poco jamás había sido dada a llorar.

—Pobre Jane —dijo él en voz baja—. ¿Se convirtió en una figura maternal para ti?

Estuvo a punto de mandarlo al cuerno, cosa que jamás había hecho con nadie. Estuvo a punto de rebajarse a su nivel.

—Eso no es de su incumbencia —replicó con voz débil—. Mis recuerdos no son suyos, excelencia. Ni yo tampoco lo soy.

—Quisquillosa —dijo él—. ¿He tocado una fibra sensible? Váyase a hacer lo que haga durante su hora libre por las tardes. Y dígale a Quincy que venga. Tengo que dictarle unas cartas.

Jane salió al jardín como solía hacer la mayoría de las tardes, salvo cuando llovía. Las flores primaverales estaban en todo su esplendor y en el aire flotaba un olor dulzón. Echaba de menos el aire libre y el ejercicio que había sido una parte integral de su vida en Cornualles. Sin embargo, el miedo la encerraba cada vez más. Temía poner un pie más allá de las puertas de Dudley House.

Temía que la atraparan. Que no la creyeran. Que la castigaran como a una asesina.

En ocasiones, se descubría a punto de contarle toda la verdad al duque de Tresham. Una parte de sí misma creía que el duque se comportaría como un amigo. Pero sería una tontería confiar en un hombre conocido por su crueldad.

Transcurridas dos semanas Jocelyn decidió que si pasaba otra más como las dos anteriores, se volvería loco. Raikes había estado en lo cierto, por supuesto, maldita fuera su estampa. Su pierna todavía no estaba preparada para aguantar su peso. Sin embargo, había un término medio entre apoyar el peso sobre las dos piernas y estar tumbado con una elevada.

Iba a hacerse con unas muletas.

Su determinación de no retrasar más ese momento se afianzó después de dos visitas vespertinas en concreto. Ferdinand fue el primero en llegar, emocionadísimo con los últimos detalles de la carrera de tílburis, que se celebraría al cabo de tres días. Tal parecía que las apuestas echaban humo en White's, y que la mayoría eran en contra de Ferdinand y a favor de lord Berriwether. Pero su hermano no se amilanaba. Y además le habló de otro tema.

—Los hermanos Forbes resultan cada vez más ofensivos —le aseguró—. Están insinuando que te escondes en casa, Tresham, que finges estar herido porque la idea de que te estén esperando fuera hace que te eches a temblar. Como se les ocurra susurrarlo siquiera delante de mí, les cruzaré la cara con un guante con tal fuerza que les saldrán moratones.

—No te metas en mis asuntos —replicó Jocelyn con sequedad—. Si tienen algo que decir sobre mí, que me lo digan a la cara. No tendrán que esperar mucho tiempo.

—Tus asuntos son los míos, Tresham —protestó su hermano—. Y un insulto dirigido a uno de nosotros es un insulto dirigido a todos. Espero que lady Oliver mereciera la pena. Aunque supongo que así fue. Jamás he conocido a una mujer con una cintura más estrecha y semejantes… —Pero se interrumpió de inmediato y miró con expresión incómoda y por encima del hombro a Jane Inglebly, que estaba sentada en silencio un poco alejada, como era habitual.

Ferdinand, al igual que Angeline y los amigos de Jocelyn, no parecía saber muy bien cómo tratar a la enfermera del duque de Tresham.

Se avecinaban problemas, pensó Jocelyn con inquietud después de que se marchara su hermano. Como era habitual, por una cosa o por otra. Salvo que en circunstancias normales él estaba en la calle para enfrentarse a lo que fuera. Siempre le había gustado el peligro. No recordaba haber pensado nunca, tal como le sucedía desde hacía unos días por sorprendente que pareciera, que su estilo de vida era absurdo y banal.

Cuanto antes saliera y regresara a sus actividades habituales, mejor le iría a su cordura. En el caso de que Barnard no hubiera comprado las muletas que le había encargado, al día siguiente le preguntaría el motivo.

Y en ese momento llegó la segunda visita. Hawkins, que apareció para anunciar a la persona en cuestión, parecía desaprobar su presencia. Jane Ingleby cerró el libro que había estado leyendo y se retiró al rincón donde siempre se escondía cada vez que él recibía visitas.

—Lady Oliver, excelencia —anunció Hawkins—, desea hablar en privado con usted. He informado a la dama de que no estaba seguro de que se encontrara en condiciones de recibir visitas.

—¡Que me aspen! —rugió Jocelyn—. Sabes muy bien que no debes dejar que ponga un pie en esta casa, Hawkins. Echa a esa mujer de aquí.

No era la primera vez que la susodicha había acudido a Dudley House. Tal parecía que ignoraba la norma de no visitar a un caballero en su residencia de soltero. Además, lo había hecho a una hora en la que la alta sociedad hacía sus rondas de visitas y podrían verla o atisbar algún indicio de su presencia.

—¿He de suponer que ha venido en el carruaje de lord Oliver y que la está esperando en la puerta? —preguntó él de forma retórica.

—Sí, excelencia. —Hawkins hizo una reverencia.

Sin embargo, antes de que Jocelyn pudiera ordenar de nuevo que echaran a la mujer enseguida de la casa, la dama en cuestión apareció en la puerta. Hawkins, pensó Jocelyn con sequedad, tendría muchísima suerte si antes de que acabara el día no se encontraba degradado al puesto de ayudante del limpiabotas.

—Tresham —lo saludó lady Oliver con su voz dulce y sensual. Se llevó un pañuelo de encaje a los labios como prueba visual de que era una mujer muy sensible y de que estaba angustiada.

Por supuesto, era la personificación de la elegancia y la exquisitez gracias a los distintos tonos de verde que resaltaban su pelo rojo. Era bajita, delgada y delicada, aunque también poseía, en efecto, el busto al que Ferdinand se había referido antes.

Jocelyn frunció el ceño mientras la observaba entrar en la estancia, con una expresión preocupada en sus ojos castaños.

—No debería estar aquí.

—Pero ¿cómo no venir? —Siguió caminando con elegancia hasta llegar al diván. Una vez allí se hincó de rodillas a su lado y le cogió una de las manos entre las suyas. Para llevársela a los labios.

Hawkins, el muy canalla, se había retirado y había cerrado la puerta.

—Tresham —repitió ella—. ¡Pobrecito mío, pobrecito mío! Se comenta que disparaste muy galantemente al aire cuando podrías haber matado a Edward. Todo el mundo conoce tu excelente puntería. Y después permitiste con valentía que te disparase en la pierna.

—Sucedió al contrario —la corrigió con sequedad—. Y la valentía no tuvo nada que ver. No estaba prestando atención en aquel momento.

—Una mujer gritó —dijo ella, besándole de nuevo la mano y apoyándola en una fría mejilla, sonrojada por efecto del colorete—. No puedo culparla, aunque yo me habría desmayado de estar allí. Pobrecito mío, qué valiente fuiste. ¿Estuvo a punto de matarte?

—La pierna está bastante lejos del corazón —señaló mientras apartaba la mano con firmeza—. Levántese. No pienso ofrecerle asiento ni invitarla a un refrigerio. Márchese. Ahora mismo. La señorita Ingleby la acompañará a la puerta.

—¿La señorita Ingleby? —De repente, aparecieron dos rosetones en sus mejillas y sus ojos echaron chispas.

Jocelyn señaló a Jane con una mano.

—Señorita Ingleby, le presento a lady Oliver. Que se marcha… ¡ahora mismo!

Sin embargo, la mirada celosa e irritada de lady Oliver se tornó en indiferente y desdeñosa cuando sus ojos se posaron en Jane. Lo que ella vio, a todas luces, era a una criada.

—Eres cruel, Tresham —comentó la dama—. He estado muerta de la preocupación por ti. He estado languideciendo por verte.

—Cosa que ya ha conseguido —la despachó—. Buenos días.

—Dime que tú también deseabas verme —añadió ella—. ¡Qué cruel eres al obligarme a suplicar una palabra amable!

Jocelyn la miró con algo rayano en el odio.

—Francamente —dijo—, apenas he pensado en usted desde la última vez que la vi… Fue en casa de los George, ¿verdad? ¿O en Bond Street? No me acuerdo. Y estoy seguro de que no volveré a pensar en usted en cuanto se haya ido.

La dama volvió a llevarse el pañuelo a los labios y lo miró con expresión disgustada por encima del encaje.

—Estás enfadado conmigo —dijo.

—Le aseguro, señora, que mis sentimientos no van más allá de la irritación —replicó.

—Si me permitieras explicarme…

—Le ruego que me ahorre la molestia.

—He venido para advertirte —continuó ella—. Que sepas que van a matarte. Me refiero a mis hermanos, a Anthony, a Wesley y a Joseph. Para defender mi honor, ya que no creen que Edward lo haya defendido convenientemente. O si no te matan, encontrarán otra manera de hacerte daño. Ellos son así.

Comportarse con un absoluto desdén por el honor debía de ser un rasgo familiar de los Forbes, pensó Jocelyn.

—Señorita Ingleby —dijo—, ¿tendría la amabilidad de acompañar a lady Oliver a la puerta y de asegurarse de que se marcha? Y dígale a Hawkins que quiero hablar con él.

Lady Oliver lloraba de forma desconsolada.

—Eres un hombre muy duro, Tresham, como me advirtió todo el mundo —dijo entre sollozos—. Creía que se equivocaban. Creía que me querías. Y no necesito que una criada me acompañe a la puerta. Puedo irme yo sola, gracias. —Lo que procedió a hacer con una dramática interpretación que habría arrancado una ovación de cualquier patio de butacas exigiéndole un bis si se hubiera encontrado en un escenario.

—En fin, señorita Ingleby —dijo Jocelyn después de que una mano invisible cerrara la puerta de la biblioteca—, ¿qué opina de mi amante? ¿Puede culparme por haberme metido en la cama de la dama, casada o no?

—Es muy guapa —admitió ella.

—¿Y la respuesta a mi segunda pregunta? —La fulminó con la mirada como si ella fuese la responsable de las continuadas indiscreciones de lady Oliver. Habría preferido que la mujer lo evitase como a la peste durante toda la vida, y también en el más allá.

—No soy quién para juzgar, excelencia —contestó Jane Ingleby con seriedad.

—¿Eso quiere decir que tolera el adulterio? —quiso saber, mirándola con los ojos entrecerrados.

—No, por supuesto que no —le aseguró ella—. Siempre está mal. Aun así, ha sido muy cruel con ella. Le ha hablado como si la odiase.

—Lo hago —reconoció—. ¿Por qué fingir que no es así?

—Sin embargo —insistió Jane—, se acostó con ella e hizo que se enamorase de usted. Y ahora la rechaza cuando ha desafiado las normas de la decencia para venir a verlo y a advertirlo.

Jocelyn sonrió al escucharla.

—¿Es posible que se pueda ser tan inocente? —preguntó—. ¿Yo hice que lady Oliver se enamorase de mí, Jane? La única persona a quien lady Oliver ama es a sí misma. Y ha desafiado las normas de la decencia para que la alta sociedad crea que los dos hemos mandado al cuerno las convenciones al continuar con nuestra relación. Esa mujer es una exhibicionista. La notoriedad la complace, sobre todo si es con alguien como yo. Le encanta que se comente que ha domado el corazón de un Dudley… el corazón del duque de Tresham en persona. Le encantaría que me viera obligado a disparar al aire tres veces más mientras sus hermanos me usan como diana para practicar su puntería. Cinco veces si los otros dos hermanos vienen a la ciudad.

—Está ridiculizando las emociones de la dama —le reprochó Jane.

—Creía que no iba a juzgarme —replicó en voz baja.

—Tentaría usted a un santo —le aseguró ella con sequedad.

—Eso espero. —Sonrió—. Pero, dígame, ¿por qué está tan convencida de que me he acostado con lady Oliver?

Jane lo miró fijamente un momento.

—Todo el mundo lo sabe —contestó a la postre—. Por eso se celebró el duelo. Usted mismo me lo dijo.

—¿Ah, sí? ¿O la dejé suponer que ese era el motivo?

—Supongo que ahora va a negarlo —dijo, con voz indignada.

Jocelyn apretó los labios y se tomó su tiempo antes de contestar.

—No, creo que no —dijo—. Verá, Jane, si lo niego, tendría usted la impresión de que me importa que opine bien de mí. Y no puedo permitir que crea eso, ¿verdad?

Jane se acercó y se sentó nuevamente en su silla. Se colocó el libro abierto en el regazo con gran serenidad mientras buscaba la página correcta. Después, puso una mano en cada página. Tenía el ceño fruncido.

—Si no es verdad, ¿por qué no lo negó? —le preguntó a la postre—. ¿Por qué batirse en un duelo y arriesgarse a morir?

—Jane, Jane, ¿debe un caballero contradecir a una dama en público? —le preguntó él a su vez.

—Pero la odia.

—Sigo siendo un caballero —señaló—, y ella sigue siendo una dama.

—¡Eso es ridículo! —Frunció el ceño—. ¿Permitiría lady

Oliver que su marido pensara lo peor de los dos antes que decirle la verdad? ¿Permitiría que la alta sociedad piense lo peor de usted?

—Ah, pero ese es el motivo por el que me adoran —adujo—. Soy el peligroso y perverso duque de Tresham. Si en esta ocasión proclamara ser tan inocente como un corderito, sería una terrible decepción para la alta sociedad. No soy tan inocente, por supuesto. Porque sí que coqueteé con la dama un par de veces. Suelo coquetear con damas casadas. Es lo que se espera de mí.

—¡Menuda sarta de tonterías! —exclamó ella, irritada—. Y no lo creo. Me dice todo esto para después reírse de mí y decirme lo ingenua que soy por creer en su inocencia.

—Pero, señorita Ingleby —protestó—, ya le he dicho que su opinión me importa poco.

—Es un hombre despreciable. No sé por qué sigo trabajando para usted.

—Tal vez, Jane, porque necesitas un techo sobre la cabeza y comida que llevarte a la boca —dijo, tuteándola una vez más—. O tal vez porque disfrutas regañándome y reprendiéndome con tu afilada lengua. ¿Podría ser que me estás cogiendo un poquito de cariño? —De forma deliberada, bajó la voz hasta convertirla en una caricia.

Jane Ingleby tenía los labios apretados. Y lo miraba con frialdad.

—Pero ten algo muy presente —continuó él—. Yo no miento, Jane. Puede que le siga la corriente a las mentiras de los demás, pero no miento. Puedes creerme o no, eso es cosa tuya. Ahora deja ese libro y tráeme un café. Y que Michael Quincy te dé mi correspondencia. Y el tablero de ajedrez.

—Exijo que no me llame Jane y que no me tutee —le ordenó ella al tiempo que se ponía en pie—. Algún día le ganaré al ajedrez cuando esté concentrado. Y le borraré esa expresión ufana de la cara.

Jocelyn la miró con una sonrisa.

—Váyase y haga lo que le he ordenado —dijo, recuperando la formalidad—. Por favor, señorita Ingleby.

—Sí, excelencia —replicó ella con voz resentida.

¿Por qué de repente era tan crucial para él que conociera la verdad sobre lady Oliver, a pesar de haber dicho lo contrario?, se preguntó Jocelyn mientras la observaba salir de la biblioteca. Le importaba un comino lo que pensara la gente. De hecho, siempre se había enorgullecido de su pésima reputación, incluso en los pocos casos en los que, como ese, era inmerecida.

Lady Oliver había alardeado ante su marido, seguramente durante una discusión, y le había dicho que el duque de Tresham era su amante. Y dicho marido, furibundo, lo había retado a un duelo. ¿Quién era él para contradecir a la dama?

¿Por qué se había visto en la necesidad de que Jane Ingleby supiera que nunca se había acostado con lady Oliver? Ni con ninguna otra mujer casada, ya puestos.

Como Barnard no le llevara las muletas al día siguiente, pensó Jocelyn de repente, se las estamparía en la cabeza en cuanto las tuviera en su poder.

8

—¿Pero qué está haciendo? —preguntó Jane, sobresaltada, al entrar a la mañana siguiente en la biblioteca y descubrir al duque de Tresham de pie, apoyado en unas muletas y mirando por la ventana.

—Mirando por la ventana de la biblioteca —contestó él al tiempo que volvía la cabeza para verla con las cejas enarcadas de forma arrogante—. De mi casa. Y rebajándome a contestar una pregunta impertinente de una sirvienta impertinente. Vaya en busca de su capa y de su bonete. Puede acompañarme al jardín.

—Le han aconsejado mantener la pierna inmovilizada y en alto —le recordó Jane mientras se acercaba a él. No recordaba que fuera tan alto.

—Señorita Ingleby —replicó el duque sin que su expresión cambiara un ápice—, vaya en busca de su capa y de su bonete.

Más tarde, Jane se percató de que al principio el duque parecía incómodo con las muletas, pero ese hecho no le impidió pasear por el jardín con ella durante media hora antes de que se sentaran en un banco de hierro situado bajo un cerezo. Estaban tan juntos que su hombro casi rozaba el hombro del duque. Jane se mantuvo en silencio mientras lo escuchaba respirar de forma laboriosa.

—Damos muchas cosas por sentado —lo oyó comentar, hablando más consigo mismo que con ella, al parecer—. El aire fresco y los olores de la naturaleza, por ejemplo. La salud. La habilidad para movernos sin impedimento.

—Vernos privados de todas esas cosas, así como el sufrimiento, puede ayudarnos a poner los pies en el suelo —convino ella—. Puede ayudarnos a dejar de malgastar la vida con meras trivialidades y a apreciar las cosas importantes. —Si alguna vez volvía a ser libre…

Su madre había muerto tras una breve enfermedad poco después de que ella cumpliera los diecisiete años, y su padre enfermó y tuvo que guardar cama apenas un año después del fallecimiento de su esposa. A Jane solo le quedaron los recuerdos de lo que era la felicidad y la seguridad familiar, dos cosas que en su ingenuidad y juventud había creído que durarían eternamente. Solo le quedó la realidad de que el primo de su padre heredara el título y la propiedad, Candleford Abbey. El nuevo conde la odiaba y la adulaba al mismo tiempo, haciendo planes sobre su futuro muy convenientes para él, aunque no para ella. Ojalá pudiera recuperar siquiera uno solo de aquellos días de su inocencia.

—Supongo que debería hacer borrón y cuenta nueva —comentó el duque, que volvió la cabeza para mirarla—, ¿es eso, señorita Ingleby? ¿Debería convertirme en el más cotizado de los especímenes sociales, en un libertino reformado? ¿Debería desafiar mi herencia, casarme con una santa y retirarme a mi casa solariega para transformarme en un terrateniente modélico? ¿Debería engendrar una caterva de modélicos niños y educarlos para convertirlos en ciudadanos ejemplares? ¿Debería abrazar la monogamia y vivir feliz para siempre?

Había hablado con un tono tan sufrido que Jane se echó a reír.

—Me gustaría ver ese milagro, se lo aseguro —replicó ella—. ¿Ha dejado claro lo que pretendía? Le duele la pierna, ¿verdad? Vuelve a frotarse el muslo. Vamos adentro para que pueda ayudarlo a ponerse cómodo.

—¿Por qué será que cuando la oigo decir esas cosas se me olvida la idea de hacer borrón y cuenta nueva y me siento muy pecaminoso? —le preguntó el duque mientras se inclinaba hacia un lado.

Jane notó que su brazo le presionaba el hombro, y puesto que no había más espacio en el banco para apartarse, se puso de pie.

Esa tensión casi insoportable se repetía con demasiada frecuencia. En el caso del duque, lo hacía de forma deliberada. Parecía que le encantaba hacerle comentarios indecentes mientras la miraba con los párpados entornados. Se lo pasaba en grande torturándola de esa forma, porque sabía perfectamente hasta qué punto la afectaba. Porque la afectaba, y mucho. No podía negar que solo con verlo, solo con pensar en él, se le aceleraba el corazón. Que el simple roce descuidado de una mano despertaba en ella el deseo de sentir mucho más.

—En ese caso, lléveme adentro —prosiguió, al tiempo que se ponía en pie y se apoyaba en las muletas sin su ayuda— y sométame a cualquier cuidado que considere necesario. Y la seguiré obediente, por cierto, puesto que no está de humor para coqueteos.

—Y nunca lo estaré, excelencia —concluyó Jane con firmeza.

Una afirmación y una resolución que serían puestas a prueba esa misma noche.

Jocelyn no podía dormir. Llevaba una semana o más sufriendo de insomnio. Era comprensible, por supuesto, ya que no había nada que hacer después de las once de la noche, a veces desde la diez, salvo irse a la cama e imaginarse todos los bailes y las veladas que se estarían celebrando; imaginarse a sus amigos yendo de club en club hasta que el alba los obligara a marcharse a sus respectivas casas.

Esa noche el insomnio estaba acompañado de un terrible nerviosismo. Porque la tentación le resultaba casi irresistible. El tipo de tentación que por regla general le había acarreado muchos problemas cuando era un adolescente hasta que aprendió a controlar sus impulsos, sobre todo cuando su padre estaba en Acton Park. Al final consiguió reprimirlos por completo, salvo en esos momentos en los que bajaba la guardia y lo abrumaban sin remedio.

En dichas ocasiones solía buscar una mujer con la que pasar la noche hasta que solo le quedaban fuerzas para dormirse y para después retomar su día a día habitual.

Pensó con cierta melancolía en Jane Ingleby, pero no tardó en sacársela de la cabeza. Le gustaba mortificarla, coquetear con ella y molestarla. Por supuesto, era una belleza de gran atractivo. Pero estaba vedada. Era una sirvienta alojada en su casa.

Al final, pasadas las doce de la noche, la tentación pudo con él. Apartó las mantas, se levantó y con ayuda de las muletas caminó hasta el vestidor, donde se puso una camisa, unos pantalones y unas pantuflas, aunque no se molestó en buscar un chaleco ni una chaqueta. Tampoco encendió una vela, ya que carecía de una tercera mano con la que llevarla. Ya encendería alguna cuando estuviera abajo.

Y así, despacio y con cierta dificultad, se encaminó a la planta baja.

Jane no podía dormir.

El duque de Tresham ya no necesitaba vendaje. La herida había sanado. Comenzaba a moverse bien con las muletas. Estaba inquieto, malhumorado y no tardaría en salir de casa. Ya no la necesitaría.

En realidad, nunca la había necesitado.

Posiblemente la despacharan antes de que las tres semanas llegaran a su fin. Sin embargo, en el caso de que no lo hicieran, solo le quedaban siete días.

El mundo más allá de las puertas de Dudley House se había convertido en un lugar amenazador que le aterraba verse obligada a pisar. Todos los días llegaba alguna visita que comentaba lo que ya se conocía como «el incidente de Cornualles». Ese día el duque y sus amigos habían hablado alegremente del tema.

—Me pregunto —había dicho el guapísimo y rubio vizconde de Kimble— por qué Durbury se encierra a cal y canto en el hotel Pulteney en vez de pedirle ayuda a la alta sociedad para localizar a su sobrina, a su prima o a lo que sea esa mujer. ¿Por qué ha venido a la ciudad para buscarla si pensaba esconderse y dejarles todo el trabajo a los investigadores de Bow Street?

—Tal vez esté de luto —sugirió sir Conan Brougham, un joven de pelo castaño y rostro agradable—. Aunque no vista de negro. ¿Podría ser que Jardine no esté muerto después de todo, sino que siga en Cornualles con una fractura en el cráneo?

—No sería de extrañar conociéndolo —contestó el duque con sequedad.

—En mi opinión —comentó el vizconde de Kimble—, esa mujer merece una medalla más que la soga en caso de que Jardine haya muerto. El mundo será un lugar mucho mejor sin su presencia.

—Eso sí, Tresham, será mejor que te guardes bien las espaldas como hacemos nosotros una vez que dejes el santuario de tu hogar —añadió sir Conan con una carcajada—. Deberás mantenerte alerta por si ves alguna muchacha de gesto feroz blandiendo un par de pistolas o una enorme hacha. Los rumores sobre el arma con el que cometió el atroz crimen no se ponen de acuerdo.

—¿Qué aspecto tiene la joven, si sois tan amables? —preguntó entonces el duque—. Para que pueda esconderme cuando la vea llegar.

—Es una bruja feísima de ojos y pelo negros —contestó sir Conan—. O una sirena rubia tan hermosa como un ángel. Elige lo que más te guste. He oído ambas descripciones y algunas más que van de un extremo a otro. Al parecer, nadie la ha visto, salvo Durbury, que no dice ni pío. ¿Sabes lo del nuevo tiro de Ferdinand? Supongo que sí, y de boca del interesado, por así decirlo. ¿Crees que los caballos irán a la derecha cuando les ordene que vayan a la izquierda?

—Si de verdad es mi hermano, lo obedecerán —respondió el duque—. Supongo que son tan nerviosos que tardará un año en domarlos, ¿verdad?

Y la conversación prosiguió por esos derroteros.

Jane no podía dormir. Ni podía dejar de moverse. Tenía grabada en la mente la cara blanca de Sidney con la sangre en la sien. No paraba de pensar en el hecho de que el conde había ido a Londres para buscarla. Y de que los investigadores de Bow Street estaban peinando las calles e interrogando a la gente para dar con ella. Y tampoco podía dejar de imaginarse tomando las riendas de su destino y encaminándose al hotel Pulteney para hablar con el conde.

Sería un alivio dejar de esconderse y permitir que todo saliera a la luz.

Pero la encerrarían en la cárcel. La someterían a juicio. La colgarían. ¿Podían sentenciar a la horca a la hija de un conde? A un conde desde luego que no. Pero ¿y a su hija? No lo sabía.

¿Por qué no llevaba luto el primo de su padre? ¿Tal vez porque, después de todo, Sidney no había muerto? Claro que sería absurdo albergar esa esperanza.

Al final, apartó las mantas y dejó de fingir que estaba tratando de dormir. Encendió una vela, se puso la capa sobre los hombros y salió de su dormitorio sin molestarse siquiera en vestirse ni en calzarse. Tal vez encontrara un libro en la biblioteca que le permitiera perderse entre sus páginas hasta que su mente se tranquilizara.

A medida que bajaba las escaleras, se percató de un detalle. Un sonido. Cuando llegó a la planta baja, ya lo había reconocido.

Música. De piano.

Procedente de la sala de música.

¿Quién estaría tocando? Era demasiado tarde para que hubiera visitas. Debían de ser más de las doce. Además, el vestíbulo estaba a oscuras. Los criados se habían retirado. Por debajo de la puerta de la sala de música se atisbaba un haz de luz.

Jane se acercó a regañadientes, colocó la mano en el picaporte, donde la mantuvo un instante, y después lo giró para abrir la puerta.

Era el duque de Tresham.

Estaba sentado en la banqueta del piano y las muletas descansaban en el suelo, a su lado. Estaba inclinado sobre las teclas, tocando sin partitura y con los ojos cerrados, con una expresión casi dolorida en el rostro. La pieza era conmovedora por su belleza, desconocida para Jane.

Se quedó plantada en la puerta, hipnotizada mientras lo escuchaba tocar. Y volvió a sentir esa especie de opresión en el corazón, la sensación de que la música no procedía del instrumento, ni siquiera del hombre que lo tocaba, sino de una fuente divina conectada a ambos. Jamás había pensado que existiera otra persona con un talento musical que igualara el de su madre.

Pero la tenía delante de los ojos.

Debieron de pasar unos cinco minutos antes de que la música se detuviera. El duque siguió sentado con las manos suspendidas sobre las teclas, la cabeza inclinada y los ojos aún cerrados. En ese preciso momento Jane comprendió que era una intrusa.

Pero demasiado tarde. Mientras contemplaba la posibilidad de retirarse y cerrar la puerta sin hacer ruido, el duque volvió la cabeza y abrió los ojos. Durante un momento la miraron sin verla. Y después la ira relampagueó en ellos.

—¡Qué demonios está haciendo aquí! —rugió.

Jane sintió verdadero miedo por primera vez. Nunca lo había visto tan furioso como en ese momento. Se temió que el duque se levantara y se acercara a ella con actitud amenazadora.

—Lo siento muchísimo —se disculpó—. He bajado en busca de un libro y escuché música. ¿Dónde aprendió a tocar así?

—¿Así cómo? —le preguntó él a su vez con los ojos entrecerrados.

Era evidente que se estaba recobrando de la sorpresa y recuperando la compostura.

—Señorita Ingleby, soy un simple aficionado, no era consciente de que tenía público.

De repente, Jane comprendió que el duque se había escondido tras una máscara que ya le resultaba familiar. Nunca lo había visto como un hombre necesitado de erigir defensas. Jamás se le había ocurrido que tuviera una personalidad mucho más profunda que la que le mostraba a ella o a sus visitas.

—Ah, no —lo contradijo, consciente mientras hablaba de que tal vez sería más sensato guardar silencio. Entró en la sala de música y cerró la puerta—. Excelencia, usted no es un simple aficionado. Ha sido bendecido con un don maravilloso y con un talento extraordinario. Así que de aficionado, nada. Estaba usando su talento desde el fondo del alma.

—¡Pamplinas! —exclamó el duque con brusquedad después de un breve silencio—. Jamás he recibido una lección, y no soy capaz de leer una partitura. Así que adiós a su teoría.

No obstante, Jane lo miraba con los ojos desorbitados.

—¿Nunca ha recibido lecciones? ¿Qué estaba tocando entonces? ¿Cómo ha aprendido a tocarlo?

Supo las respuestas incluso mientras formulaba las preguntas. El duque no le contestó, se limitó a apretar los labios.

—¿No lo lleva suelto ni siquiera para acostarse? —le preguntó él en cambio.

Se refería al pelo. Estaba hablando de su pelo, que llevaba recogido en una gruesa trenza que le caía por la espalda. Pero no pensaba dejarse distraer.

—La ha compuesto usted —dijo—. ¿Verdad?

El duque se encogió de hombros.

—Como le he dicho, soy un simple aficionado.

—¿Por qué se avergüenza de su talento? —quiso saber—. ¿Por qué se muestra tan dispuesto a desdeñarlo e incluso a negarlo?

En ese momento lo vio esbozar una lenta sonrisa.

—No conoce en absoluto a mi familia —señaló el duque.

—Supongo que tocar el piano, componer música y amar la música es algo indigno de un Dudley.

—Cualidades casi afeminadas —convino él.

—Bach era un hombre —dijo Jane, que se acercó al duque y dejó la vela en el piano, junto al candelabro que iluminaba el instrumento—. ¿Todos los compositores eran afeminados?

—Lo habrían sido de apellidarse Dudley. —La miró con una sonrisa feroz—. ¡Jane! ¿Vas descalza? ¡Qué atrevimiento más indecoroso!

—¿Quién lo dice? —No iba a permitirle que cambiara de tema—. ¿Usted? ¿O su padre y su abuelo?

—Todos somos uno —respondió él—. Como la Santísima Trinidad.

—Eso es una blasfemia —lo corrigió con firmeza—. Su padre debió de ser consciente de su talento. No es algo que pueda esconderse indefinidamente. Porque acaba saliendo a la luz con fuerza, como ha sucedido esta noche. ¿No lo alentó a desarrollarlo?

—Aprendí pronto que no debía tocar cuando él estaba en casa —respondió el duque—. Después de que me pillara dos veces. Nunca me gustó mucho tener que dormir boca abajo toda la noche por culpa de un trasero dolorido.

Jane estaba demasiado furiosa como para hablar. Se limitó a mirarlo fijamente con los labios apretados. Se limitó a mirar a ese cínico y peligroso libertino a quien su padre le había arrancado a base de golpes todo vestigio de su naturaleza artística y sensible. Un padre tan ignorante y débil como para temer cualquier cosa que pareciera femenina. ¿Por qué ese tipo de hombres no comprendía que una persona madura y equilibrada, independientemente de su género, era una sutil mezcla de cualidades masculinas y femeninas? Pero ahí estaba ese pobre hombre, tratando de ajustarse al ideal masculino que le habían inculcado un par de ignorantes con bastante éxito.

El duque se volvió hacia el piano y comenzó a tocar con suavidad. Una pieza que en esa ocasión sí le resultó familiar a Jane.

—¿La conoce? —le preguntó él sin mirarla.

—Sí —respondió—. Es *Barbara Allen.* —Una tonada popular preciosa y muy triste.

—¿Canta usted? —quiso saber el duque.

—Sí —respondió ella en voz baja.

—¿Se sabe la letra?

—Sí.

—Pues cántela —dijo cuando se detuvo para observarla—. Siéntese a mi lado en la banqueta y cante. Ya que ha venido, haga algo útil. Intentaré tocar medianamente bien.

Jane lo obedeció y contempló las manos del duque mientras

tocaba unas cuantas notas introductorias. Ya se había percatado en otras ocasiones de que tenía los dedos largos. Dado que se trataba del duque de Tresham, nunca había pensado que fueran unas manos artísticas. Pero en ese momento le resultó obvio. Lo vio acariciar las teclas como si estuviera haciéndole el amor a la música en vez de limitarse a producirla.

Jane cantó la canción de principio a fin, pese a lo larga que era. Una vez superada la vergüenza inicial, se olvidó de todo salvo de la música y cantó la triste historia de Barbara Allen. Cantar siempre había sido una de sus mayores satisfacciones.

Cuando la canción llegó a su fin, se produjo un largo silencio. Jane siguió sentada con la espalda muy recta y las manos entrelazadas en el regazo. El duque siguió acariciando las teclas. Ese fue, pensó Jane sin apenas asimilar el significado del pensamiento, uno de los momentos más dichosos de su vida.

—¡Dios mío! —exclamó el duque en voz baja, rompiendo el silencio y pronunciando las palabras sin su habitual tono ofensivo—. Contralto. Esperaba que tuviera voz de soprano.

El momento pasó y Jane fue muy consciente de que se encontraba sentada al lado del duque de Tresham en la sala de música, vestida solo con el camisón y con una capa, con el pelo recogido en una trenza. Y descalza. Él llevaba unos pantalones muy ajustados y una camisa blanca, con el cuello desabotonado.

No se le ocurría una manera de levantarse y salir de la estancia sin montar una escena.

—Jamás en la vida he oído una voz tan hermosa —afirmó el duque—. Ni una voz que se adapte con tal perfección a la música y al sentimiento de la canción.

Pese a la incomodad, el comentario la halagó.

—¿Por qué no me lo dijo cuando le pedí que tocara el piano y le hablé con franqueza de su talento? ¿Por qué no me dijo que cantaba?

—No me lo preguntó —respondió ella.

—¡Maldición, Jane! ¿Cómo te atreves a mantener algo así escondido? Un talento como el tuyo merece ser compartido, no ocultarlo del mundo.

—*Touché* —replicó en voz baja.

Siguieron sentados en silencio un rato. Y después el duque le cogió la mano y la sostuvo sobre la banqueta, entre ellos. De repente, tuvo la impresión de que la estancia se quedaba sin aire.

—No deberías haber bajado —dijo él—. O tal vez deberías haberte limitado a entrar en la biblioteca sin hacer ruido y a elegir tu libro sin dejarte llevar por la curiosidad. Me has sorprendido en un mal momento.

Jane entendía a lo que se refería. Porque para ella también era un mal momento. Estaban atrapados en una situación desconocida para ambos: un dulce instante de melancolía. Y estaban juntos a solas, como era lo habitual, por supuesto. Sin embargo, en esa ocasión estaba completamente a solas, sin criados al otro lado de la puerta. A medianoche.

—Sí —fue lo único que se le ocurrió decir. Después se puso en pie, alejando la mano de la del duque. No obstante, salvo el sentido común, todo la instaba a quedarse.

—No te vayas —lo oyó decir con una voz inusualmente ronca mientras se volvía hasta quedar de espaldas al piano—. No me dejes todavía.

Jane apenas se permitió un momento, un breve instante, para tomar una decisión. Podía hacerle caso al sentido común, desearle buenas noches y salir de la estancia. El duque no podría detenerla, no lo intentaría siquiera. O podía quedarse y prolongar esa situación tan tensa con las defensas bajas por completo. No había tiempo para debatir consigo misma. Dio los dos pasos que la separaban del duque y se detuvo justo frente a él.

Después levantó las manos y se las colocó en la cabeza como si estuviera bendiciéndolo. Su pelo era sedoso y cálido. El duque la aferró por la cintura y la acercó a él. Con un suspiro, apoyó la cabeza entre sus pechos.

¡Tonta!, se dijo mientras cerraba los ojos y disfrutaba de las sensaciones físicas producidas por su roce, su cercanía y el olor de su colonia.

¡Tonta!, se repitió, pero sin mucha convicción.

Cuando el duque por fin levantó la cabeza y la miró a los

ojos, vio en ellos una expresión insondable. Jane se arrodilló en el suelo entre sus muslos separados. No supo por qué lo hizo, tal vez porque notó la presión de sus manos o tal vez inducida por algún instinto que no requería de pensamiento alguno. Al colocar los brazos sobre la ajustada tela que le cubría los muslos sintió la dureza de sus músculos. Levantó la cabeza.

El duque estaba inclinado sobre ella mientras sus dedos le acariciaban la cara con la suavidad de una pluma, pero dejando a su paso un rastro de fuego que la abrasaba hasta lo más profundo de su cuerpo. Le tomó la cara entre las manos y la besó.

No era su primer beso. Charles había sido su pretendiente durante cuatro años, además de ser su amigo desde la infancia. En unas cuantas ocasiones se habían quedado a solas y le había permitido besarla. Le gustaron sus labios.

Pero en ese momento comprendió que jamás la habían besado. No de verdad. No como lo estaba haciendo el duque de Tresham.

¡Nunca la habían besado así!

Apenas le estaba rozando los labios. Esos ojos oscuros estaban abiertos, igual que los suyos. Era imposible dejarse llevar por las sensaciones físicas aunque el deseo crepitaba por todo su cuerpo hasta un punto casi doloroso. Era imposible ignorar lo que estaba pasando y con quién estaba pasando. Y después le sería imposible engañarse con la excusa de que la había cegado una pasión irreflexiva.

Porque no había nada de irreflexivo en lo que estaba sucediendo.

El duque le dejó una lluvia de besos sobre los pómulos, los ojos, las sienes, la nariz y la barbilla. Y después regresó a los labios para rozarlos con suavidad e invitarla a que le devolviera el beso de la misma forma.

Jane descubrió con creciente asombro que un beso no tenía por qué ser un mero roce de labios. También se usaba la lengua, que notó cómo le acariciaba el húmedo interior de los labios. Ella también usó la suya, moviéndola despacio sobre el labio superior del duque y después sobre el inferior. En un momento dado, ambas lenguas se rozaron antes de que la del duque decidiera explorar el interior de su boca. La succionó, la acarició y le arrancó profundos gemidos, aunque él también gimió.

Y después sus brazos la rodearon con fuerza mientras se inclinaba sobre ella, casi alzándola contra su fuerte pecho, y el beso se transformó en un momento apasionado y enfebrecido que despertó en Jane el ansia por experimentar mucho más.

De repente, volvió a descubrirse arrodillada en el suelo. El duque le cubría la mano que ella tenía apoyada en su muslo con la suya y esos ojos oscuros la miraban con los párpados entornados.

—Por la mañana nos veremos obligados a castigarnos mutuamente por esto, Jane —le advirtió—. Descubrirás con sorpresa lo diferente que te parecerá entonces lo que ha sucedido. Prohibido. Imposible. E incluso sórdido.

Ella negó con la cabeza.

—Ya lo verás —insistió el duque—. Solo soy un libertino, querida, sin otras pretensiones salvo la de tumbarte en el suelo para disfrutar enterrándome en tu virginal cuerpo. Y tú eres la inocente que lo contempla todo con asombro. Mi sirvienta. Mi empleada. Es imposible. Y sórdido, desde luego. Ahora mismo crees que lo que ha pasado es precioso. Lo veo en tus ojos. Pero no lo es, Jane. Eso es lo que un libertino experimentado consigue que piensen las mujeres. En realidad, no es más que deseo sexual puro y duro. Deseo por lanzarse a una cópula rápida y vigorosa. Vete a la cama. Sola.

Tanto su voz como su expresión eran desabridas. Jane se puso en pie y se alejó de él. Sin embargo, no se marchó de inmediato. Lo miró fijamente a los ojos para examinar la máscara que había vuelto a colocarse en su lugar. La máscara impenetrable. El duque le devolvió la mirada con el asomo de una sonrisa burlona en los labios.

Tenía razón. Lo que había sucedido era de índole física. Muy carnal.

Pero también estaba equivocado. No sabría explicar con exactitud qué estaba mal en el análisis que acababa de hacer. Pero lo estaba. Se equivocaba.

Sin embargo, llevaba razón al decir que era imposible. Y al afirmar que les parecería muy distinto por la mañana. No podría mirarlo a la cara con la misma tranquilidad con la que lo miraba en ese instante.

—Buenas noches, excelencia —le dijo.

—Buenas noches, Jane.

El duque ya le había dado la espalda para volver a enfrentar el piano mientras ella cogía la vela para marcharse y cerraba la puerta al salir. Estaba tocando una melodía serena y melancólica.

Iba por la mitad de la escalinata cuando recordó que había bajado en busca de un libro. No volvió a bajar.

9

*S*í, un taburete me vendrá muy bien —dijo Jocelyn, gesticulando de forma vaga al criado que le había preguntado. Le iría de maravilla.

Había ido a White's en carruaje en vez de hacerlo a caballo, pero una vez que se apeó debería haber usado las muletas y no un robusto bastón. La bota le oprimía angustiosamente la pantorrilla, que seguía dolorida. Si no tenía cuidado, tendrían que cortarle la bota cuando regresara a casa. Y ya había perdido así sus preferidas el día del duelo.

—Y tráeme los periódicos matutinos —le ordenó al criado mientras apoyaba la pierna en el taburete sin esfuerzo aparente, pero con un suspiro aliviado en su fuero interno.

Había salido de casa temprano, para evitar encontrarse con ella ya que esa mujer madrugaba mucho. Cogió el *Morning Post* y ojeó la portada, frunciendo el ceño mientras lo hacía. ¿Qué demonios hacía escapando tan temprano de su propia casa con tal de posponer el encuentro con una criada?

No sabía qué lo avergonzaba más… si acaso era correcto aplicar el término «vergüenza». Tal vez fuera más adecuada la palabra «incomodidad». Pero ninguna de esas emociones le resultaban especialmente conocidas.

Lo había sorprendido tocando el piano. Interpretando una de sus propias composiciones. Y la había besado. ¡Maldición! Pero llevaba solo e inactivo demasiado tiempo, razón por la que había roto una de sus reglas sagradas y había caído todavía más bajo en su propia estima. Si no le hubiera dolido la pierna hasta el punto de distraerlo, probablemente la habría tumbado en el suelo y se habría apropiado del tesoro que se ocultaba bajo la diáfana barrera de su camisón. Y la muy inocente no se lo habría impedido.

—¿Tresham? ¡Válgame Dios, pero si eres tú! ¿Cómo estás, amigo mío?

Jocelyn agradeció poder bajar el periódico, que tampoco estaba leyendo, para charlar y saludar a los conocidos que comenzaban a llegar al club en busca de los rumores matutinos y los periódicos.

—Sano, salvo y moviéndome demasiado despacio para mi ritmo habitual —respondió.

Los siguientes minutos fueron una sucesión de alegres saludos y comentarios ingeniosos sobre la pierna del duque de Tresham y el elegante taburete sobre el que descansaba, así como del grueso bastón apoyado en el sillón.

—Empezábamos a creer que estabas disfrutando de tu corte en Dudley House, Tresh —bromeó el vizconde de Kimble— y que ibas a quedarte allí para siempre.

—Con la deliciosa señorita Ingleby para atender todas tus necesidades —añadió el barón Pottier—. ¿Ya llevas botas de nuevo, Tresham?

—¿Quieres que venga a White's con zapatos de baile? —Jocelyn enarcó las cejas.

Sin embargo, sir Isaac Wallman se había quedado con un detallito interesante.

—¿La deliciosa señorita Ingleby? —preguntó—. ¿La enfermera? ¿La misma que gritó durante el duelo? Menudo truhán estás hecho, Tresham. ¿Cómo ha estado atendiendo tus necesidades?

Jocelyn se colocó el monóculo y miró al dandi de arriba abajo muy despacio.

—Dime, Wallman —dijo con su voz más hastiada—, ¿a qué atroz hora de la madrugada te has levantado para que tu ayuda de cámara tuviera tiempo de crear semejante monumento con tu corbata? —Habría resultado recargada incluso para el baile más grandioso. Aunque tal vez no para una velada con el regente, el príncipe de todos los dandis.

—Le ha llevado una hora entera —replicó sir Isaac con cierto orgullo, distraído al instante—. Y destrozó ocho corbatas antes de hacerlo bien con la novena.

Jocelyn bajó el monóculo mientras el vizconde de Kimble resoplaba con desdén.

Una vez concluidas las bromas de rigor, la conversación se desvió hacia la carrera de tílburis de Londres a Brighton que se celebraría dentro de dos días y la presencia en Londres del conde de Durbury, que había ido a la ciudad en busca de la asesina de su hijo, aunque se mantenía recluido. Casi todos los caballeros presentes estaban muy decepcionados por el hecho de que el conde no se dejara ver y así regalarle a la hastiada alta sociedad los detalles más macabros.

Sidney Jardine, que había ascendido un año antes a la posición de heredero de un condado cuando el título recayó sobre su padre, nunca había sido muy popular entre sus pares. Jocelyn solo había tratado con él durante un baile de la alta sociedad celebrado hacía un par de años cuando, delante de él, Jardine hizo un comentario muy vulgar dirigido a una jovencita y a su madre (en presencia de ambas), por el simple hecho de que habían rechazado su invitación a bailar. Jocelyn lo había invitado a dar un paseo por la terraza contigua al salón de baile.

Una vez en la terraza le ordenó a Jardine con suma amabilidad que se fuera a casa de inmediato, o al cuerno si lo prefería, a menos que deseara quedarse y que le lavaran la boca con jabón. Cuando un furibundo Jardine intentó retarlo a duelo, Jocelyn se llevó el monóculo al ojo e informó a su pretendido adversario de que tenía una regla inquebrantable por la que solo se batía en duelo con caballeros.

—Soy de la opinión —dijo en ese momento— de que deberían felicitar a lady Sara Illingsworth en vez de reprender su actitud. Aunque si es sensata, a estas alturas ya habrá puesto tierra de por medio y abandonado Londres.

—Pero no lo hizo en un coche de postas, Tresh —comentó el vizconde de Kimble—. Tengo entendido que los investigadores de Bow Street han llevado a cabo unas pesquisas muy exhaustivas. Nadie que encaje en su descripción ha sido vista viajando en coche de postas.

—Eso quiere decir que ha aprendido algo desde que llegó a la ciudad —comentó Jocelyn—. Me alegro por ella. Estoy seguro de que la obligaron a hacerlo. ¿Por qué si no iba una joven a golpear a un caballero en la cabeza?

—Tú deberías saberlo, Tresham —contestó sir Isaac con una risilla, por lo que se ganó otro escrutinio del duque a través del monóculo.

—¿Dónde guarda Ferdinand sus caballos nuevos? —preguntó Jocelyn al grupo en general, si bien seguía mirando a un aumentado y visiblemente incómodo sir Isaac—. ¿Y dónde los ejercita? Supongo que está muy ocupado preparándolos para la carrera. Será mejor que vaya a verlo para comprobar si va a matarse el viernes. Nunca ha tenido muy buen ojo para los caballos.

—Te acompaño, Tresh —se ofreció el vizconde de Kimble mientras Jocelyn bajaba el pie del taburete y se volvía para coger el bastón—. ¿Necesitas ayuda?

—¡Acércate y verás lo que es bueno! —gruñó Jocelyn al tiempo que se ponía en pie con toda la elegancia de la que fue capaz y apretaba los dientes al sentir el agudo dolor que le subió por la pierna derecha—. Y no necesito que me acompañes, Kimble. He venido en mi carruaje.

Esa admisión provocó otra andanada de bromas y comentarios ingeniosos de sus conocidos, por supuesto.

Jane le echaría un buen sermón por eso cuando volviera a casa, pensó Jocelyn, y al punto se enfadó consigo mismo por pensar siquiera en casa.

Dio con su hermano justo donde esperaba encontrarlo, ejercitando y adiestrando a sus nuevos caballos. Al menos Ferdinand sí había tenido buen ojo con esa pareja, descubrió con cierto alivio. No solo eran bonitos, sino también unos soberbios corredores. El problema era, cómo no, que Ferdinand no llevaba con ellos el tiempo suficiente para conocerlos bien, además de ser un joven impulsivo, nervioso e imprudente (un Dudley típico, de hecho), con manos impacientes y la tendencia a echar pestes cuando se sentía frustrado.

—Tienes que dejar que tus manos sean firmes pero seductoras a la vez —le aconsejó Jocelyn con un suspiro tras una colorida sarta de improperios después de que los caballos se negaran a moverse a la par—. Y tienes que descansar un poco la voz, Ferdinand, porque de lo contrario cuando llegues a Brighton no te quedará ninguna para celebrar tu victoria.

—¡Dichosos caballos! —masculló su hermano—. He comprado un par de divas.

—Lo que has comprado es un par de caballos excelentes a muy buen precio. Lo que tienes que hacer, a ser posible antes del viernes, es enseñarles quién manda.

Albergaba ciertas esperanzas de ganar la sustancial apuesta que había hecho en White's. Ferdinand era muy bueno con las riendas, aunque un poco errático, y creía que la superioridad consistía en asumir riesgos innecesarios.

—Pero con tu tílburi, Tresham —comentó Ferdinand con fingida indiferencia—, haría que Berriwether se comiera el polvo dejándolo a cinco kilómetros por detrás. Es más ligero y tiene una suspensión mejor que el mío.

—Pues vas a tener que contentarte con dejarlo dos kilómetros por detrás —replicó Jocelyn con sorna.

—Uno de estos días voy a darle una paliza a Wesley Forbes —dijo Ferdinand más tarde, una vez cómodos en su residencia de soltero, donde Jocelyn había apoyado el pie derecho en una mesita auxiliar—. Anoche estaba haciendo comentarios ofensivos sobre cierta persona que se pasea por ahí con muletas para convencer al mundo de su debilidad, pero a quien se le olvida qué pierna se supone que tiene herida. Dijo que a veces se ve a cierta persona con la pierna derecha elevada y después con la izquierda. Se cree el tipo más ingenioso del mundo.

Jocelyn bebió un sorbo de su clarete.

—En ese caso no podía estar refiriéndose a mí, ¿no te parece? —señaló él—. No te dejes provocar, Ferdinand. No te conviene una pelea antes de la carrera. Y nunca por mi causa. ¡Menuda ocurrencia!

—Le habría dado un puñetazo allí mismo, en la sala de juegos —continuó Ferdinand— de no ser porque Max Ritterbaum me cogió del brazo y me llevó a rastras a Brookes's. El asunto, Tresh, es que ninguno de ellos tiene las agallas de decírtelo a la cara. Y puedes estar seguro de que ninguno tendrá la decencia de cruzártela con un guante. Son demasiado cobardes.

—Déjamelos a mí —dijo Jocelyn—. Tú concéntrate en la carrera.

—Permíteme que te sirva otra copa —sugirió Ferdinand—. ¿Has visto la última monstruosidad de Angeline?

—¿Un bonete? —preguntó Jocelyn—. ¿El color mostaza? Atroz.

—Azul —lo corrigió su hermano—, con rayas violetas. Quería que la llevara a dar un paseo por el parque con él puesto. Le dije que o el bonete o yo la llevaríamos al parque, pero no los dos juntos. Me convertiría en un hazmerreír, Tresham. Nuestra hermana nació con un terrible defecto: mal gusto. El hecho de que Heyward la anime pagando todas las facturas se me escapa por completo.

—Está prendado de ella —adujo Jocelyn—. Y el sentimiento es mutuo. Nadie lo adivinaría al verlos juntos, o al no verlos juntos, que es lo más habitual. Son tan discretos sobre su relación como unos amantes clandestinos.

Ferdinand soltó una carcajada.

—¡Por Dios, imagínate a alguien prendadito de Angie! —exclamó.

—O por Heyward —añadió Jocelyn, mientras balanceaba el monóculo por la cinta.

Era un enorme alivio, pensó más tarde mientras regresaba a casa, ir recuperando su vida.

Si Jane había creído por un instante que lo sucedido la noche anterior había significado algo para el duque de Tresham, no tardó mucho en averiguar la verdad. Si bien no albergaba esa esperanza, en ocasiones las emociones desafiaban la razón.

El duque no regresó hasta bien entrada la tarde. Y ni siquiera entonces le ordenó presentarse ante él, sino que se encerró en la biblioteca con el señor Quincy. Era casi la hora de la cena cuando la mandó llamar.

Seguía en la biblioteca. Estaba sentado en el diván, con la pierna derecha apoyada en el cojín. Iba totalmente vestido salvo por la bota derecha. También tenía el ceño fruncido.

—Ni una sola palabra —dijo él antes de que pudiera abrir la boca siquiera—. Ni una sola palabra, señorita Ingleby. Por supuesto que tengo la pierna dolorida y por supuesto que a Barnard le ha costado la misma vida quitarme la bota. Pero era hora de que la ejercitara, y también era hora de que yo saliera de esta casa durante el día. O de lo contrario me rebajaría a la violación y el abuso.

No había esperado que el duque se refiriera al incidente de la noche anterior después de estar ausente todo el día. La víspera le parecía un sueño. Tal vez no su encuentro, algo tan ajeno a su experiencia y a sus expectativas que no podría ni habérselo imaginado, sino al hecho de haber visto y oído al duque de Tresham tocar el piano y crear música con sus teclas.

—Supongo que creíste que era amor, ¿no, Jane? —comenzó él, tuteándola y mirándola por primera vez con esos ojos negros y con un humor todavía más negro—. ¿O afecto? ¿O algún sentimiento noble?

—No, excelencia —contestó—. No soy tan inocente como usted cree. Reconocí el deseo físico en ambos. ¿Por qué iba a pensar que un libertino que se jacta de serlo tendría sentimientos por su criada? ¿Y por qué teme usted que una mujer como yo caiga rendida a su peligroso y legendario encanto cuando llevo padeciendo su mal humor y grosero vocabulario desde hace más de dos semanas?

—¿Que por qué... «temo»? —El duque entrecerró los

ojos—. Debería haber supuesto que dirías la última palabra, Jane. Qué tonto he sido al imaginar que anoche te alteré lo más mínimo.

—Sí —convino ella—. Supongo que su pierna está inflamada. Tendrá que meterla en agua fría. Y mantenerla ahí un rato.

—¿Y congelarme los dedos?

—Me imagino —le dijo ella— que semejante incomodidad es mejor que ver cómo se ennegrecen en las próximas semanas.

El duque apretó los labios y por un instante vio algo parecido a una sonrisa en sus ojos. Pero no cedió a la tentación.

—Si mañana planea salir de nuevo —continuó ella—, le ruego que me dé medio día libre, excelencia.

—¿Por qué? —Volvió a fruncir el ceño.

Las manos, que tenía unidas, se le quedaron heladas y se le humedecieron al pensar en el motivo, pero ya no podía dejarse vencer por el pánico. Tarde o temprano debía aventurarse a abandonar el refugio de Dudley House.

—Ha llegado el momento de que empiece a buscar otro empleo —contestó—. Me queda menos de una semana aquí. De hecho, ya no me necesita. Nunca me ha necesitado. Usted nunca precisó una enfermera.

El duque la miró fijamente.

—¿Eso quiere decir que vas a abandonarme, Jane?

Había estado reprimiendo con todas sus fuerzas el dolor que sentía al pensar en hacerlo. Un dolor que no tenía causa ni racional ni justificada. Aunque, por supuesto, la noche anterior había visto una faceta de su personalidad totalmente distinta.

—Mi trabajo aquí pronto llegará a su fin, excelencia —le recordó.

—¿Quién lo asegura? —La miraba con expresión pensativa—. No dices más que pamplinas, sobre todo cuando no tienes ningún otro sitio al que ir.

De repente, sintió un rayito de esperanza. Había estado considerando la idea de preguntarle al duque, o de preguntarle al ama de llaves, ya que era ella quien contrataba al personal, si podía quedarse como criada o como doncella. Sin embargo, no creía poder hacerlo. Sería incapaz de vivir en Dudley House desempeñando unas funciones inferiores a las que había estado realizando hasta ese momento. Claro que no podía permitir que el orgullo dictara sus actos.

—Convinimos en que me quedaría como su enfermera mientras su herida lo obligara a permanecer en reposo. Durante tres semanas.

—Eso quiere decir que queda casi una semana —le recordó él—. No pienso tolerar que busques otro trabajo, Jane, hasta que hayas cumplido el plazo. No te pago para que te pases la mañana recorriendo Londres en busca de otro jefe que te pague más que yo. ¿Cuáles son tus honorarios, por cierto?

—Más de lo que me merezco —contestó—. El dinero no es el problema, excelencia.

Sin embargo, se estaba mostrando terco.

—No quiero escuchar nada más sobre este tema en una semana como poco —le ordenó—. Pero tengo una tarea para ti el jueves por la noche, Jane. Mañana. Y te pagaré bien por ella. Te recompensaré con lo que te mereces.

Lo miró con cautela.

—No te quedes junto a la puerta como si estuvieras a punto de salir corriendo —masculló él, irritado—. Si quisiera abalanzarme sobre ti, lo haría sin importar la distancia. Acércate. Siéntate aquí.

El duque señaló la silla que solía ocupar.

No tenía sentido discutir. Hizo lo que le ordenaba aunque eso la colocó a una distancia muy incómoda de esa aura tan viril que lo rodeaba. Podía oler su colonia, y recordó que había jugado un papel importantísimo en la experiencia sensual de la noche anterior.

—Voy a celebrar una fiesta mañana por la noche —dijo el duque—. Quincy está redactando las invitaciones para enviarlas. Los convidados solo las recibirán con un día de antelación, por supuesto, pero la mayoría vendrá. Verás, las invitaciones a Dudley House son tan escasas como para estar muy solicitadas, pese a mi reputación. Tal vez precisamente por ella.

Se pasaría toda la noche detrás de la puerta cerrada de su dormitorio, pensó Jane, que se apretó las manos con fuerza sobre el regazo.

—Dígame una cosa, señorita Ingleby —continuó el duque, que dejó de tutearla y de usar su nombre de pila—, ¿posee alguna prenda más favorecedora que la atrocidad que lleva ahora mismo y la otra con la que la alterna?

No. Ni hablar, pensó Jane. Desde luego que no. Rotundamente no, se negaba en redondo.

—No voy a necesitarla —le aseguró con firmeza—. No voy a ser una de sus invitadas. No sería apropiado.

El duque enarcó las cejas con gesto arrogante.

—Por una vez, señorita Ingleby —dijo él—, estamos de acuerdo en todo. Pero no ha respondido mi pregunta. Y borre esa expresión obstinada de su cara. La hace parecer una niña petulante.

—Tengo un vestido de muselina —admitió—. Pero no me lo pondré, excelencia. No es adecuado para mi posición.

—Se lo pondrá mañana por la noche —le informó él—. Y hará algo con su pelo. Le preguntaré a Barnard si alguna de las doncellas tiene experiencia en peinar a una dama. Si no hay ninguna, contrataré a una para la ocasión.

A Jane se le estaba revolviendo el estómago.

—Pero acaba de decir que no puedo ser una de sus invitadas —le recordó—. No voy a necesitar un vestido de muselina ni un recogido elegante para quedarme sentada en mi habitación.

—No se haga la tonta —dijo él—. Habrá una cena, juegos de cartas, conversaciones y música… de la que se encargarán las damas a las que voy a invitar. Todas las damas tienen mucho talento, por cierto. Parece que entre las madres es muy común la creencia errónea de que la habilidad de tocar las teclas de un piano con aspecto primoroso es la forma más fácil de conquistar el corazón de un hombre y también su fortuna.

—Me pregunto qué lo ha llevado a ser tan cínico.

—¿En serio? —El duque esbozó esa sonrisa amenazadora tan característica—. Es el resultado de haber crecido con el título de conde y el rango de marqués. Y de convertirme en duque a la tierna edad de diecisiete años. He demostrado una y otra vez que soy el hombre más desalmado y cruel de toda Inglaterra. Pero todas las madres con hijas en edad casadera siguen besando el suelo que piso como si fuera el arcángel Gabriel, y todos los padres quieren hacerse mis amigos. Por no mencionar a las sonrientes jovencitas virginales en cuestión.

—El día menos pensado —replicó ella con sequedad— se va a enamorar de una de esas jovencitas virginales y descubrirá que ella desdeñará su cortejo. Tiene muy poco respeto por la inteligencia femenina, excelencia. Se cree el mejor partido matrimonial de toda la Cristiandad y por tanto desprecia a todos los que cree que lo siguen. Pues déjeme decirle que hay unas cuantas damas sensatas en este mundo.

El duque volvió a apretar los labios, pero el brillo risueño de sus ojos era inconfundible.

—A fin de salvaguardar mi orgullo —dijo él—, ¿le parece que incluyamos el mundo islámico además de la Cristiandad?

Estaba aprendiendo a derrotarla muy deprisa, pensó Jane.

—Pero estamos en desacuerdo.

Su expresión se tornó más seria mientras la miraba y Jane se asustó, hasta el punto de sentir un escalofrío en la espalda.

—Señorita Ingleby, usted será la atracción principal de la velada. Va a cantar para mis invitados.

—¡No! —Se puso en pie de un salto.

—Desde luego que sí —insistió él en voz baja—. Yo la acompañaré al piano. Creo que he admitido ante la alta sociedad que soy un músico aficionado. No me asusta que mi masculinidad quede en entredicho si me limito a acompañar a una vocalista. ¿Cree que debería hacerlo?

—No —contestó ella—. No a todo el plan, me refiero. No voy a hacerlo. No soy una artista que actúe en público ni quiero serlo. No puede obligarme a hacerlo y tampoco creo que pueda. No permitiré que me avasalle.

—Te pagaré quinientas libras, Jane —dijo el duque en voz baja, volviendo a tutearla y a usar su nombre de pila.

Ella inspiró hondo para replicarle, pero cerró la boca de golpe. Y frunció el ceño.

—¿Quinientas libras? —repitió, incrédula—. Qué cosa más ridícula.

—Para mí no —replicó él—. Quiero que cantes en público, Jane. Quiero que la alta sociedad descubra lo que yo descubrí anoche. Tienes un talento muy poco común.

—No crea que va a convencerme con halagos para que acceda —le soltó. Sin embargo, su mente ya funcionaba a marchas forzadas. Quinientas libras. No necesitaría trabajar en mucho tiempo. Podría ocultarse en un lugar más seguro que esa casa. Incluso podría marcharse a algún sitio donde al conde y a los investigadores de Bow Street no se les ocurriera buscar.

—Quinientas libras te liberarían de la necesidad de tener que encontrar otro empleo de inmediato, ¿no es verdad? —preguntó él, que a todas luces le había leído el pensamiento, o una parte.

No obstante, primero tendría que enfrentarse a una casa llena de invitados. ¿Había alguien en Londres, además del conde de Durbury, que conociera su identidad real, que la hubiera visto como lady Sara Illingsworth?, se preguntó. No lo creía. Pero ¿y si lo había?

—Incluso le diré por favor, Jane —añadió el duque de Tresham, con una falsa nota de humildad en la voz.

Jane le lanzó una mirada de reproche. ¿Cabría la más remota posibilidad de que el conde de Durbury estuviera entre los invitados? Había una manera de averiguarlo, por supuesto. Podría preguntarle al señor Quincy si le permitía ver la lista de invitados.

—Me lo pensaré —dijo ella después de que el estómago le diera un vuelco muy incómodo.

—Supongo que es lo máximo que puedo esperar de ti ahora, ¿no, Jane? No puedes capitular demasiado pronto o dará la sensación de que has permitido que te avasallen. Muy bien. Pero tu respuesta debe ser afirmativa. Estoy decidido a que así sea. Ensayaremos mañana por la tarde.

—Se está frotando el muslo de nuevo —señaló ella—. Supongo que no va a admitir que ha cometido una estupidez al salir hoy de casa, y una estupidez todavía mayor al quedarse fuera tanto tiempo. Permítame llamar a alguien para que lo ayude a subir a su habitación y ordenar que le lleven agua fría.

—He estado intentando enseñarle a mi hermano a distinguir la cabeza de un caballo de sus cuartos traseros —comentó el duque—. He apostado una importante suma a su favor en White's, señorita Ingleby, y estoy decidido a que gane la carrera.

—Pero qué tontos son los hombres —dijo—. Emplean sus mentes en trivialidades y malgastan sus energías en asuntos insignificantes. Si lord Ferdinand resulta herido el viernes, tal vez se dé cuenta de que él es muchísimo más importante para usted que ganar una simple apuesta.

—Si ya ha terminado con el sermón —repuso el duque—, puede hacer lo que ha sugerido, señorita Ingleby, y enviar al criado más fornido que encuentre.

Jane salió de la biblioteca sin decir nada más.

¿Qué sucedería si su descripción circulaba por Londres?, pensó de repente. ¿Qué pasaría si entraba en la sala de música el jueves por la noche y los invitados reunidos se levantaban al unísono para señalarla con dedos acusadores?

Fue incapaz de reprimir la absurda sensación de que en cierta forma sería un alivio.

10

El duque no tenía por costumbre celebrar eventos sociales en casa, pero cuando lo hacía, no escatimaba en gastos. Su chef no paraba de rezongar en la cocina, protestando por el poco tiempo que le habían dejado para preparar la fastuosa cena con la que se abriría la velada y el refrigerio que se serviría a medianoche. Sin embargo, se lanzó a la tarea en un arranque de creatividad en vez de renunciar a su empleo, como amenazaba cada vez que se detenía lo justo para recobrar el aliento.

El ama de llaves no protestó, pero ordenó con firme determinación a sus tropas que limpiaran hasta la última mota de polvo de las estancias que se abrirían para el evento y que dejaran todas las superficies pulidas y brillantes. Ella misma se encargó de disponer los frondosos arreglos florales que Michael Quincy había encargado.

Tal como Jocelyn había predicho, casi todo el mundo aceptó la invitación aunque de esa forma se tuvieran que cancelar otros planes previos en el último momento. La oportunidad de asistir a una cena y a una velada en Dudley House no sucedía todos los días.

El duque le ordenó al ama de llaves que seleccionara o contratara a una doncella experta en el peinado de una dama. También se planteó la idea de llevar a Jane Ingleby a alguna modista prestigiosa para encargar un vestido de noche que deberían confeccionar en tiempo récord (su considerable influencia sobre dos o tres de las modistas más exclusivas de Londres bastaría para lograrlo), pero no lo hizo. Sin duda, ella armaría un alboroto y acabaría negándose a cantar. Además, no quería que aparentase ser una dama elegante, decidió, ya que sus invitados se cuestionarían la decencia de haber alojado durante tres semanas a una dama bajo su techo en calidad de enfermera.

Durante la tarde pasó un buen rato con ella en la sala de música, ensayando dos canciones con las que podría lucir su voz, y una tercera para hacer un bis, una posibilidad que ella tildó de absurda, pero en la que él insistió por plausible.

Mientras se arreglaba para la velada, Jocelyn descubrió que estaba nervioso. Un hecho que lo alarmó mucho y que hizo que se despreciara a sí mismo.

Cuando era más joven, en vida de sus padres, Jane asistía a las meriendas campestres, a las cenas y a los bailes que se organizaban con frecuencia en Candleford Abbey. A sus padres les encantaba organizar ese tipo de eventos. Sin embargo, no recordaba que hubieran convocado alguna reunión en la que la cifra de invitados se acercara siquiera a los cincuenta. Las fiestas a las que había asistido le parecían muy lejanas en el tiempo. Solo era una niña en aquel entonces.

Esa tarde estuvo sentada durante varias horas en su dormitorio antes de arreglarse para bajar, escuchando las voces y las risas de los invitados, imaginándose lo que estaba sucediendo y lo que sucedería cuando la llamaran para bajar. Sin embargo, era imposible saber el momento exacto en el que eso tendría lugar. Jane era consciente de que las fiestas de la alta sociedad londinense no se parecían en absoluto a las que se celebraban en el campo, que casi nunca se prolongaban después de las once de la noche o de la medianoche como muy tarde. En la ciudad a nadie le extrañaba pasarse toda la noche en vela y después, por supuesto, dormir durante todo el día siguiente.

Tal vez no la llamaran hasta medianoche. Si tenía que esperar tanto, los nervios acabarían matándola.

Por fin vio en el reloj de la repisa de la chimenea que Adèle, la doncella francesa que habían contratado solo para que la peinara esa noche, llamaría en diez minutos a su puerta. Era hora de vestirse.

Resultaba demasiado tarde para arrepentirse por la locura que iba a cometer. No había nadie entre los invitados que pudiera reconocerla, había repasado con meticulosidad la lista con sus nombres. Sin embargo, el conde de Durbury se encontraba en la ciudad. ¿Y si alguno de los invitados estaba al tanto de su descripción física? Se le encogió el estómago. Pero ya era demasiado tarde.

Se quitó el vestido de doncella con determinación y se puso con cuidado el vestido de muselina estampada recién planchado que había esperado su momento extendido en la cama. Era un atuendo perfecto para tomar el té en una propiedad campestre. Pero no lo era en absoluto para una velada nocturna, ni siquiera en el campo. Claro que eso daba igual. Al fin y al cabo, no era una invitada a la fiesta.

Se estremeció por una mezcla de frío, nervios y miedo.

Su intención cuando huyó a Londres no fue la de esconderse. Lo que debería haber hecho tras el terrible descubrimiento de que lady Webb no se encontraba en la ciudad, pensó mucho después, era quedarse en el hotel donde se alojaba y contactar con el procurador del conde en la ciudad para pedirle fondos. Debería haber proclamado a los cuatro vientos que habían abusado de ella, que un sinvergüenza borracho la había asaltado e intentado violar en Candleford Abbey durante la ausencia de los condes y que ella se había limitado a defenderse golpeándolo con un libro y alejándose todo lo posible de él.

Pero no lo había hecho, y a esas alturas ya era demasiado tarde.

Se había escondido. Y estaba a punto de mostrarse a cincuenta invitados pertenecientes a la flor y nata de la sociedad británica.

¡Menuda locura!

A lo lejos se escuchó la risa aguda de una mujer. Alguien llamó a su puerta, sobresaltándola tontamente. Adèle había llegado para peinarla.

A las once en punto, lady Heyward, que hacía las veces de anfitriona en casa de su hermano, anunció el final de los juegos de cartas mientras Jocelyn indicaba a unos cuantos criados que trasladaran el piano del salón al centro de la estancia y colocaran las sillas a su alrededor. La parte musical de la velada estaba a punto de dar comienzo.

Varias damas jóvenes se prestaron voluntarias o fueron persuadidas para tocar el piano o para cantar. Un caballero, lord Rinding, demostró la valentía de cantar un dueto con su prometida. Todos se mostraron muy competentes. Los invitados escucharon el recital con mayor o menor atención y aplaudieron de forma educada. Al fin y al cabo, todos estaban familiarizados con ese tipo de veladas. Entre la alta sociedad solo había unos cuantos mecenas que contrataban artistas profesionales para sus fiestas, pero en dichas ocasiones el evento se anunciaba como un «concierto privado».

A la postre, Jocelyn se puso en pie con la ayuda del bastón.

—Tenéis unos minutos para estirar las piernas —anunció en cuanto se hizo con la atención de los presentes—. He conseguido la colaboración de una invitada especial que os va a entretener antes de la cena. Subiré a buscarla.

Su hermana lo miró, sorprendida.

—¿Quién puede ser, Tresham? —le preguntó—. ¿Acaso la tienes esperando en la cocina? ¿Dónde narices la has encontrado si llevas casi tres semanas encerrado en casa?

No obstante, él se limitó a inclinar la cabeza antes de salir del salón. Durante la práctica totalidad de la noche había sido incapaz de pensar en otra cosa que no fuera ese momento, así de tonto era. Ojalá ella no hubiera cambiado de opinión. Quinientas libras parecían un incentivo poderoso, por supuesto, pero era consciente de que si Jane Ingleby decidía no cantar, ni siquiera cinco mil libras podrían convencerla.

Después de enviar a Hawkins por ella, estuvo dos minutos paseando de un lado a otro del vestíbulo, apoyado en el bastón, hasta que la vio aparecer por la escalinata. Jane Ingleby se detuvo en el tercer escalón y la pose le recordó a una decente imitación de una estatua. De una estatua muy blanca y seria, con los labios apretados, pero con un aspecto angelical. El sencillo, ligero y elegante vestido de muselina resaltaba su figura de forma maravillosa, ya que acentuaba su esbelta silueta. En cuanto a su pelo… En fin, fue incapaz de apartar la vista de él durante un buen rato. No llevaba un recogido complicado. No había un exceso de bucles y tirabuzones, como se había esperado. Lo llevaba recogido, pero sin la tirantez habitual. El peinado hacía que su pelo pareciera suave, sano, lustroso y elegante. Puro oro bruñido.

—Vaya, vaya —comentó—. La mariposa acaba de abandonar el capullo.

—Sería mejor que no hiciéramos esto —replicó ella.

Sin embargo, Jocelyn se acercó al peldaño inferior de la escalinata y le tendió una mano sin dejar de mirarla a los ojos.

—Jane, no voy a permitir que te acobardes ahora —sentenció—. Mis convidados aguardan a la invitada especial.

—Van a llevarse una decepción —le advirtió ella.

Era muy impropio de ella acobardarse. Aunque en realidad no parecía asustada. Se mantenía muy erguida, alzando orgullosamente la barbilla. Y daba el aspecto de haber echado raíces en el tercer escalón.

—Vamos —la invitó, usando sus ojos de forma desvergonzada para convencerla.

Ella bajó hasta el penúltimo peldaño y cuando lo vio colocar la mano con la palma hacia abajo, apoyó la suya en el dorso y le permitió acompañarla hasta el salón. Su porte era el de una duquesa, pensó Jocelyn con lo que en otras circunstancias habría tildado de sorna. Pero en ese momento tuvo la impresión de que se le caía una venda de los ojos. ¿Una huérfana? ¿Criada en un orfanato? ¿Abandonada en el mundo para que se abriera camino porque ya era mayor? Ni por asomo. Qué tonto había sido al dejarse engañar por ese cuento.

Un cuento que convertía a Jane Ingleby en una mentirosa.

—*Barbara Allen* en primer lugar —dijo—. Algo que me resulte familiar para calentar los dedos.

—Sí. Muy bien —convino ella—. ¿Siguen aquí todos los invitados?

—Estás esperando que cuarenta y ocho o cuarenta y nueve se hayan ido a sus casas en busca de un sueño reparador, ¿verdad? —replicó—. No se ha marchado nadie, Jane.

La escuchó inspirar hondo varias veces mientras un criado con librea se apresuraba a abrirles la puerta del salón. En ese momento la vio alzar la barbilla un poco más.

Parecía una flor recién cortada del jardín entre un ramillete de flores de invernadero, pensó Jocelyn mientras la conducía entre las dos hileras de sillas en las que los invitados habían vuelto a sentarse y desde las que miraban con interés a su invitada.

—¡Caray! —exclamó Conan Brougham—. Si es la señorita Ingleby.

Se produjo un murmullo mientras aquellos que conocían a la señorita Ingleby explicaban quién era a aquellos que no sabían de ella. Todos, por supuesto, estaban al tanto de la historia de la aprendiz de costurera que había distraído al duque de Tresham durante el duelo con lord Oliver y que después se había convertido en su enfermera.

Jocelyn la condujo hasta el piano, situado en el espacio dispuesto en el centro de la estancia, y le soltó la mano.

—Damas y caballeros —dijo—, he convencido a la señorita Ingleby para que comparta con todos nosotros la que seguramente sea la voz más gloriosa que he tenido el privilegio de escuchar. Por desgracia, carece de un pianista que le haga justicia, ya que seré yo quien la acompañe. Y mi talento no es nada del otro mundo. Pero supongo que nadie lo notará en cuanto ella comience a cantar.

Se colocó los faldones del frac mientras tomaba asiento en la banqueta y después soltó el bastón en el suelo y flexionó los dedos varias veces sobre las teclas. Jane seguía de pie en el mismo lugar donde la había dejado, pero en realidad no le prestó mucha atención. Porque estaba aterrado. Él, que se había enfrentado al cañón de una pistola en cuatro ocasiones sin acobardarse, asustado por tener que tocar el piano frente a una audiencia que ni siquiera le prestaría atención porque estaría absorta en Jane. Se sentía muy expuesto, casi desnudo.

Se concentró en la tarea que tenía por delante y comenzó a tocar los primeros acordes de *Barbara Allen*.

Durante la primera estrofa de la canción, la voz de Jane pareció titubeante y falta de aliento, pero después se relajó, igual que le sucedió a él. De hecho, no tardó en olvidarse de su tarea y comenzó a tocar más por instinto que de forma deliberada. Jane interpretó la canción mejor que nunca, con mucho más sentimiento, si acaso era posible. Comprendió que era el tipo de cantante que se crecía ante el público. Y sus invitados conformaban una audiencia muy atenta. Estaba seguro de que nadie se movió hasta que Jane cantó la última palabra de la balada. Y después se produjo una pausa, un momento de silencio absoluto.

Y los aplausos. No el aplauso discreto con el que la aristocracia demostraba su respeto hacia sus pares, sino la ovación típica de una audiencia que durante un buen rato había sido transportada a otra dimensión gracias al talento de un verdadero artista.

Jane pareció sorprendida y un tanto avergonzada. Pero no perdió la compostura. Inclinó la cabeza y esperó a que los aplausos finalizaran y fueran reemplazados por un silencio expectante.

Y comenzó a cantar *Art thou troubled?* de Händel. Tal vez una de las piezas más hermosas compuestas para una voz de contralto. O eso había pensado Jocelyn siempre. Sin embargo, esa noche tuvo la impresión de que había sido escrita para ella en especial. Se le olvidó la dificultad de procurar un acompañamiento al piano apropiado para las palabras. Y se limitó a tocar y a escuchar la voz de Jane, esa voz tan rica, tan disciplinada y a la vez tan cargada de emoción que le provocó un nudo en la garganta, como si estuviera al borde de las lágrimas.

—¿Estás preocupado? —cantaba Jane—. La música te aliviará. ¿Estás agotado? Te dará descanso. Te dará descanso.

Jocelyn se descubrió pensando que debía de llevar preocupado y agotado muchísimo tiempo. Siempre había sido consciente del seductor poder de la música para proporcionar alivio. Pero siempre había sido un bálsamo prohibido, un descanso negado. Porque la música era tierna, afeminada e inapropiada para él, para un Dudley, para el duque de Tresham.

—La música —siguió Jane, tomando aire para que su voz flotara en las notas más altas—. La música te atrapará con su voz divina.

Sí, pensó él, su voz era divina. Pero un Dudley solo hablaba con voz firme, masculina y humana, y rara vez se detenía a escuchar. Al menos no escuchaba nada ajeno al ajetreo de sus actividades diarias, a través de las cuales ejercía su dominancia y su poder. Desde luego no escuchaba música, ni le prestaba atención a nada perteneciente al ámbito espiritual que se pudiera alcanzar con la música, ya que trasladaba a la audiencia a un lugar que trascendía lo físico y el mundo palpable, a un lugar que solo podía sentirse, no describirse con palabras.

El doloroso nudo que sentía en la garganta no había desaparecido todavía cuando la canción llegó a su fin. Cerró los ojos un instante mientras una nueva ovación quebraba el silencio. Al abrirlos, comprobó que sus invitados se ponían en pie, sin dejar de aplaudir, y que Jane parecía muy avergonzada.

Se levantó y, sin coger el bastón, tomó la mano derecha de Jane y la levantó. Ella sonrió por fin y ejecutó una genuflexión a modo de agradecimiento.

Acto seguido interpretó la alegre, preciosa y complicada *Robin Adair* a petición de la audiencia. Al día siguiente le recordaría que ya se lo había advertido, pensó Jocelyn, pero sabía que esa noche sería incapaz de burlarse de ella.

Después del bis, Jane habría desaparecido gustosa del salón. La vio dar un par de pasos apresurados en dirección al pasillo conformado por las dos hileras de sillas, pero sus invitados tenían otra idea en mente. La velada no había finalizado. Había llegado la hora de tomar el refrigerio. Ferdinand le cortó el paso.

—¡Caray, señorita Ingleby! —exclamó con sincero entusiasmo—. ¡Una interpretación genial! Canta usted maravillosamente. Acompáñenos al comedor para el refrigerio.

Su hermano ejecutó una reverencia y le ofreció el brazo con una sonrisa, haciendo gala del considerable encanto que era capaz de demostrar cuando dejaba de pensar en caballos, caza, boxeo y las apuestas más arriesgadas de los clubes.

Jocelyn fue presa de un humor asesino.

Jane intentó escapar. Adujo varias excusas, pero al cabo de unos instantes descubrió que Ferdinand no era el único a quien tenía que convencer. Estaba rodeada de invitados de ambos sexos ansiosos por hablar con ella. Sin embargo, aunque su empleo de enfermera en Dudley House y las circunstancias que habían llevado a su contratación podían despertar la curiosidad de las personas adictas a las habladurías y los escándalos, Jocelyn no pensaba que esos fueran los únicos motivos que la habían convertido en el centro de atención. Se trataba de su voz.

¿Cómo era posible que la hubiera escuchado dos noches antes sin darse cuenta de que no se trataba solo de una voz extraordinaria?, se preguntó en ese instante. También era una voz muy bien educada. Y ese tipo de educación no se adquiría en un orfanato, por muy bueno que fuera.

La vio marcharse hacia el comedor del brazo de Ferdinand y con Heyward al otro lado, manteniendo una animada conversación sobre *El Mesías* de Händel. Jocelyn se dispuso a atender al resto de los invitados.

Su profesor de canto, a quien su padre había llevado a Cornualles tras gastarse una fortuna, había afirmado que podría dedicarse al canto de forma profesional si lo decidía. Que podía actuar en Milán, en Viena o en Covent Garden, donde quisiera. Que podía convertirse en una estrella internacional.

Su padre había señalado con delicadeza pero también con firmeza que una carrera profesional, por brillante e ilustre que fuera, era imposible para la hija de un conde. A Jane no le importó. Nunca había sentido la necesidad de conseguir la fama y el favor del público. Cantaba porque disfrutaba haciéndolo y porque le gustaba entretener a sus amigos y a su familia.

Pero admitía que el éxito obtenido esa noche en Dudley House era seductor. La mansión había sido transformada en un escenario maravilloso con todas las velas encendidas y un sinfín de frondosos arreglos florales distribuidos por doquier. Todo el mundo se mostraba muy amable mientras la felicitaba. Casi todos los invitados se acercaron a ella una vez en el comedor, algunos para sonreírle y decirle lo mucho que habían disfrutado con su interpretación, y otros para hablar un rato con ella.

Nunca antes había estado en Londres. Nunca se había movido en esos círculos tan selectos. Sin embargo, le parecía muy adecuado estar en dicha compañía. Porque esos eran sus pares. Ese era el mundo al que pertenecía. Si su madre hubiera vivido más tiempo, si su padre hubiera conservado la salud, habría disfrutado sin duda alguna de una temporada social en Londres. Habría participado en el gran mercado matrimonial a fin de seleccionar un marido adecuado. Se sentía a gusto entre los invitados del duque de Tresham.

De modo que tuvo que hacer un gran esfuerzo para recordarse que no era una de ellos. Ya no. Entre ellos se interponía un enorme obstáculo que apareció cuando Sidney, borracho y ofensivo, decidió intentar seducirla y así persuadirla para que se casara con él. Su intención había sido la de violarla, con la complicidad de sus amigos, también borrachos. Sin embargo, su carácter nunca le había permitido tolerar los abusos sin protestar. De ahí que lo golpeara con un libro en la cabeza.

Y así comenzó la cadena de acontecimientos que la habían convertido en una fugitiva. ¡Menuda fugitiva! Porque estaba participando en una selecta reunión de la alta sociedad, comportándose como si no tuviera la menor preocupación en la vida.

—Con su permiso… —murmuró, sonriendo al tiempo que se ponía en pie.

—¿Nuestro permiso? —preguntó lady Heyward, sorprendida pero haciendo gala de su educación—. No se lo damos, señorita Ingleby. ¿Acaso no ve que se ha convertido en la invitada de honor? Heyward la convencerá para que se quede. ¿Verdad, amor mío?

Sin embargo, el aludido estaba conversando de forma muy animada con una viuda vestida de morado que lucía un turbante del mismo color coronado por una pluma.

—Si me permite —terció el vizconde de Kimble, tomando a

Jane del codo y conduciéndola a una silla que se había quedado vacía—. Señorita Ingleby, se ha convertido usted en todo un enigma. La vimos atravesar corriendo Hyde Park de camino a su trabajo, después ha estado cuidando de Tresh como si fuera un espectro grisáceo y ahora se pone a cantar como si fuera un ruiseñor adiestrado. Permítame que la someta a un interrogatorio. —Y esbozó una simpática sonrisa más que ensayada que suavizó el efecto de sus palabras.

Lady Heyward, que seguía de pie, dio unas palmadas para hacerse con la atención de los invitados.

—Me niego a que todo el mundo se marche después de la cena —dijo— cuando apenas es medianoche. Me niego a que Tresham se convierta mañana en un hazmerreír. Así que vamos a bailar en el salón. La señora Marsh tocará para nosotros, ¿no es así, señora? Tresham, ¿ordeno que enrollen la alfombra o lo haces tú?

—¡Válgame Dios! —exclamó Su Excelencia, aferrando el mango de su monóculo—. Es todo un detalle que te muestres tan preocupada por mi reputación, Angeline. Daré la orden. —Y abandonó la estancia.

—Debe usted disculparme —dijo Jane, al cabo de unos minutos, después de contestar de forma vaga a las preguntas de lord Kimble—. Buenas noches, milord.

—Ahora tendré un motivo más para visitar a Tresham durante los próximos días —afirmó el vizconde al tiempo que se inclinaba sobre su mano, que después se llevó a los labios mientras la miraba a los ojos con expresión admirada.

Otro caballero peligroso, pensó Jane, que se apresuró a abandonar la estancia, despidiéndose de algunos invitados a medida que caminaba. Un caballero que debía de saber lo atractivo que estaba vestido de azul claro y plata con su pelo rubio.

Sin embargo, esa noche no le iba a resultar fácil escabullirse a su dormitorio, comprendió conforme se acercaba al salón. El duque de Tresham acababa de salir del mismo, caminando con la ayuda del bastón. Varios invitados ya se encontraban en la estancia, según comprobó Jane al pasar por la puerta. Otros ya se acercaban desde el comedor.

—¿Ya te vas a la cama, Jane? —le preguntó el duque—. Apenas es medianoche.

—Sí, excelencia —contestó—. Buenas noches.

—¡Pamplinas! —exclamó él—. Ya has oído a Angeline. Según ella, te has convertido en la invitada de honor. Y pese a su horrible gusto para vestirse, como habrás podido comprobar por ese espantoso tono de rosa que no le sienta nada bien, sobre todo con tanto volante, tanto frunce y con las desafortunadas plumas azules de su tocado… Pese a todo eso, Jane, no hay dama más estricta que mi hermana. Tendrás que acompañarnos al salón.

—No —se negó.

El duque enarcó las cejas.

—¿Insubordinación? Vas a bailar, Jane. Conmigo.

Ella se echó a reír.

—¿Y con su bastón?

—Jane —replicó el duque levantando el bastón y señalándola con él—, eso ha sido un golpe bajo. Bailaré sin el bastón. Un vals, para ser exactos. Bailarás un vals conmigo.

El duque se había movido hasta interponerse entre ella y la escalinata. Le bastó una simple mirada a su cara para comprobar que se encontraba de un humor que no admitiría una negativa. Claro que no pensaba claudicar sin presentar una buena batalla. Al fin y al cabo, no podía obligarla a bailar.

—Usted jamás baila el vals —afirmó.

—¿Quién te ha dicho eso? —le preguntó él.

—Lo dijo usted mismo —respondió Jane—. Y yo lo escuché. Durante una conversación en la que alguien mencionó Almack's.

—Esta noche haré una excepción —sentenció—. ¿Sabes bailar el vals, Jane? ¿Conoces los pasos?

Acababa de ofrecerle una vía de escape. Solo tenía que decir que no. De hecho, jamás había bailado en una fiesta, salvo con Charles y con algunos de sus amigos durante algunas reuniones familiares. Sin embargo, la asaltó el repentino deseo de bailar un vals en Dudley House entre sus pares antes de esconderse en algún lugar donde no la encontraran jamás. De bailar un vals con el duque de Tresham. De repente, la tentación se le antojó abrumadora.

—Veo que dudas —murmuró el duque, que se inclinó hacia ella—. Jane, ahora no podrás negarlo. Tu silencio te ha traicionado. —Le ofreció el brazo—. Vamos.

Jane titubeó apenas un instante antes de colocarle la mano en el brazo para entrar en el salón.

Y bailar.

Para bailar un vals con el duque de Tresham.

Jocelyn tenía una cosa muy clara mientras charlaba con algunos de sus invitados de más edad, ya que los más jóvenes estaban bailando una alegre contradanza: Jane Ingleby tendría que marcharse pronto. Tendría que alejarse de Dudley House. De él.

Esa noche se había convertido en el centro de atención. No estaba bailando, pero se encontraba rodeada por un nutrido grupo de admiradores, entre los que se contaban Kimble y Ferdinand, que deberían estar bailando. Jane parecía un tanto fuera de lugar con su vestido de muselina estampada y su sencillo recogido, pues las damas iban cubiertas de sedas, satenes, joyas, plumas y turbantes. Sin embargo, todas ellas parecían exageradas y pretenciosas en comparación con Jane.

Era la personificación de la sencillez. Como una solitaria rosa. No, una rosa era demasiado magnífica. Como un lirio. O una margarita.

Si le permitía quedarse más tiempo en Dudley House, comenzarían los rumores. Sus invitados debían de haber supuesto que se trataba de una dama de la cabeza a los pies, tal como debió de sucederle a él hacía ya unas cuantas semanas. Seguro que la habían tomado por la huérfana de un caballero venido a menos. Pero una dama al fin y al cabo. Y exquisita, por cierto.

Tendría que buscarle un empleo en algún sitio. Una idea de lo más deprimente, que decidió desterrar de sus pensamientos al menos por esa noche. La contradanza había acabado. Se puso en pie y dejó el bastón apoyado en la silla. Descubrió con alivio que si se apoyaba por completo en la pierna derecha, no sentía un dolor exagerado. Caminó hasta la señora Marsh, sentada al piano.

—Caballeros, busquen sus parejas —anunció después de consultar con la dama— para el vals. —Se acercó a Jane y, mientras lo hacía, tuvo la mala suerte de que su mirada se cruzara con las de Kimble y Brougham. Ambos lo miraron como si acabara de brotarle una segunda cabeza. Y sabía por qué. Era de todos conocido que el duque de Tresham no bailaba el vals. Extendió la mano derecha—. ¿Señorita Ingleby?

—Va a arrepentirse de esto —le advirtió ella mientras ocupaban su lugar sobre el parquet de madera pulida, al descubierto después de que enrollaran la alfombra—. Posiblemente se verá obligado a pasar las próximas dos semanas con la pierna en alto.

—En ese caso, tendrá la satisfacción de recordarme que me lo advirtió —replicó él mientras le colocaba la mano derecha en la cintura y con la izquierda le aferraba a ella la derecha.

Jamás bailaba el vals por la sencilla razón de que era un baile demasiado íntimo para un experto en evitar trampas que lo llevaran al altar. Sin embargo, siempre había pensado que cuando la ocasión y la mujer fueran las adecuadas, descubriría que el vals era un baile maravilloso.

Esa noche, tanto la ocasión como la mujer eran las adecuadas.

La espalda de Jane se arqueaba de forma deliciosa bajo la palma de su mano. Estaba muy cerca de él, ya que su mano libre estaba apoyada en su hombro, pero sus cuerpos ni siquiera se rozaban mientras giraban por la estancia mirándose a los ojos, ajenos por completo al resto de los bailarines y de los espectadores, como si no existieran. Percibía su calor corporal y la envolvía un sutil aroma a rosa.

Bailaba divinamente, como si sus pies apenas rozaran el suelo, como si formara parte de sí mismo, como si ambos formaran parte de la música o la música fuera parte de ellos. Se descubrió sonriéndole. Aunque ella siguió muy seria, creyó ver el atisbo de una cálida sonrisa en sus ojos azules.

Cuando la música llegó a su fin, Jocelyn comprendió dos cosas: que había abandonado su acostumbrada arrogancia y que la pierna le dolía como un demonio.

—Me voy a la cama —dijo ella, casi sin aliento.

—¡Ah, Jane! —exclamó Jocelyn en voz baja—. No puedo acompañarte. Tengo invitados que atender.

Jane se apartó de sus brazos mientras los demás cambiaban de pareja o volvían al perímetro del salón.

—Pero te acompañaré hasta tu dormitorio —se ofreció—. No, no tienes por qué mirarme la pierna de esa manera. No soy un lisiado, Jane, y no voy a comportarme como si lo fuera. Acepta mi brazo.

Le daba igual si los veían marcharse juntos. No tardaría mucho en volver. Y ella no seguiría tanto tiempo en Dudley House como para que se produjeran habladurías. En ese momento lo tenía más claro que nunca.

El vestíbulo y la escalinata parecían muy tranquilos en comparación con el ambiente que habían dejado en el salón, desde donde les llegaban las conversaciones. Jocelyn no medió palabra mientras subían, despacio, ya que no llevaba el bastón. No habló hasta que enfilaron el pasillo, tenuemente iluminado, que conducía al dormitorio de Jane.

—Has tenido el éxito que sabía que tendrías —le dijo entonces—. O más, si cabe.

—Gracias —replicó ella.

Se detuvo al llegar a la puerta del dormitorio, colocándose frente a ella para impedirle el paso.

—Tus padres debieron de estar muy orgullosos de ti —dijo.

—S… —Jane se corrigió a tiempo. Lo miró a los ojos con interés, como si quisiera asegurarse de que el comentario se debía a un lapsus de memoria—. Mis conocidos lo estaban —replicó con tiento—. Sin embargo, excelencia, un talento no es algo de lo que haya que enorgullecerse en exceso. Mi voz no es nada de lo que presumir. Porque es un don que me ha sido concedido, igual que a usted su habilidad de tocar el piano.

—Jane… —susurró él antes de inclinar la cabeza para besarla en los labios.

No la tocó en ningún otro sitio. Ella tampoco lo tocó. Pero sus labios se rozaron con suavidad y anhelo, ansiosos como estaban desde hacía tanto tiempo, antes de que uno de los dos se apartara. Jocelyn no supo bien quién lo hizo.

Jane tenía una expresión soñadora en los ojos, producto de la pasión, y las mejillas sonrosadas por el deseo. Sus labios estaban entreabiertos y húmedos, a modo de invitación. Jocelyn escuchaba el atronador ritmo de su corazón en los oídos, y sabía que estaba a punto de olvidar la realidad.

¡Ay, Jane! Ojalá pudiera, pensó.

La miró a los ojos fijamente antes de volverse para abrirle la puerta.

—Menos mal que tengo invitados, Jane. Esto no va a funcionar, ¿verdad? No podemos seguir así más tiempo. Buenas noches.

Jane entró a toda prisa en su dormitorio sin mirar atrás. Oyó que la puerta se cerraba a su espalda y se llevó las manos a las ruborizadas mejillas.

Todavía sentía el roce de las manos del duque en la cintura mientras bailaban. Todavía sentía su calor, olía su colonia y tenía la sensación de estar moviéndose con un ritmo perfecto al compás de la música. Todavía sentía la cercanía del vals, el erotismo y la sensualidad, muy diferentes de la simple alegría que había sentido cuando lo bailaba con Charles.

Sí, menos mal que había invitados.

Todavía sentía su beso, un beso en absoluto apasionado o lascivo. Mucho peor. Un beso tierno y dulce. No, no podían seguir así mucho tiempo. Ni mucho ni poco, en realidad. De repente, fue consciente del enorme vacío que acababa de aparecer en su interior.

11

La carrera hasta Brighton comenzaría en Hyde Park Corner a las ocho y media de la mañana siguiente. Por suerte, parecía que iba a hacer un día despejado y sin viento, descubrió Jocelyn al salir de la casa, apoyado en el bastón.

Subió sin ayuda al alto asiento de su tílburi y despachó con un gesto a su lacayo cuando este hizo ademán de subir detrás. Al fin y al cabo, solo iría al parque y volvería enseguida. Iba a ofrecerle unas últimas palabras de ánimo a Ferdinand… que no consejos. Los Dudley no aceptaban demasiado bien los consejos, en especial de la familia.

Llegaría muy temprano, pero quería pasar unos minutos a solas con su hermano antes de que la gente apareciera para animar a los corredores mientras ponían rumbo a Brighton. Varios caballeros seguirían a los tílburis en sus caballos, por supuesto, para así presenciar el final de la carrera y celebrar con el ganador al llegar a su destino. En circunstancias normales Jocelyn habría sido uno de esos jinetes (no, en circunstancias normales habría sido uno de los corredores), pero no en esa ocasión. Su pierna estaba muchísimo mejor de lo que debería después de haber bailado el vals la noche anterior, pero sería una tontería someterla a una larga y dura cabalgada.

Ferdinand estaba colorado, impaciente y ansioso mientras comprobaba sus caballos y charlaba con lord Heyward, que había llegado incluso antes que Jocelyn.

—Estoy obligado a decirte en nombre de Angeline —decía Heyward, enarcando una ceja con evidente ironía— que tienes que ganar a toda costa, Ferdinand; que no debes correr riesgos susceptibles de que te partas el cuello; que el honor de los Dudley está en tus manos; que no tienes que preocuparte de nada salvo de tu seguridad… y un sinfín de cosas más tan contradictorias como lo anterior, aunque no voy a martirizarte con ellas.

Ferdinand sonrió a su cuñado y se volvió para saludar a Jocelyn.

—Están tan ansiosos como yo por ponerse en marcha —dijo al tiempo que señalaba los caballos con un gesto de la cabeza.

Jocelyn se llevó el monóculo al ojo y examinó el tílburi, que su hermano había comprado por un impulso unos cuantos meses antes por el mero hecho de que parecía elegante y veloz al mismo tiempo. Ferdinand se había quejado desde entonces, y ciertamente adolecía de cierta torpeza que solo se detectaba cuando se conducía. Jocelyn lo había dirigido en una sola ocasión y no sentía el menor deseo de repetir la experiencia.

Ferdinand llevaba las de perder, aunque el duque no daba por perdida su apuesta. La juventud y las ganas estaban de parte de su hermano, al igual que la determinación familiar de nunca quedar segundo en cualquier competición masculina. Y los dos caballos castaños formaban una pareja que Jocelyn ya querría para él. El tílburi era su debilidad.

Lord Berriwether, el oponente de Ferdinand, se acercaba entre una verdadera cabalgata de jinetes que había acudido para animarlo. Todos ellos habían apostado por él, por supuesto. Algunos saludaron a Ferdinand con afabilidad.

—Bonito tiro, Dudley —exclamó el señor Wagdean alegremente—. Qué pena que cojean de tres patas cada uno.

—Más pena darán cuando ganen —replicó Ferdinand con una sonrisa— y hagan morder el polvo a los de Berriwether, que no tienen esa excusa.

Berriwether demostró lo poco que le preocupaba su adversario al sacudirse con el látigo una invisible mota de polvo de la parte alta de las botas. La vestimenta del hombre parecía más adecuada para un paseo por Bond Street que para una carrera hasta Brighton. Sin embargo, eso sería asunto suyo, por supuesto, en cuanto hubiera dado comienzo la carrera.

—Ferdinand —dijo Jocelyn de forma impulsiva—, será mejor que cambiemos los tílburis.

Su hermano lo miró con manifiesta esperanza.

—¿Lo dices en serio, Tresham?

—Le tengo demasiado aprecio a mi apuesta como para mandarte rumbo a Brighton en esa caja destartalada —contestó Jocelyn, que señaló con la cabeza el tílburi rojo y amarillo.

Ferdinand no pensaba discutir el tema. En un abrir y cerrar de ojos, y con un margen de apenas cinco minutos antes del comienzo oficial de la carrera, el lacayo de Ferdinand soltó los castaños de su tílburi y los cambió por los caballos del duque.

—Recuerda —dijo Jocelyn, incapaz después de todo de resistir la tentación de darle un consejo— que es un poco más ligero que el tuyo, Ferdinand, y que responde mucho más rápido a las maniobras. Así que frena un poco en las curvas.

Ferdinand subió al alto asiento y cogió las riendas que le tendía su lacayo. En ese momento estaba serio, concentrado en la tarea que tenía por delante.

—Y devuélvemelo de una pieza —añadió Jocelyn antes de reunirse con el resto de los espectadores— o te despellejaré vivo.

Un minuto después el marqués de Yarborough, el cuñado de Berriwether, apuntó con una pistola al cielo, se produjo un silencio expectante, sonó un disparo y la carrera comenzó entre vítores, una nube de polvo y el tronar de los cascos de los caballos.

Parecía una carga de caballería, pensó Jocelyn mientras observaba con cierta melancolía los tílburis y los jinetes que se alejaban. Se dirigió hacia el carruaje de Ferdinand e intercambió unos cuantos saludos con otros espectadores.

Ojalá hubiera llevado a su lacayo con él después de todo. Tendría que regresar a casa para que se hicieran cargo de los caballos y para que guardaran el tílburi en la cochera antes de ir a White's. Pero no tenía que entrar en la casa. No tenía motivo para hacerlo y le sobraban los motivos para no hacerlo.

La había vuelto a besar la noche anterior. Y había admitido que no podían seguir como hasta el momento. Había que arreglar ese asunto. Ella tenía que irse.

El problema era que no quería que se fuera.

Debería haberse dirigido a las caballerizas, recordó mientras entraba en Grosvenor Square y se acercaba a la puerta principal de Dudley House. Tenía la cabeza en otro sitio. Daría la vuelta a la plaza y saldría de ella.

Sin embargo, justo cuando le estaba indicando a los caballos qué camino seguir, se produjo una serie de incidentes que alteró sus planes por completo, con tal rapidez que incluso después no supo bien qué sucedió primero. Se escuchó un fuerte crujido, el tílburi se sacudió hacia la izquierda, los caballos resoplaron y se encabritaron, un hombre gritó y una mujer chilló. Y su cuerpo golpeó de forma dolorosa, algo lo bastante duro como para dejarlo sin aliento.

Estaba tumbado boca abajo en la calle, delante de la puerta de su casa, cuando logró pensar de nuevo. Con los relinchos asustados de los caballos que alguien intentaba calmar, con la sensación de que le habían recolocado todos los huesos del cuerpo y con alguien acariciándole el pelo (¿qué demonios le había pasado a su sombrero?) mientras le aseguraba en un maravilloso ejemplo de estupidez femenina que se pondría bien, que todo se arreglaría.

—¡Por todos los demonios! —exclamó él con ferocidad al tiempo que ladeaba la cabeza y observaba desde el suelo lo que había quedado del tílburi de su hermano, que estaba volcado hacia un lado con el eje partido.

Tal parecía que todas las casas de la plaza estaban vomitando hordas de interesados y preocupados espectadores... ¿Estaban pegados a las ventanas para presenciar su humillación?

—Dese tiempo para recuperar el aliento —dijo Jane Ingleby, que seguía acariciándole el pelo—. Un par de criados lo llevará al interior. No intente moverse.

Esa sería la guinda para la tremenda mortificación que suponía el peor mes de toda su vida.

—Si no es capaz de decir algo sensato —replicó él, que meneó la cabeza con irritación para liberarse de su mano—, mejor no diga nada.

Plantó las manos en el suelo, momento en el que se dio cuenta de que tenía un agujero en la palma de uno de sus carísimos guantes de cuero y de que dicha palma estaba desollada, y se incorporó, haciendo caso omiso del grito silencioso de unos músculos que habían recibido un severo castigo.

—¡Pero qué tonto es! —lo reprendió Jane Ingleby, y para su vergüenza se vio obligado a apoyarse con fuerza en su hombro… de nuevo.

Miró el tílburi de Ferdinand con los ojos entrecerrados.

—Se habría partido cuando estuviera en la campiña, conduciendo a toda velocidad —comentó.

Jane lo miró con el ceño fruncido.

—Es el tílburi de Ferdinand —le explicó—. El eje se ha roto. Se habría matado. ¡Marsh! —llamó a gritos al encargado de sus establos, que seguía calmando a los caballos mientras alguien de otra de las casas soltaba los enganches—. Examina hasta el último milímetro de este tílburi en cuanto tengas la oportunidad. Quiero un informe dentro de media hora.

—Sí, excelencia —replicó el aludido.

—Ayúdeme a entrar —le ordenó Jocelyn a Jane—. Y déjese de aspavientos. No me cabe la menor duda de que voy a tener muchos rasguños que podrá atender todo lo que desee, pero cuando estemos en la biblioteca. Alguien ha hecho esto. Deliberadamente.

—¿Para matar a lord Ferdinand? —preguntó ella mientras entraban en la casa—. ¿Para que perdiera la carrera? Menuda tontería. Nadie estaría tan desesperado por ganar una carrera. Ha sido un accidente. Recuerde que ocurren.

—Tengo enemigos —replicó él con sequedad—. Y Ferdinand es mi hermano.

Deseó con todas sus ganas que solo hubieran alterado el tílburi. Ese accidente tenía el sello de los hermanos Forbes. De esos malnacidos taimados y tramposos.

Jane se había levantado con la firme decisión de abandonar Dudley House ese mismo día. Su utilidad en esa casa, por poca que hubiera sido, había llegado a su fin. Las tres semanas habían expirado. Y lo que había accedido a hacer, y había hecho, la noche anterior para entretener a los invitados del duque había sido una locura absoluta. Cincuenta miembros de la alta sociedad la habían visto de verdad, vestida si no con el esplendor de la ropa de gala que la habría puesto a su mismo nivel, sí con un estilo que la diferenciaba muchísimo de una criada.

Seguro que solo era cuestión de tiempo que las personas que la buscaban oyeran la descripción de su aspecto que circulaba entre la alta sociedad. De hecho, le sorprendía muchísimo que no hubiera sucedido ya. Sin embargo, cuando ocurriera, un gran número de los invitados de la noche anterior recordaría a Jane Ingleby.

Tenía que abandonar Dudley House. Tenía que desaparecer. Aceptaría las quinientas libras (otra locura, pero estaba decidida a que el duque de Tresham cumpliera con su parte del trato) y se escondería. Pero no en Londres.

Se marcharía a otro lugar. Saldría de la ciudad a pie y se alejaría todo lo que pudiera antes de intentar abordar un medio de transporte público.

Estaba decidida a marcharse. Aparte de todas esas razones, estaba el tierno beso de la noche anterior, que había estado a un alarmante paso de convertirse en una pasión descontrolada. Ya no era posible quedarse en Dudley House. Y no iba a permitirse ni un solo anhelo personal. Al menos de momento no podía permitirse tener sentimientos personales.

Fue en busca de agua caliente, ungüentos y vendas en cuanto dejó al duque de Tresham en la biblioteca. Estaba sentada en un taburete delante de la chimenea, untándole las maltrechas palmas con un bálsamo, cuando el encargado de los establos pidió permiso para entrar.

—¿Y bien? —preguntó el duque—. ¿Qué has encontrado, Marsh?

—Definitivamente han alterado el eje, excelencia —contestó el hombre—. No se ha roto de esa forma por una causa natural.

—Lo sabía —dijo el duque con expresión seria—. Envía a alguien de confianza al establo de mi hermano, Marsh. No, mejor todavía, ve tú en persona. Quiero saber quién ha tenido acceso a ese tílburi en los últimos días. Sobre todo ayer y esta noche. ¡Maldita sea! Seguro que tanto mi hermano como su lacayo fueron lo bastante cuidadosos como para inspeccionar el tílburi antes de una carrera tan larga.

—Sé que ese sería nuestro caso si usted hubiera corrido, excelencia —le aseguró el encargado.

El hombre se marchó y Jane se descubrió siendo objeto de un ceño fruncido.

—Si está pensando en usar esas vendas —dijo él—, olvídelo. No pienso andar por ahí con dos manoplas durante una semana.

—Esos cortes van a dolerle, excelencia —le advirtió.

El duque esbozó una sonrisa desabrida, y Jane se enderezó en el taburete. Sabía que estaba distraído con lo sucedido esa mañana y con la preocupación por la seguridad de su hermano. Pero había llegado el momento. No podía esperar más.

—Me marcho —dijo de repente.

La sonrisa del duque se torció un poco.

—¿De la biblioteca, Jane? —le preguntó—. ¿Para guardar las vendas? Ojalá lo hicieras.

En vez de contestarle, lo miró fijamente. Estaba segura de que no había malinterpretado sus palabras.

—¿Eso quiere decir que me abandonas? —dijo él a la postre.

—Tengo que hacerlo —contestó—. Sabe que tengo que hacerlo. Usted mismo lo dijo anoche.

—Pero hoy no. —Frunció el ceño y dobló los dedos de la mano izquierda, que había sufrido menos daños que la otra—. Soy incapaz de enfrentarme a otra crisis hoy, Jane.

—Esto no es una crisis —lo corrigió—. Tenía un trabajo temporal y ha llegado el momento de que me marche… después de que me pague.

—Tal vez hoy no pueda permitirme pagarte, Jane. ¿No te

prometí la astronómica cantidad de quinientas libras por la actuación de anoche? Dudo mucho que Quincy tenga tanto dinero en efectivo en la casa.

Jane parpadeó, pero fue incapaz de eliminar las espantosas lágrimas que le anegaron los ojos.

—No lo convierta en un chiste —le suplicó—. Por favor. Tengo que irme. Hoy.

—¿Para ir adónde? —le preguntó él.

Sin embargo, ella se limitó a menear la cabeza.

—No me abandones, Jane —dijo él—. No puedo dejarte marchar. ¿No te das cuenta de que necesito una enfermera? —Levantó las manos con las palmas hacia arriba—. Al menos durante otro mes.

Meneó de nuevo la cabeza y el duque se repantingó en el sillón para mirarla con los ojos entrecerrados.

—¿Por qué estás tan ansiosa por abandonarme? ¿Tan déspota he sido contigo, Jane? ¿Tan mal te he tratado? ¿Tan mal te he hablado?

—Ciertamente lo ha hecho, excelencia —respondió.

—Eso se debe a que me han mimado y consentido desde que era joven —adujo él—. No lo hacía en serio, que lo sepas. Y nunca has dejado que te avasalle, Jane. ¡Tú me has avasallado a mí!

Sonrió al escucharlo, aunque en realidad sintiera deseos de echarse a llorar. No solo por la aterradora y desconocida situación a la que tendría que enfrentarse, sino por lo que iba a dejar tras ella, aunque llevaba toda la mañana intentando no pensar en eso.

—Debes irte de esta casa —convino él de repente—. En eso estamos de acuerdo, Jane. Después de lo de anoche es más imperativo que nunca que te marches.

Asintió con la cabeza al escucharlo y se miró las manos, que tenía en el regazo. En caso de haber albergado la esperanza de que el duque intentara convencerla para que se quedara empleando la absurda excusa de sus manos dañadas, se habría llevado una decepción.

—Pero podrías vivir en otro lugar —continuó él— donde

podríamos vernos a diario, lejos de las miradas curiosas y de las lenguas viperinas de la alta sociedad. ¿Te gustaría esa solución?

Jane alzó la vista muy despacio para verlo a los ojos. Era imposible malinterpretar lo que quería decirle. Lo que no entendía era su propia reacción, o la falta de esta. Su falta de valentía. Su anhelo. Y la tentación.

El duque la estaba mirando fijamente, y sus ojos parecían muy oscuros.

—Cuidaría de ti, Jane —dijo él—. Podrías vivir con comodidad. Con un hogar, criados y un carruaje propio. Con ropa y joyas. Un salario decente. Cierta libertad. Mucha más libertad de la que disfruta una mujer casada, desde luego.

—A cambio de acostarme con usted —puntualizó ella en voz baja. No era una pregunta. La respuesta era demasiado evidente.

—Tengo cierta maestría —le aseguró él—. Estaría encantado de emplearla para satisfacerte, Jane. En fin, sería un intercambio bastante justo. No puedes decirme, sin mentir, que nunca has pensado en acostarte conmigo, ¿verdad? Que nunca lo has deseado. Que te repelo de alguna manera. Vamos, sé sincera. Y me daré cuenta si mientes.

—No tengo que mentir —replicó—. No tengo por qué contestar. Quiero mis quinientas libras, más el salario de tres semanas. Puedo ir a donde quiera y hacer lo que me apetezca. Ese dinero es una fortuna para una persona comedida, excelencia. No me siento obligada a aceptar carta blanca de usted.

El duque rió por lo bajo.

—Jane, no creo que exista en el mundo un imbécil tan grande como para obligarte a hacer algo —dijo él—. No te estoy seduciendo. No te estoy tentando. Te estoy haciendo una proposición, de negocios si lo prefieres así. Necesitas una casa y una fuente de ingresos más allá de la que ya tienes. Te hace falta cierta seguridad y alguien que te haga olvidar tu soledad, estoy convencido de ello. Al fin y al cabo, eres una mujer con necesidades sexuales y te sientes atraída sexualmente hacia mí. Y yo necesito una amante. Llevo sin una mujer una temporada alarmante. Incluso me he rebajado a acorralar a enfermeras para robarles un beso a las puertas de sus habitaciones cuando las acompaño al retirarse. Necesito alguien a quien poder visitar a mi antojo, alguien que pueda satisfacer mis propias necesidades sexuales. Tú puedes, Jane. Te deseo. Y por supuesto tengo los medios para que puedas vivir cómodamente.

Y escondida.

Jane se miró las manos, pero mentalmente estaba considerando su proposición. No terminaba de creerse lo que estaba haciendo, pero de forma deliberada se había negado a escandalizarse y a espantarse.

Aunque de esa forma nunca consiguieran atraparla, jamás podría asumir la identidad de lady Sara Illingsworth. Jamás podría reclamar la herencia que le correspondía al cumplir los veinticinco años. Tenía que pensar en su futuro de forma pragmática. Tenía que vivir en algún sitio. Tenía que trabajar. Quinientas libras no le durarían eternamente aunque fuera muy ahorrativa. Podría desempeñar un trabajo adecuado para una dama, como profesora, institutriz o dama de compañía. Pero eso implicaba tener que presentar una solicitud y unas referencias, por lo que se arriesgaría a que la descubrieran.

La alternativa era subsistir con algún trabajo duro. O convertirse en la amante del duque de Tresham.

—¿Y bien, Jane? —preguntó él para romper el largo silencio que se había hecho tras sus últimas palabras—. ¿Qué dices?

Inspiró hondo y lo miró a la cara.

No tendría que abandonarlo.

Podría acostarse con él. Al margen del matrimonio. Sería una amante, una mujer mantenida.

—¿Qué tipo de casa? —preguntó—. ¿Y cuántos criados? ¿Cuál sería el salario? ¿Y cómo protegería mis intereses? ¿Cómo sabré que no va a despedirme en cuanto se haya cansado de mí?

El duque la miró con una lenta sonrisa.

—Esa es mi chica —afirmó él en voz baja—. Combativa.

—Tiene que haber un contrato —le dijo—. Discutiremos y acordaremos las cláusulas juntos. Tiene que estar redactado, comprobado y firmado por ambas partes antes de que me convierta en su amante. Mientras tanto no puedo permanecer aquí. ¿Hay ya una casa? ¿Es usted uno de esos caballeros que mantiene una casa especialmente para sus amantes? Si es así, me trasladaré a ella. Si no podemos ponernos de acuerdo con el contrato, me volveré a mudar.

—Por supuesto que tengo una casa así —contestó él—. Está desocupada, salvo por dos criados que residen allí en este momento, lo reconozco. Te llevaré más tarde, Jane, después de que Marsh haya regresado del establo de mi hermano. Necesito distraerme con algo mientras llegan noticias de Brighton. Discutiremos las cláusulas mañana.

—Muy bien. —Se puso en pie y recogió la palangana y las vendas—. Haré el equipaje y estaré lista para marcharme en cuanto me avise, excelencia.

—Tengo la sensación de que vas a ser una dura negociante, Jane —dijo él con una engañosa suavidad cuando ella llegó a la puerta y aferró el picaporte—. Jamás había tenido una amante que insistiera en firmar un contrato.

—Pues son unas tontas —replicó ella—. Y todavía no soy su amante.

El duque se estaba riendo por lo bajo cuando cerró la puerta.

Jane se apoyó en la madera, agradecida de que no hubiera criados a la vista. La valentía la abandonó de repente, llevándose consigo la fuerza de sus piernas.

¿Qué diantres acababa de hacer?

¿A qué había accedido? O casi accedido…

Intentó experimentar cierto espanto, lo apropiado dado el caso. Sin embargo, solo sentía un enorme alivio porque no tendría que abandonarlo ese día, porque había evitado la posibilidad de no volver a verlo.

12

La casa era de Jocelyn desde hacía cinco años. Se encontraba en una calle decente, en un barrio respetable. Después de adquirirla, pagó un dineral a fin de decorarla y amueblarla. Contrató criados decentes y fiables, dos de los cuales residían en ella desde entonces, ya que se encargaban de su mantenimiento cuando carecía de ocupante.

Era una casa que le gustaba mucho, ya que representaba un mundo privado y un sinfín de placeres sensuales. Sin embargo, en cuanto entró acompañado por Jane Ingleby, se sintió incómodo.

Y no era por la casa. Era por la idea de convertirla en su amante. La deseaba, sí. En la cama. De todas las formas posibles. Sin embargo, la idea de que Jane Ingleby fuera su amante no acababa de cuadrarle.

—Jacobs —le dijo al mayordomo, que lo saludó con una reverencia—, te presento a la señorita Ingleby. Vivirá aquí durante un tiempo. Ella será quien os dé las órdenes a ti y a la señora Jacobs.

En el caso de que Jacobs estuviera sorprendido al ver que su señor había elegido una amante de clase trabajadora (que era lo que parecía con la espantosa capa gris y el bonete que le había visto en Hyde Park), llevaba demasiados años en el oficio como para delatarse.

—Haremos todo lo que esté en nuestra mano para que se

encuentre cómoda, señora —replicó, saludándola con una reverencia.

—Gracias, señor Jacobs —dijo ella, que inclinó la cabeza con gran elegancia antes de que el mayordomo se retirara hacia las estancias de la parte trasera de la casa.

—Contratarán a otros criados, por supuesto —le aseguró Jocelyn mientras tomaba a Jane del codo a fin de enseñarle la casa—. ¿Quieres que yo dé las órdenes o prefieres estar al cargo?

—Todavía no lo sé —contestó con frialdad, observando la sala de estar con la alfombra lavanda y los muebles, las cortinas rosas y los cojines de encaje—. Tal vez solo me quede unos días. Todavía no hemos llegado a un acuerdo.

—Pero lo haremos —le recordó Jocelyn mientras la acompañaba hasta el comedor—. Mañana por la mañana vendré para que mantengamos esa discusión, Jane. Pero antes te acompañaré a una modista que conozco en Bond Street. Te tomarán medidas para la ropa que vas a necesitar.

—Me pondré mi propia ropa, gracias —protestó ella, cosa que a Jocelyn no le sorprendió—, hasta que sea su amante. Si llegamos a un acuerdo, podrá mandar llamar a una modista para que venga a tomarme medidas si así lo desea usted. No pienso poner un pie en Bond Street.

—¿Porque todos sabrán que eres mi amante? —le preguntó, observándola mientras ella pasaba las yemas de los dedos por la pulida superficie de la mesa redonda del comedor. La mesa podía extenderse en caso de que hubiera invitados, pero si cenaba a solas con su amante prefería tenerla a mano—. ¿Crees que es motivo para avergonzarse? Te aseguro que no es así. Jane, las cortesanas de más alto rango están casi al mismo nivel que las damas. En algunos casos, están por encima. Porque suelen tener mucha más influencia. Como mi amante, serás una mujer muy respetada.

—Si accedo a ser su amante, excelencia —repuso ella—, no me sentiré avergonzada ni orgullosa. Me limitaré a dar el paso práctico de asegurarme un empleo lucrativo a la par que agradable para mí.

Jocelyn rió al escucharla.

—¿Agradable, Jane? —le preguntó—. Tu entusiasmo me desarma. ¿Vamos a la planta alta?

En ese momento se preguntó si sería tan desapasionada como aparentaba ser. Pero recordó los dos besos que habían compartido y sacó sus propias conclusiones, sobre todo al rememorar el beso de la sala de música. En aquella ocasión no se mostró en absoluto desapasionada. Incluso en la puerta de su dormitorio, después de cantar para sus invitados, percibió en ella un deseo que podía haber incitado de haberlo querido.

Todavía estaba en la puerta del dormitorio cuando ella, que caminaba unos pasos por delante, se volvió.

—Hoy vamos a dejar una cosa muy clara —le dijo con las manos en la cintura y alzaba la barbilla como si estuviera dispuesta a plantar batalla a juzgar por el brillo belicoso de su mirada—. Si decido quedarme, habrá que remodelar la casa de arriba abajo.

—¿Ah, sí? —Jocelyn enarcó las cejas, se llevó el monóculo al ojo y se tomó su tiempo para echarle un vistazo al dormitorio.

La amplia cama de caoba tenía cuatro postes tallados, un cobertor de brocado de seda y un dosel de la misma seda, plisada en forma de rosa. Las cortinas de la cama eran de un grueso y costoso terciopelo, al igual que las de las ventanas. La alfombra era mullida y suave.

Todo era de un intenso tono escarlata.

—¡Sí! —contestó ella con firmeza y de forma desdeñosa—. Esta casa es asquerosa. La caricatura de un nidito de amor. No dormiría en este dormitorio ni sola, así que mucho menos voy a hacerlo con usted. Me sentiría como una puta.

En ocasiones, cuando se trataba con Jane Ingleby, era necesario dejar las cosas claras. El problema era que Jocelyn no estaba acostumbrado a dejar las cosas claras, ya que jamás le había hecho falta.

—Jane —replicó al tiempo que separaba los pies y se llevaba las manos a la espalda con su expresión más desabrida—, creo que es necesario recordarte que no es a mí a quien le han ofrecido un empleo. Te he hecho una oferta que eres libre de aceptar o rechazar. Hay muchas otras que correrían encantadas a ocupar tu lugar si les diera la oportunidad.

Ella lo miró en silencio.

—He cometido un error, excelencia —dijo al cabo de unos momentos durante los cuales Jocelyn tuvo que esforzarse para mantener la postura y no moverse a causa de la incomodidad—. Pensaba que habíamos acordado discutir los términos. Pero veo que ha vuelto a adoptar su ridícula actitud de aristócrata autoritario cuyas órdenes nadie osa cuestionar. Sería mejor que le dé la oportunidad a otra. Yo me marcho.

Jane dio un paso hacia él. Solo uno. Pero Jocelyn se mantuvo firme en la puerta. Si deseaba marcharse, iba a tener que apartarlo.

—¿Qué tiene de malo esta casa? —se rebajó a preguntarle—. Jamás he escuchado una queja sobre ella.

Sin embargo, en el fondo sabía que Jane tenía razón, maldita fuera. Lo había percibido nada más entrar en la casa con ella. Porque era como si él mismo hubiera entrado en un lugar desconocido que viera por primera vez. Esa casa no era para Jane.

—Se me ocurren un par de palabras para describirla —contestó ella—. Posiblemente podría ofrecerle todo un compendio si me diera algo más de tiempo. Pero los dos conceptos que se me han ocurrido a bote pronto son un vulgar «cliché» y una vulgar «ridiculez». Dos conceptos que no tolero.

Jocelyn apretó los labios. Ambos conceptos describían la casa a la perfección. Había ordenado que decoraran la sala de estar siguiendo un criterio femenino, por supuesto, no el suyo. O lo que él imaginaba que sería un criterio femenino. Effie siempre había parecido encontrarse muy a gusto. Al igual que Lisa, Marie y Bridget. En cuanto al dormitorio… Bueno, a la luz de las velas siempre lograba avivar su deseo sexual. Los tonos rojos obraban maravillas con un cuerpo femenino desnudo.

—Es una de mis primeras condiciones —siguió ella—. Esta estancia y la sala de estar. Serán redecoradas según mis instrucciones. Este punto no es negociable. O lo toma o lo deja.

—¿Una de sus primeras condiciones? —Jocelyn enarcó las cejas—. Jane, dime una cosa. ¿Se me permitirá establecer alguna condición en este contrato nuestro? ¿O voy a ser tu esclavo? Me gustaría saberlo. En realidad, la idea de ser un esclavo presenta cierto atractivo. ¿Habrá cadenas y látigos? —Le sonrió.

Pero Jane no le devolvió la sonrisa.

—Un contrato es un acuerdo entre dos partes —repuso—. Por supuesto que podrá usted insistir en ciertos puntos. Como un acceso ilimitado a mi...

—¿Cama? —sugirió él al ver que titubeaba.

—Sí. —Asintió con la cabeza de forma vigorosa.

—Un acceso ilimitado. —Jocelyn la recorrió con la mirada y le alegró ver que el rubor de sus mejillas rivalizaba con los tonos del dormitorio—. ¿Aunque no estés dispuesta, Jane? ¿Aunque tengas dolor de cabeza o algún otro malestar? ¿Acordarías por escrito hacer de mártir en caso de que mis apetitos se demuestren insaciables?

Jane meditó la respuesta un instante.

—Imagino que sería una exigencia razonable por su parte, excelencia —respondió—. Al fin y al cabo, para eso son las amantes.

—¡Pamplinas! —La miró con los ojos entrecerrados—. Si esa es la actitud con la que vas a enfrentarte a nuestra relación, no habrá acuerdo, Jane. No quiero un cuerpo que poseer cada vez que mis deseos sexuales se descontrolen. Hay un sinfín de burdeles que podría usar en ese caso. Lo que quiero es alguien con quien relajarme. Alguien con quien compartir el placer más sublime. Alguien a quien complacer a su vez.

El rubor de las mejillas de Jane se intensificó, pero mantuvo la espalda bien erguida y la barbilla en alto.

—¿Y si viniera diez días seguidos y yo le dijera que no? —replicó ella.

—En ese caso, me consideraría un desastre absoluto —contestó Jocelyn—. Posiblemente me iría a casa y me volaría los sesos.

De repente, Jane soltó una carcajada y la risa le otorgó tal belleza que verla tan rubia entre los tonos rojos del dormitorio lo dejó sin aliento.

—¡Qué tontería! —la oyó exclamar.

—Si durante diez días consecutivos un hombre no es capaz de llevarse a su amante a la cama —repuso con docilidad—, es casi mejor que se muera, Jane. ¿Qué le queda en la vida después de perder el atractivo sexual?

Jane ladeó la cabeza y lo observó con expresión pensativa.

—Está bromeando —dijo—. Pero en parte también habla en serio. La virilidad es una cuestión importante para usted, ¿verdad?

—¿Acaso la feminidad no es importante para ti?

Ella volvió a meditar la respuesta. Era algo característico de Jane, una cualidad que ya había notado antes, ese afán por no apresurarse a decir lo primero que se le ocurría.

—Lo que me importa es ser quien soy —respondió—. Y puesto que soy una mujer, supongo que mi feminidad es importante, sí. Pero no me guío por una imagen idealizada de la mujer perfecta, no intento adaptarme al aspecto que otros esperan de mí por el hecho de ser mujer. No someto mi apariencia, mi comportamiento ni mi imagen a ese ideal. Necesito ser fiel a mí misma.

Jocelyn se percató de repente de lo absurdo de la situación.

—Nunca he estado en esta puerta, tan cerca de una mujer, discutiendo la naturaleza de los sexos y de la sexualidad. En fin, a estas alturas deberíamos haber consumado nuestro intento de establecer una relación. Deberíamos yacer exhaustos, desnudos y mutuamente satisfechos en esa cama.

En esa ocasión sus palabras le encendieron las mejillas, no había mejor forma de describirlo.

—Supongo que esperaba que una vez que lograra llevarme a la cama, sucumbiría a sus arrolladores encantos y al atractivo del dormitorio, ¿verdad?

Eso era exactamente lo que pensaba que iba a suceder… o lo que esperaba que sucediese.

—Y yo supongo —replicó él con un suspiro— que no me permitirás ponerte un lascivo dedo encima hasta que este dormitorio parezca la celda de un monje. Adelante, Jane. Habla con Jacobs. Haz con mi casa lo que desees. Yo cumpliré con mi parte y pagaré las facturas. ¿Te parece que bajemos? Supongo que la señora Jacobs habrá preparado el té y que la curiosidad por conocerte la estará matando.

—Que lo lleve al comedor —comentó ella mientras pasaba a su lado cuando por fin se apartó de la puerta.

—¿Dónde dormirás esta noche? —le preguntó, siguiéndola por el pasillo—. ¿En la mesa del comedor?

—Ya encontraré algún sitio —le aseguró—. No hace falta que se preocupe por mí, excelencia.

Jocelyn abandonó la casa una hora después, caminando con el bastón pese a la dolorida palma de la mano, ya que había despachado al cochero. Estaba deseando escuchar el informe de Marsh cuando volviera de los establos de Ferdinand. Tal vez fuera imposible demostrar que alguno de los Forbes había tenido acceso al tílburi. Pero lo único que necesitaba era la posibilidad de que el eje roto hubiera sido la cortesía de uno de ellos.

Porque en ese momento tendrían que enfrentarse al duque de Tresham.

Se preguntó si se sabría algo del resultado de la carrera. Lo único que le preocupaba, algo bastante raro en él, era que Ferdinand hubiera llegado a Brighton sano y salvo.

En ese momento pensó que no debería haberle propuesto a Jane Ingleby que fuese su amante. No estaba bien.

Sin embargo, ardía de deseo por ella.

¿Por qué no se había limitado la dichosa mujer a pasar desapercibida por Hyde Park como habría hecho cualquier mujer decente aquella mañana cuando vio que se estaba celebrando un duelo?

Si no la hubiera visto, a esas alturas no estaría caminando con la extraña sensación de que o bien él o bien su mundo estaba patas arriba.

Jane durmió en el sofá de la sala de estar. Los tonos de la tapicería, así como los volantes y los objetos decorativos denotaban un gusto atroz, pero al menos no era una estancia tan vulgar como el dormitorio.

Esa tarde, mientras hablaban en dicha estancia, se había imaginado acostada en esa cama con él, abrazados entre toda esa seda escarlata, y eso le había resultado incómodo. Ignoraba lo que era el deseo sexual, pero suponía que debía de parecerse mucho a lo que había sentido entonces. El acuerdo al que había llegado, o más bien al que estaba a punto de llegar, se había convertido en una realidad sobrecogedora.

¿Cómo iba a ser su amante?, se había preguntado antes de acostarse, sentada en el sofá. Simple y llanamente, no podía hacerlo a menos que sintiera algo por él como persona. ¿Lo sentía? No lo amaba, por supuesto; sería demasiado precipitado. Pero ¿le gustaba? ¿Sentía algún tipo de afecto por él? ¿Respeto, al menos?

Rememoró sus interminables batallas verbales y sonrió de forma inesperada. Era un hombre arrogante, autoritario y de lo más irritante. Sin embargo, tenía la impresión de que le gustaba que ella le plantara cara. Y respetaba sus opiniones, aunque en realidad no lo hubiera admitido. El hecho de estar sola esa noche, sin que su relación se hubiera consumado, era una prueba fehaciente. Además, estaba su irreprochable sentido del honor. Porque se había batido en duelo con lord Oliver con tal de no tildar de mentirosa a lady Oliver.

Jane suspiró. Sí, el duque de Tresham le gustaba mucho. Porque, por supuesto, no había olvidado la faceta artística y sensible de su carácter que atisbó aquella noche en la sala de música. Y también era un hombre inteligente. Con sentido del humor. Fascinantes facetas de su personalidad todas ellas que había mantenido celosamente ocultas del resto del mundo.

Y, por último, estaba el deseo que sentían el uno por el otro. Porque no le cabía duda de que era mutuo. De haber sido cualquier otra, cualquier amante potencial, la habría puesto de patitas en la calle en cuanto mencionó el tema del contrato. Claro que debía tener presente (en todo momento, mientras durara su relación) que lo único que sentía el duque era deseo. Pasión sexual. Jamás debía confundir esos sentimientos con el amor.

No sería fácil ser su amante.

Jane durmió en el sofá y soñó con Charles. Con su mejor amigo. Con su pretendiente. Como si perteneciera a una vida anterior. Lo vio sentado en el cenador de Candleford Abbey con ella, contándole que su hermana acababa de dar a luz y diciéndole que ellos no tardarían en aumentar la familia en cuanto ella cumpliera los veinticinco y pudiera casarse con quien quisiera.

Se despertó con las mejillas húmedas por las lágrimas. Había evitado pensar en Charles desde que huyó de Candleford Abbey. Y lo había logrado. ¿Por qué no se le había ocurrido ir en su busca cuando por fin tenía dinero para viajar? ¿Seguiría en casa de su hermana en Somersetshire o habría vuelto a Cornualles? Podría haber encontrado alguna manera de ponerse en contacto con él sin llamar la atención. Seguro que Charles habría sabido qué hacer, cómo protegerla, cómo ocultarla si era necesario. Y, sobre todo, la habría creído. Porque Charles sabía lo desesperado que estaba el nuevo conde de Durbury por conseguir que ella se casara con su hijo. Porque Charles sabía lo despreciable que Sidney podía llegar a ser, sobre todo si estaba ebrio.

Todavía podía hacerlo, por supuesto. Había recibido su paga el día anterior, justo antes de salir de Dudley House. Aún no se había convertido en la amante del duque de Tresham. Podía marcharse antes de que él regresara y así evitar la necesidad de perder la virginidad.

La simple idea de tener que afrontar semejante destino le habría provocado un soponcio apenas unas semanas antes. A esas alturas, cuando ya era demasiado tarde, había encontrado una alternativa decente.

Sin embargo, el problema era que no quería a Charles. No lo quería como una mujer debía querer a su marido. No lo quería como su madre había querido a su padre. Siempre había sido consciente de ese hecho, por supuesto. Pero había intentado quererlo porque le gustaba y porque él la quería.

Si recurría a él en esos momentos, si de alguna forma lograba salir del atolladero en el que se había metido, estaría unida a él para siempre. Unas semanas antes no le habría importado. La amistad y el afecto le habrían bastado.

Ya no.

¿Eso quería decir que prefería ser la amante del duque de Tresham antes que contraer un matrimonio honorable con Charles?

Era una pregunta que no pudo responder de forma satisfactoria antes de que Su Excelencia volviera a media mañana. Era una pregunta cuya respuesta reconoció a regañadientes al escucharlo llamar a la casa, momento en el que abrió la puerta de la sala de estar para verlo entrar en el vestíbulo y entregarle el sombrero, los guantes y el bastón al señor Jacobs. Junto con él llegaron su energía, su impaciencia y su virilidad. Y comprendió que lo había echado de menos.

—Jane —dijo él mientras se acercaba para entrar en la sala de estar—. Ferdinand ha ganado. Por una distancia mínima. Berriwether le sacaba un carruaje de ventaja al enfilar la última curva, pero aceleró después de pasarla, sorprendiéndolo. Entraron en Brighton prácticamente a la par. Pero ganó Ferdinand, y tres cuartos de los socios de White's están de luto.

—No ha sufrido daño alguno, ¿verdad? —le preguntó—. Me alegro.

Podría haber señalado de nuevo lo absurdas que eran esas carreras, pero el duque parecía muy complacido. Y, en realidad, ella se alegraba. Lord Ferdinand Dudley era un joven simpático y agradable.

—No, ningún daño. —De repente, el duque frunció el ceño—. Sin embargo, no sabe elegir a la servidumbre. Su ayuda de cámara no tiene en cuenta que un hombre puede volver la cabeza en ocasiones mientras lo afeita. Y su lacayo deja entrar a medio mundo en su establo y en su cochera la víspera de una carrera, para que todos puedan admirar el equipo de su señor. No hay pruebas que demuestren quién planeó la muerte de Ferdinand durante la carrera.

—Pero sospecha de sir Anthony Forbes o de alguno de sus hermanos, ¿no? —le preguntó.

Se sentó en el sofá y él tomó asiento a su lado.

—Es mucho más que una simple sospecha. —El duque examinó la estancia mientras hablaban—. Porque así es como operan. Yo toqué a su hermana; ellos tocan a mi hermano. Pero se arrepentirán, por supuesto. Me encargaré de ellos. ¿Qué le has hecho a esta estancia?

El cambio de tema la alivió.

—Solo he quitado unas cuantas cosas —respondió—. Los cojines y algunos objetos decorativos. Tengo previsto cambios sustanciales aquí y en el dormitorio. No serían modificaciones demasiado extravagantes, pero de todas formas el coste va a ser considerable.

—Quincy se encargará de las facturas —comentó el duque, que agitó la mano para restarle importancia al tema—. Pero, Jane, ¿cuánto vas a tardar? Tengo la impresión de que me negarás el acceso a tu cama hasta que todo esté a tu gusto, ¿estoy en lo cierto?

—Exacto —contestó, con la esperanza de que su voz sonara lo bastante firme—. Una semana bastará en cuanto lo encarguemos todo. He hablado con el señor Jacobs, y dice que los proveedores harán todo lo que esté en sus manos en cuanto se mencione su nombre.

El duque no replicó. Saltaba a la vista que estaba acostumbrado a esa reacción.

—En ese caso, vamos a discutir las cláusulas del contrato —dijo—. Además de carta blanca para echar abajo esta casa y remodelarla, ¿qué otras exigencias tienes, Jane? Te pagaré un salario mensual cinco veces superior al que te pagaba como enfermera. Tendrás carruaje propio y tantos criados como estimes necesario. Vestirás con la elegancia que desees y comprarás todos los accesorios que se te antojen, y cargarás las facturas a mi nombre. Seré generoso con las joyas, aunque prefiero elegirlas yo. Asumiré la responsabilidad de mantener y educar a cualquier niño resultante de nuestra relación. ¿He pasado algo por alto?

Jane se había quedado helada de repente. Se sentía mortificaba por haber sido tan ingenua.

—¿Cuántos hijos tiene? —Ni siquiera había pensado en la posibilidad de quedarse embarazada.

El duque enarcó las cejas.

—Como siempre, preguntando lo que no debes preguntar, Jane —replicó—. No tengo ningún hijo. Las mujeres que se ganan la vida de esta forma conocen la manera de evitar la concepción. Supongo que no es tu caso. Eres virgen, ¿verdad?

A Jane le costó un enorme esfuerzo no apartar los ojos de la mirada directa del duque. Deseó poder controlar de la misma forma el rubor.

—Sí. —Mantuvo la barbilla en alto—. Hay un gasto del que podrá prescindir. No necesito carruaje.

—¿Por qué no? —El duque colocó el codo en el respaldo del sofá y se llevó el puño cerrado a la cara, sobre los labios. Su mirada no la abandonó en ningún momento—. Jane, tendrás que ir de compras, tendrás que salir a admirar las vistas. Sería insensato depender de mí para salir. Las compras me aburren. Cuando venga a verte, estaré más ansioso por llevarte a la cama que por salir a pasear.

—Los criados saldrán a comprar la comida —señaló ella—. Y si no le gusta la ropa que tengo, puede ordenarles a las modistas que vengan. No deseo salir.

—¿Por qué vas a hacer algo vergonzoso para ti? —quiso saber—. ¿De verdad tienes la sensación de que jamás podrás volver a enfrentarte al mundo?

Jane había contestado esa pregunta el día anterior. Sin embargo, pensó, tal vez fuera mejor que el duque se quedara con esa impresión. Aunque no fuese cierta. La vida se había convertido en una cuestión práctica que debía dirigir y controlar en la medida de lo posible.

El duque se mantuvo en silencio un rato. Un silencio que se alargó mientras la contemplaba con expresión pensativa y ella lo miraba, incómoda pero renuente a desviar la vista.

—Hay una alternativa —dijo el duque de Tresham por fin—. Una alternativa que te reportará fama, fortuna y un gran aprecio, Jane. Una opción que te evitará la degradación de acostarte con un libertino.

—No lo considero degradante —puntualizó ella.

—¿Ah, no? —Levantó la otra mano y le aferró la barbilla, tras lo cual le pasó el pulgar suavemente sobre los labios—. No me relaciono mucho con los círculos culturales, Jane, pero supongo que mi palabra tiene suficiente peso en cualquier ámbito. Podría presentarte a lord Heath o al conde de Raymore, dos de los más importantes mecenas del arte. Estoy convencido de que si alguno de ellos oye tu voz, te ayudará a emprender el camino de la fama. Porque eres muy buena, ¿sabes? De esa forma no me necesitarías.

Jane lo miró, sorprendida en cierto modo. El duque la deseaba, no le cabía la menor duda. Sin embargo, ¿estaba dispuesto a renunciar a ella? ¿A ayudarla para no depender de él? De forma inconsciente, entreabrió los labios y le rozó la yema del dedo con la punta de la lengua.

Sus miradas se encontraron. Y el deseo la asaltó en lo más hondo. No lo había hecho de forma premeditada. Y suponía que él tampoco.

—No quiero una carrera como cantante —dijo.

Era cierto, aun sin contar con el hecho de que debía evitar el peligro de volver a exponerse. No quería usar su voz para ganarse la vida. Quería usarla para disfrute de sus seres queridos. No ambicionaba la fama.

El duque se inclinó y colocó los labios allí donde había estado su dedo. Y la besó con pasión.

—¿La quieres como mi amante? —le preguntó—. ¿Con tus condiciones? Dímelas, pues. ¿Qué quieres que todavía no te haya ofrecido?

—Seguridad —respondió—. Quiero su palabra de que me pagará un salario hasta el día de mi vigésimo quinto cumpleaños, aunque me despida antes. Siempre y cuando no sea yo quien rompa nuestro acuerdo, por supuesto. Ahora mismo tengo veinte, por cierto.

—Durante cinco años —señaló él—. ¿Y cómo piensas mantenerte después, Jane?

No lo sabía. Supuestamente en ese momento recibiría su herencia, la fortuna íntegra de su padre que no estaba vinculada al título y que no había recibido el heredero. Sin embargo, tal vez no pudiera reclamarla nunca. No podría dejar de ser una fugitiva por arte de magia, solo por haber alcanzado la edad en la que por fin sería libre.

Negó con la cabeza.

—A lo mejor nunca me canso de ti, Jane —dijo el duque.

—¡Tonterías! —exclamó ella—. Por supuesto que se cansará. Y mucho antes de que hayan pasado cuatro años y medio. Por eso debo proteger mi futuro.

El duque le sonrió. Un gesto poco habitual en él. Aunque lo hacía demasiado para su tranquilidad mental. Se preguntó si era consciente del arrollador encanto de su sonrisa.

—Muy bien, pues —replicó—. Se añadirá por escrito al contrato. Un salario mensual hasta que la relación se rompa o hasta que cumplas los veinticinco. Lo que antes suceda. ¿Algo más?

Ella negó con la cabeza.

—¿Y sus condiciones? —le preguntó—. Hemos acordado lo que usted hará por mí. ¿Qué tendré que hacer yo?

El duque de Tresham se encogió de hombros.

—Estar disponible para mí —respondió—. Mantener relaciones sexuales conmigo siempre que pueda persuadirte de que lo deseas tanto como yo. Nada más, Jane. Es imposible legislar la relación entre un hombre y su amante, ¿sabes? Ni siquiera pienso mencionar una palabra sobre obediencia y sumisión. Serías incapaz de mantener tu palabra al respecto aun cuando lograra que lo prometieras. Y que me aspen por lo que estoy a punto de decir, pero creo que lo que me atrae de ti es precisamente tu atrevimiento. ¿Quieres que le ordene a Quincy que redacte el contrato y que te lo traiga para que lo revises? No seré yo quien lo traiga, Jane. No volveré hasta que me llames. Supondré que cuando tenga noticias tuyas, el dormitorio de la planta alta estará listo para usarse.

—Muy bien, excelencia —dijo Jane mientras él se ponía en pie. Ella también se levantó. Una semana le parecería una eternidad.

El duque le tomó la cara entre las manos.

—Eso también tendrá que cambiar, Jane —le advirtió—. No podrás seguir llamándome excelencia mientras estamos en la cama. Me llamo Jocelyn.

Jane ignoraba su nombre de pila hasta ese momento. Nadie lo había usado en su presencia.

—Jocelyn —repitió en voz baja.

Esos ojos tan oscuros mostraban por regla general una expresión adusta y seria. Era imposible ver más de lo que él quería revelar, que tampoco era mucho, sospechaba ella. Sin embargo, nada más pronunciar su nombre, tuvo la impresión de que en las profundidades de esos ojos brilló algo por un instante y casi creyó ahogarse en ellos.

Aunque solo fue un instante.

El duque apartó las manos de su cara y se volvió hacia la puerta.

—Una semana —le recordó—. Si la renovación no ha acabado para entonces, rodarán cabezas, Jane. Se lo dejarás bien claro a los trabajadores, ¿verdad?

—Sí, excelencia —contestó—. Jocelyn.

Él la miró por encima del hombro y abrió la boca como si fuera a decir algo. Pero cambió de opinión y salió de la estancia sin mediar palabra.

13

$\mathcal{M}$uchos de los conocidos de Mick Boden envidiaban su trabajo. El hecho de ser uno de los famosos investigadores de Bow Street tenía cierto halo. La falsa creencia más extendida afirmaba que se pasaba los días literalmente persiguiendo hasta dar caza a todos los criminales más violentos de Londres, y de la mitad de Inglaterra, para llevarlos ante el magistrado más cercano, donde recibían el justo castigo por sus malos actos. Dichos conocidos creían que su vida era una continua aventura llena de peligro, acción y… éxito.

La mayoría del tiempo su trabajo era muy rutinario y bastante aburrido. En ocasiones se preguntaba por qué no era un estibador o un barrendero. Tal como se lo cuestionaba en esos momentos. Lady Sara Illingsworth, una dama de apenas veinte años que había crecido en el campo y que se suponía que jamás había pisado la capital, estaba demostrando ser inesperadamente escurridiza. Llevaba casi un mes de búsqueda y no había descubierto su rastro, salvo por aquellos primeros días.

El conde de Durbury seguía convencido de que estaba en Londres. No había otro lugar al que pudiera ir, aseguraba el conde, dado que no tenía amigos ni familiares en otra parte, exceptuando por una antigua vecina que en la actualidad vivía con su marido en Somersetshire. Pero no estaba con ellos.

Algo le decía a Mick que el conde tenía razón. Estaba en alguna parte de la ciudad. Pero no había regresado a casa de lady

Webb, aunque la baronesa estaba de vuelta en la ciudad. Tampoco se había puesto en contacto con el antiguo procurador de su padre ni con el que el conde empleaba en esos momentos. En caso de haber gastado dinero, no lo había hecho en las tiendas más selectas. En caso de que hubiera intentado vender o empeñar alguna de las joyas robadas, no lo había hecho en ninguno de los lugares que Mick conocía… y se jactaba de conocerlos todos. En caso de que hubiera intentado buscar alojamiento respetable en un barrio decente, no lo había hecho en ninguna de las casas a cuyas puertas su ayudante y él habían llamado incansablemente. No había buscado trabajo en ninguna de las casas en las que había preguntado… y había preguntado en todas las posibles, salvo en las grandiosas mansiones de Mayfair. La muchacha no habría sido tan tonta como para pedir trabajo en una de esas casas, concluyó. A ninguna de las agencias de empleo había llegado una joven buscando trabajo con cualquiera de los nombres que Mick creía que podía usar. En ninguna recordaban a una beldad alta, delgada y rubia.

Por eso se encontraba una vez más sin nada de lo que informar al conde de Durbury. Era humillante. Bastaba para que una persona se replanteara cambiar de oficio. También era suficiente para despertar la obstinada determinación de un hombre que no quería dejar que una chiquilla le ganase la partida.

—No ha solicitado trabajo como sirvienta, señor —dijo con convicción a un exasperado y furibundo conde, que sin duda estaba pensando en la abultada factura que tendría que abonar por llevar alojado un mes en el hotel Pulteney—. Es improbable que haya buscado empleo como institutriz o dama de compañía, demasiado arriesgado. Por la misma razón es improbable que haya buscado trabajo como dependienta. Lo lógico es que busque un trabajo en un sitio donde no sea vista. En algún taller. Tal vez en el de una modista o una sombrerera.

En el caso de que estuviera trabajando. El conde no había especificado cuánto dinero había robado la muchacha. Mick empezaba a sospechar que no era demasiado. No lo suficiente como para permitirle vivir bien, desde luego. Sin duda una joven inexperta habría cometido algún error a esas alturas si tuviera una enorme fortuna que la tentara para salir al descubierto.

—¿Y a qué espera? —preguntó Su Ilustrísima con frialdad—. ¿Por qué no está buscando en todos los talleres de Londres? ¿Acaso una jovencita va a ser más lista que los ilustres investigadores de Bow Street? —El sarcasmo era evidente en su voz.

—¿Estoy buscando a una asesina? —preguntó Mick Boden—. ¿Cómo está su hijo, señor?

—Mi hijo está a las puertas de la muerte —contestó el conde, irritado—. Está buscando a una asesina. Le sugiero que la encuentre antes de que cometa otro crimen.

Y así fue como Mick comenzó la búsqueda de nuevo. Londres, por supuesto, tenía una buena cantidad de talleres. Ojalá supiera con seguridad qué nombre estaba usando la muchacha. Y ojalá no hubiera encontrado el modo de ocultar su pelo rubio, ya que al parecer era su rasgo más distintivo.

Fue una semana muy larga. Durante la misma, Jocelyn pasó más tiempo de la cuenta bebiendo y jugando por las noches e intentando ponerse en forma durante el día, para lo cual empleó horas y horas mejorando su habilidad con la espada y su resistencia en el cuadrilátero del club de boxeo de Jackson. Su pierna respondía bien al ejercicio.

Ferdinand se indignó muchísimo al enterarse de lo que le había sucedido a su tílburi y estaba decidido a perseguir a los hermanos Forbes, que habían desaparecido el día posterior al duelo, para cruzarles la cara con un guante a todos y cada uno de ellos. En un primer momento no reconoció que el problema fuera de su hermano. Al fin y al cabo, era su vida a la que habían intentado poner fin. Sin embargo, Jocelyn insistió.

Angeline había sufrido un soponcio al enterarse del eje roto, había mandado llamar a Heyward, que se encontraba en la Cámara de los Lores, y después, para aliviar sus destrozados nervios, se había comprado un bonete.

—Me pregunto si queda alguna fruta en los puestos de Covent

Garden, Angeline —comentó Jocelyn mientras lo miraba desolado a través del monóculo. Se había cruzado con ella un día que paseaba a caballo por Hyde Park a la hora de moda, mientras Angeline iba en un cabriolé con su suegra—. Estoy convencido de que la llevas toda decorando la monstruosidad que tienes en la cabeza.

—Es el último grito —se jactó ella—, digas lo que digas, Tresham. Tienes que prometerme que no vas a conducir un tílburi en la vida. Ni tú ni Ferdie. Os vais a matar y yo nunca me recuperaré de la impresión. Pero Heyward dice que no fue un accidente. Estoy segura de que fue uno de los hermanos Forbes. Como no descubras cuál ha sido y lo desafíes a un duelo por esto, me avergonzaré de ser una Dudley.

—Ya no te apellidas así —le recordó él con sequedad antes de llevarse la mano al ala del sombrero para saludar a la condesa viuda de Heyward—. Adoptaste el apellido de tu marido al casarte con él, Angeline.

Jocelyn no estaba tan impaciente como sus hermanos por encontrar a los Forbes y castigarlos. Ya llegaría el momento. Y los Forbes eran tan conscientes como él. Mientras tanto, no le importaba que siguieran escondidos, imaginándose lo que pasaría cuando por fin se vieran las caras. Seguro que no les llegaba la camisa al cuerpo.

Varias personas le preguntaron por Jane Ingleby. Había creado mucha más sensación con su interpretación de lo que él había esperado. Querían saber quién era, si seguía trabajando en Dudley House, si iba a cantar en algún otro lugar y quién había sido su profesor de canto. Una noche en White's el vizconde de Kimble incluso llegó a preguntarle sin rodeos si era su amante… un interrogante con el que se ganó una fría mirada a través del monóculo del duque.

Qué raro. Jocelyn nunca había mantenido en secreto a sus amantes. De hecho, había usado a menudo la casa para celebrar cenas y fiestas cuando deseaba que esos eventos fueran menos formales de lo que solían ser en Dudley House. Sus amantes siempre habían actuado de anfitrionas, un papel que a Jane le sentaría como anillo al dedo.

Sin embargo, no quería que sus amigos supieran que la estaba manteniendo. Le parecía que sería injusto con ella, aunque no habría podido explicar el motivo de haberlo intentado. Les dijo que había ocupado un puesto temporal en algún lado y que se había marchado.

—Pues menuda lástima, amigo Tresham —se lamentó Conan Brougham—. Alguien debería comentarle lo de esa voz a Raymore. Podría ganarse muy bien la vida con ella.

—Yo mismo le habría ofrecido trabajo, Tresh —dijo Kimble—, pero tumbada de espaldas, no por su voz. El caso es que me daba miedo estar pisándote el terreno. Si te enteras de dónde está, podrías decírmelo.

Jocelyn, que sintió una inusual hostilidad hacia uno de sus mejores amigos, cambió de tema.

Esa misma noche regresó a casa caminando pese al riesgo de ser víctima de algún robo. Nunca le habían asustado los ladrones. Llevaba un grueso bastón y era muy ducho con los puños. En más de una ocasión había pensado que le gustaría enfrentarse a un par de rufianes. Tal vez los rufianes que lo hubieran visto habían sido lo bastante listos como para calcular bien las posibilidades de ganarle. Nunca lo habían atacado.

La mención de Jane Ingleby le había molestado de un modo insoportable. Habían pasado cinco días, aunque parecían más bien cinco semanas. Quincy se había encargado en persona de ese absurdo contrato el segundo día. Para su sorpresa, ella lo había firmado. Había esperado que discutiera algunos detalles solo por maldad.

Era oficialmente su amante.

Su amante virgen con quien no se había acostado. Cualquiera que lo conociese se moriría de la risa si se enterara de que había contratado a una amante que lo había echado de su propia casa, que había insistido en tener un contrato por escrito y que había mantenido su relación sin consumar una semana después de que él le hiciera la proposición.

De repente, soltó una carcajada y se detuvo en mitad de la calle, vacía y silenciosa. Su irascible Jane. Ni siquiera durante la consumación interpretaría el papel de una virgen tímida y asustada a punto de ser desflorada.

Su inocente e ingenua Jane, que no se daba cuenta de lo lista que estaba siendo. Una semana antes la deseaba. Cinco días antes estaba desesperado por ella. A esas alturas ardía de la impaciencia. Le costaba trabajo pensar en otra cosa. Jane, con su pelo dorado y en cuya red estaba ansioso por caer.

Lo obligó a esperar dos días más antes de que por fin llegara una nota. Redactada con su habitual brevedad y concisión.

«Los trabajos en la casa han terminado», le escribió ella. «Puedes venir cuando lo creas conveniente.»

Unas palabras frías y muy poco apasionadas que lo abrasaron.

Jane no dejaba de pasear de un lado a otro. Había enviado la nota a Dudley House justo después del desayuno, pero sabía que él solía salir de casa temprano y no regresaba hasta bien entrada la noche. Tal vez no la leyera hasta el día siguiente. Era posible que no fuera a verla en otro par de días.

Sin embargo, se estaba paseando de un lado para otro. E intentando en vano no mirar más de una vez cada diez minutos por los ventanales que daban a la calle.

Llevaba un vestido nuevo de delicada muselina en verde claro. De talle alto, con un escote recatado y manguitas de farol, tenía un diseño muy sencillo. Pero estaba confeccionado para que se amoldara a su cuerpo y resaltara su busto. Por debajo del pecho, caía plisado hasta los tobillos. Había sido muy caro. Acostumbrada a los precios de las modistas rurales, Jane se había quedado de piedra. Sin embargo, no despachó a la modista de Bond Street y a sus dos ayudantes. El duque había escogido a esa mujer y la había mandado con instrucciones concretas acerca de la cantidad y del estilo de prendas que debía tener.

Ella había escogido las telas y los diseños, decantándose por colores claros en vez de tonos chillones y por la sencillez en vez de por el exceso de adornos, pero no había discutido ni la cantidad de prendas ni su precio, salvo para insistir en que solo hubiera dos vestidos de paseo, uno para ir a pie y otro para hacerlo en carruaje. No tenía la intención de pasear, fuera como fuese, en un futuro cercano.

El duque no le habría dado carta blanca con la renovación de la casa si no tuviera intención de regresar, pensó mientras se asomaba a la ventana una vez más, a media tarde. No habría mandado a la modista, ni tampoco le habría enviado el contrato. De hecho, este último se lo había mandado en dos ocasiones: en la primera le hicieron llegar dos copias para que las leyera, las firmara y las devolviera; y en la segunda solo le llegó la copia que ella debía guardar, con la firma ducal (Tresham) estampada con letra grande bajo su propia firma. El señor Jacobs le había servido de testigo a ella; y el señor Quincy, a él.

No obstante, le costaba desprenderse de la certeza de que no iba a volver. La semana se le había hecho interminable. Estaba segura de que a esas alturas se había olvidado de ella. Estaba segura de que a esas alturas estaba con otra.

No entendía, ni quería analizar, su propia ansiedad.

Sin embargo, toda esa ansiedad desapareció al punto, reemplazada por la alegría, cuando vio que una figura conocida se acercaba andando por la calle. Sin cojear, se percató antes de dar media vuelta y correr para abrir la puerta de la sala de estar. Se detuvo antes de apresurarse a abrir la puerta principal. Se quedó donde estaba, esperando ansiosa que llamara, esperando que el señor Jacobs abriera.

Había olvidado lo ancho de hombros que era, su aspecto peligroso e imponente, la vitalidad y la fuerza que irradiaba, lo... viril que era. El duque frunció el ceño como de costumbre cuando le dio su sombrero y sus guantes al mayordomo. No la miró hasta haber terminado. En ese momento echó a andar hacia la sala de estar y por fin clavó los ojos en ella.

Unos ojos que no solo se fijaron en el vestido, en su cara y en su pelo, pensó Jane, sino en todo lo que ella era. Unos ojos que se clavaron en los suyos con un intenso y extraño brillo que no había visto con anterioridad.

¿Eran los ojos de un hombre que había ido para reclamar a su amante?

—Bueno, Jane —dijo él—, ¿has terminado ya de jugar a las casitas?

¿Había esperado un beso en la mano? ¿En los labios? ¿Dulces palabras de amor?

—Había mucho que hacer —respondió con frialdad— a fin de que esta casa pareciera más una residencia que un burdel.

—¿Y lo has conseguido? —Entró en la sala de estar y echó un vistazo a su alrededor, con los pies separados y las manos a la espalda. Parecía llenar la habitación—. Mmm —murmuró—. ¿Eso quiere decir que no has echado abajo las paredes?

—No —contestó—. He mantenido bastantes cosas. No he cometido muchas extravagancias.

—No querría ver a Quincy si ese fuera el caso —replicó él—. Estos últimos días ha tenido muy mala cara. Tengo entendido que han estado llegando un sinfín de facturas.

—En parte es culpa tuya —le dijo—. No necesitaba tantos vestidos ni tantos accesorios. Pero la modista que me enviaste dijo que fuiste muy concreto y no aceptó que contradijera sus órdenes.

—En fin, algunas mujeres saben cuál es su lugar, Jane. Saben cómo ser sumisas y obedientes.

—Y cómo ganar una buena cantidad de dinero en el proceso —añadió ella—. He mantenido el tono lavanda en esta estancia, como puedes ver, aunque no lo habría escogido si hubiera tenido que decorar la habitación de primeras. Combinado con el gris y el plata en vez del rosa, y sin tantos volantes y cachivaches, la sala de estar parece refinada y elegante. Me gusta. Puedo vivir aquí sin problemas.

—¿Puedes, Jane? —Volvió la cabeza y la miró… una vez más, con expresión ardiente—. ¿Y también has tenido éxito en el dormitorio? ¿O voy a encontrarme dos duros camastros y un cilicio sobre cada uno?

—Si consideras el color escarlata un estímulo necesario —respondió mientras se desentendía de los atronadores latidos de su corazón con la esperanza de que no se le notaran en la voz—, creo que no te va a gustar lo que he hecho en el dormitorio. Pero a mí me gusta, y eso es lo que importa. Soy yo quien va a dormir allí todas las noches.

—¿Eso quiere decir que yo tengo prohibido hacerlo? —Jocelyn enarcó las cejas.

Y el absurdo rubor apareció de nuevo. El único indicio de emoción imposible de ocultar. Era consciente de que le ardían las mejillas.

—No —contestó—. He afirmado, por escrito, que eres libre de ir y venir a tu antojo. Pero estoy segura de que tu intención no es vivir aquí, como yo. Solo vendrás cuando… En fin, cuando… —Fue incapaz de seguir hablando.

—¿Quiera acostarme contigo? —sugirió él.

—Sí. —Asintió con la cabeza—. En esos momentos.

—¿Y no tengo permiso para visitarle cuando no lo desee? —Apretó los labios y la miró en silencio durante un momento muy incómodo—. ¿Está en el contrato? Me refiero a que solo pueda venir por sexo, Jane. ¿No para tomar el té? ¿Ni para charlar? ¿Ni tal vez solo para dormir?

Sería como una verdadera relación. Era una idea demasiado seductora.

—¿Te gustaría ver el dormitorio? —le preguntó.

El duque la miró un buen rato antes de que apareciera una sonrisa en su cara… esa media sonrisa que le iluminaba los ojos y le alzaba las comisuras de los labios, y que a ella le aflojaba las rodillas.

—¿Para ver los muebles nuevos? —le preguntó—. ¿O para mantener un encuentro sexual, Jane?

Esa cruda elección de palabras la desconcertó. Pero cualquier expresión eufemística habría significado lo mismo.

—Soy tu amante —respondió.

—Sí, lo eres. —Se acercó a ella, sin apartar las manos de la espalda. Inclinó la cabeza y la miró a los ojos—. No veo signos de resignado martirio. ¿Eso quiere decir que estás preparada para la consumación?

—Sí. —También creía estar preparada para caer desmadejada a sus pies, pero esa circunstancia no tenía nada que ver con una debilidad moral, más bien con una debilidad en las piernas.

El duque se enderezó y le ofreció el brazo.

—Subamos, pues —dijo él.

Los muebles no habían cambiado, solo los colores de las tapicerías. Sin embargo, no habría pensado que se encontraba en la misma habitación si le hubieran vendado los ojos, lo hubieran cogido en volandas y lo hubieran dejado allí. El dormitorio era una mezcla de verde ceniza, beige y dorado. La elegancia en estado puro.

Si Jane Ingleby tenía algo en abundancia, era buen gusto, además de un buen ojo para el color y la decoración. ¿Otra habilidad aprendida en el orfanato? ¿O en la rectoría, la casa rural o donde narices hubiera crecido?

Sin embargo, no había subido para inspeccionar la decoración.

—¿Y bien? —Jane tenía los ojos brillantes y las mejillas encendidas—. ¿Qué te parece?

—Lo que me parece, Jane —respondió, mirándola con los ojos entrecerrados— es que por fin veré tu pelo suelto. Quítate las horquillas.

No lo llevaba recogido con su habitual severidad. Se lo había ondulado y recogido de un modo que combinaba con el bonito y elegante vestido que llevaba. Pero quería verlo suelto.

Jane se quitó las horquillas con destreza y sacudió la cabeza.

¡Vaya!, exclamó para sus adentros. Le llegaba por debajo de la cintura, tal como le había dicho. Una cascada de puro oro bruñido. Antes parecía guapa. Incluso con el espantoso vestido de criada y la horrible cofia había sido guapa. Pero en ese momento…

No había palabras. Unió las manos a la espalda. Había esperado demasiado tiempo como para apresurarse en ese instante.

—Jocelyn. —La vio ladear la cabeza para mirarlo con esos enormes ojos azules—. No sé muy bien qué hacer ahora. Vas a tener que llevar las riendas.

Asintió con la cabeza, desconcertado por la enorme oleada de… En fin, no era exactamente deseo lo que lo abrumaba. ¿Anhelo? Un anhelo profundo y opresor, que lo asaltaba de improviso y que siempre desterraba al instante. Porque lo asociaba a la música y a la pintura. Sin embargo, en ese momento fue su nombre el causante de que apareciera.

—Jocelyn es un nombre que lleva generaciones en mi familia —comentó—. Me lo pusieron cuando todavía estaba en el vientre materno. No se me ocurre ni una sola persona que lo haya pronunciado en voz alta hasta ahora.

Jane abrió los ojos de par en par.

—¿Tu madre? —preguntó—. ¿Tu padre? ¿Tus hermanos? Seguro que…

—No. —Se quitó la ajustada chaqueta y se desabrochó los botones del chaleco—. Nací siendo el heredero del título que ostento ahora. Nací con el título de conde, Jane. Toda mi familia me llamó por dicho título hasta que me convertí en Tresham a los diecisiete años. Eres la primera persona que me llama por mi nombre de pila.

Él mismo lo había sugerido. Nunca lo había hecho con otras amantes. Lo conocían por su título, al igual que los demás. En ese momento recordó lo mucho que lo había alterado escuchar su nombre de labios de Jane una semana antes. No esperaba que le provocase esa sensación de… de intimidad. No se había percatado nunca de lo mucho que anhelaba esa confianza. Ese simple gesto. Que alguien lo llamara por su nombre de pila.

Se quitó el chaleco y desató el nudo de su corbata. Jane lo miraba con las manos apretadas a la altura de la cintura, envuelta en oro.

—Jocelyn —repitió ella en voz baja—, todo el mundo debería saber lo que se siente cuando te llaman por tu nombre. Por el nombre de ese individuo único que somos en nuestros corazones. ¿Quieres que me desnude también?

—Todavía no. —Se quitó la camisa por la cabeza y se deshizo de las botas de montar. Solo se quedó con los pantalones.

—Eres muy hermoso —dijo Jane, sorprendiéndolo, con los ojos clavados en su torso. ¡Solo Jane podía hacer semejante comentario! —. Supongo que te he ofendido al usar ese adjetivo en concreto. Seguro que no es lo bastante masculino. Pero no eres guapo. No en el sentido convencional. Tus rasgos son demasiado duros y afilados, y tienes el pelo y la piel demasiado oscuros. Así que solo eres hermoso.

Una experta cortesana no lo habría excitado más, ni siquiera con las sugerencias más eróticas.

—¿Y qué puedo decirte yo ahora? —preguntó al tiempo que daba un paso hacia delante para tocarla por fin. Le tomó la cara entre las manos, enterrando los dedos en su sedoso cabello—. No puede decirse que seas guapa, Jane. Supongo que lo sabes. Además, ese tipo de belleza no dura mucho tiempo. Es pasajera. Tú serás hermosa con treinta años, con cincuenta y también con ochenta. A los veinte eres deslumbrante y despampanante. Y eres mía. —Inclinó la cabeza y la besó con los labios separados, saboreándola con la lengua, antes de apartarse unos centímetros.

—Sí, Jocelyn. —Se mordió el suave y húmedo labio inferior—. De momento soy tuya. Según nuestro contrato.

—Dichoso contrato. —Se echó a reír por lo bajo—. Quiero que me desees, Jane. Dime que no se trata solo del dinero, de esta casa ni de la obligación contraída por ese puñetero trozo de papel. Dime que me deseas. A mí… a Jocelyn. O dime de verdad que no me deseas y me marcharé para que disfrutes de tu casa y de tu salario durante los próximos cinco años. No me acostaré contigo a menos que me desees.

Una circunstancia que jamás le había importado en otras ocasiones. Sin pecar de vanidoso, sabía que no era la clase de hombre que repelía a las mujeres que se ganaban la vida en la cama. Y siempre había sido una cuestión de orgullo dar el mismo placer que recibía. Sin embargo, nunca le había importado que una mujer lo deseara a él o deseara al aristócrata rico y disoluto de reputación peligrosa. De hecho, si en el pasado se hubiera parado a pensarlo, seguramente habría llegado a la conclusión de que no quería que ninguna mujer llegara a desearlo como persona.

Nunca antes había sido Jocelyn para nadie. No para los miembros de su familia. No para una mujer. Ni siquiera para sus amigos más íntimos. Prefería dar media vuelta y marcharse para nunca volver antes que permitir que Jane se tumbara en esa cama por obligación. Y reconocer ese hecho era un poco alarmante.

—Te deseo, Jocelyn —susurró ella.

No le cabía la menor duda de que lo decía en serio. Sus ojos azules solo lo miraban a él. Estaba diciendo la pura verdad.

Y en ese momento Jane se inclinó hacia delante, dejando que todo su cuerpo se apoyara ligeramente contra él. Le colocó los labios en la base de la garganta. A modo de dulce rendición.

Todavía más dulce porque no parecía propio de Jane. La conocía lo bastante bien como para comprender que jamás lo haría porque se esperaba que se rindiera.

Se sintió extrañamente bendecido.

Y curiosamente deseado. De un modo que jamás había sentido.

—Jane —dijo con la cara apoyada en su sedoso pelo—. Jane, necesito estar dentro de tu cuerpo. Dentro de ti. Déjame entrar.

—Sí. —Echó la cabeza hacia atrás y lo miró a los ojos—. Sí. Te dejaré entrar, Jocelyn. Pero tienes que enseñarme cómo. No estoy segura de saberlo.

Ah. Jane en estado puro. Con esa voz serena y pragmática… que enmascaraba su nerviosismo, comprendió de repente.

—Será todo un placer —le dijo, con la boca pegada a la suya y mientras sus dedos atacaban los botones de su vestido, situados en la espalda.

14

No estaba nerviosa. Sí, se corrigió, sí que lo estaba. Estaba nerviosa porque no sabía qué hacer y temía cometer alguna torpeza.

Pero no estaba asustada. Ni se sentía horrorizada por lo que estaba haciendo. Ni avergonzada. No había mentido. Lo deseaba. Lo deseaba con desesperación. Y Jocelyn era hermoso, no cabía duda: musculoso, con los hombros y el torso anchos, la cintura y las caderas estrechas, y las piernas largas. Su cuerpo irradiaba calor y olía a una colonia almizcleña.

Era Jocelyn, y solo ella había pronunciado en voz alta su nombre de pila. Era consciente de la importancia de los nombres. Solo sus padres la habían llamado por su segundo nombre, por su auténtico nombre, el que parecía englobar su verdadera personalidad. Sus padres y, en esos momentos, Jocelyn. Había intentado evitar que la llamara Jane, pero él lo había hecho de todas formas.

Y así, de una manera casi inefable, se conocían íntimamente desde mucho antes de entablar una relación física entre ambos, que estaba a punto de comenzar en ese momento. Porque la estaba desnudando. Jane no se sentía avergonzada por su desnudez. Se veía reflejada en la mirada de esos ojos oscuros y sabía que era hermosa y deseable.

Le devolvió la mirada.

—Jane. —Jocelyn la aferró por la cintura y la acercó a él

hasta pegarla a su cuerpo. Ella tomó aire muy despacio al sentir el roce de su torso desnudo contra los pezones.

—Estamos listos para acostarnos. Ven a la cama —la invitó.

En un primer momento, la frialdad de la sábana contra la espalda le robó el aliento. Había cambiado los tonos de la decoración, pero no los materiales. Supuso que el satén sería un buen acompañamiento erótico teniendo en cuenta lo que iba a suceder en esa cama.

Observó cómo Jocelyn acababa de desnudarse. No se volvió y ella no desvió la mirada. Tenía que acostumbrarse a su aspecto y a su cuerpo en la misma medida que estaba familiarizada con el suyo. ¿Por qué empezar con timidez o recato?

Sabía muy bien lo que tenía que suceder. Al fin y al cabo, había pasado toda la vida en el campo. Sin embargo, no pudo evitar la sorpresa. Porque era imposible que hubiera espacio para eso.

Jocelyn esbozó su característica media sonrisa mientras se colocaba a su lado en la cama y se apoyaba en un codo para mirarla.

—Jane, te acostumbrarás a verla y a sentirla —le aseguró—. Nunca he desvirgado a una mujer. Supongo que la primera vez habrá dolor y sangre, pero te prometo que también disfrutarás. Y no te penetraré con este instrumento de tortura hasta que tu cuerpo esté preparado. Mi obligación es asegurarme de que lo está. ¿Sabes lo que son los preliminares?

Ella negó con la cabeza.

—No lo había oído nunca.

—Es muy sencillo. —La miró con ternura y con un brillo burlón en los ojos—. Jugaremos, Jane, hasta que te monte y ambos estemos saciados. Supongo que tampoco sabes en qué consiste esa parte, ¿verdad? El dolor desaparecerá al instante. Vas a pasártelo bien, confía en mí.

Jane no lo dudaba. Ya sentía algo similar al dolor entre los muslos y la parte inferior del abdomen. En cuanto a los pechos, parecían ser víctimas de un extraño hormigueo.

—Ya estamos en los preliminares, ¿verdad? —le preguntó—. Por eso hablas así.

—Podríamos sentarnos en extremos opuestos del dormitorio y excitarnos hasta estar a punto de estallar solo con palabras —le aseguró Jocelyn con una repentina sonrisa—. Y tal vez lo hagamos algún día. Pero hoy no. Hoy es para las caricias, Jane. Para explorarnos con las manos y las bocas. Para despojarnos de las diferencias que nos separan y que nos impiden convertirnos en la unidad que ansiamos. Porque lo ansiamos, ¿verdad? ¿Los dos?

—Sí. —Jane levantó una mano para acariciarle una mejilla—. Sí, Jocelyn. Quiero ser parte de tu nombre, parte de la persona que lleva ese nombre, parte del alma que habita en esa persona. Quiero unirme a ti.

—Tú, yo, nosotros. —Inclinó la cabeza y dijo contra sus labios—: Vamos a inventar un nuevo pronombre, Jane. La unidad del «yo» y la pluralidad del «nosotros» fundidas en una nueva palabra que englobe a «Jane» y a «Jocelyn» sin implicar ningún número.

Jane separó los labios, repentinamente excitada y conmovida por sus palabras. Por las que había pronunciado y por las que no. No se había esperado algo así. Esa no era la relación entre un hombre y su amante. Era la relación entre dos personas que se amaban.

Aunque no formara parte del acuerdo. Ni para ella, ni (seguramente) para él.

Pero eso era lo que estaba sucediendo.

Jane comprendió demasiado tarde lo que significaba el término «preliminares». Lo comprendió mientras él exploraba su boca con la lengua y le mostraba con las manos los sensuales y mágicos placeres que estaban por llegar. Comprendió, demasiado tarde, por qué había elegido esa alternativa en vez de cualquier otra que podría haber sido más lógica y decente. Comprendió por qué había aceptado su proposición sin sentirse ofendida ni espantada.

Porque lo amaba. O tal vez no fuera exactamente amor. Pero sí estaba enamorada de él. De ahí el deseo de entregarse al ser amado hasta haberle dado lo que llevaba en su interior. Y el deseo de recibir hasta que el vacío estuviera colmado con una mezcla de ambos.

Jocelyn tenía razón. No había palabra. No había pronombre. Nunca había palabras para la realidad más profunda.

—Jane…

Sus manos, esos dedos tan expertos, su boca la exploraban por todos lados. Sabía con exactitud dónde y cómo tocarla, donde rozarla con la suavidad de una pluma, dónde hacerle cosquillas, dónde presionar, dónde masajear, dónde pellizcar o arañar. Sabía dónde besar, dónde lamer, dónde succionar y dónde mordisquear.

Jane perdió la noción del tiempo. Pese a su inexperiencia, sabía dónde tocarlo, cómo acariciarlo o cómo cambiar la naturaleza de dichas caricias. Lo sabía como si lo hubiera conocido siempre, como si llevara en su interior una fuente de sabiduría femenina de la que extraía conocimientos para el ser amado sin necesidad de haber recibido lección alguna.

Tal vez porque su cuerpo no fuera el de una mujer cualquiera, ni tampoco el de Jocelyn fuera el cuerpo de un hombre cualquiera. El instinto le decía que lo que estaban haciendo solía ocurrir en la oscuridad y con los ojos cerrados, que el placer solía silenciarse en lo más hondo de cada uno, que el afán por complacer al otro no era habitual. Pese a su inexperiencia, intuyó que los amantes no siempre se amaban con los ojos abiertos y concentrados el uno en el otro, aunque fuera posible.

—Jane…

Jocelyn pronunció su nombre una y otra vez. Y ella pronunció el suyo. Porque era su amado, de la misma forma que ella era su amada.

El deseo y el doloroso anhelo se hicieron más persistentes y más localizados. Lo necesitaba justo ahí.

Ahí.

En ese mismo momento.

La mano de Jocelyn, que le había introducido entre los muslos, estaba obrando magia en ese lugar más íntimo hasta provocar un frenesí de deseo.

—Jocelyn —dijo al tiempo que lo aferraba por la muñeca—. Jocelyn… —No sabía lo que quería decirle. Pero él la entendió.

—Húmeda, ardiente y preparada —lo oyó decir antes de que la besara de nuevo en los labios—. Voy a hacerte el amor, Jane. Quédate quieta y relajada. Cuando esté enterrado en ti, conoceremos el placer más sublime.

—Hazlo ya —le dijo—. Por favor.

Su peso la inmovilizó sobre el colchón mientras le introducía las piernas entre los muslos para separárselos y le colocaba las manos bajo el trasero. El instinto hizo que le rodeara las piernas con las suyas. En ese momento, él levantó la cabeza y la miró a la cara con los párpados entornados por la pasión. No con una pasión ciega. Su mirada la atravesó.

Y en ese instante notó que algo duro presionaba allí donde el deseo palpitaba de forma dolorosa. Presionó hasta introducirse en ella, despacio pero con firmeza. La invasión la incomodó y la alarmó. De repente, tuvo la impresión de que el dolor sería terrible, de que no podría avanzar más. Era demasiado grande.

—Jane… —dijo y la miró con algo parecido al arrepentimiento—, ojalá pudiera evitarte el dolor. Pero el sufrimiento siempre recae sobre la mujer. —Empujó con fuerza y frunció el ceño sin dejar de mirarla a los ojos.

Ella se tensó de forma involuntaria, por temor al dolor y… de repente se dio cuenta de que el momento había pasado, de que Jocelyn estaba hundido en ella hasta el fondo. En el interior de su cuerpo. Y de su corazón. De sí misma. Lo miró con una sonrisa.

—Sigo viva.

Él le devolvió la sonrisa y le frotó la nariz con la suya.

—Esa es mi chica —dijo—. Nada de lágrimas y desmayos tratándose de Jane Ingleby, ¿verdad?

Jane contrajo los músculos que rodeaban su miembro, grueso y duro, y cerró los ojos para asimilar el maravilloso momento.

Pero Jocelyn le había prometido más. Y una vez superado el terrible momento de la pérdida de la virginidad, el anhelo, el doloroso deseo, regresó con fuerza.

—¿Ahora vas a hacerme el amor? —le preguntó, abriendo de nuevo los ojos—. Enséñame cómo se hace, Jocelyn.

—Si quieres quedarte quieta, puedes hacerlo —le dijo él—. Si quieres acompañarme, también. No hay reglas en nuestra cama, Jane. Y no hay nada en este absurdo contrato al respecto. Solo tú y yo, y lo que nos resulte mutuamente placentero.

Jocelyn inclinó la cabeza para apoyarla en la almohada, sobre su pelo. Después, se retiró hasta salir casi por completo de ella… y volvió a penetrarla.

En esa ocasión no hubo dolor. Solo humedad, calor y, al cabo de unos instantes, el rítmico sonido de sus cuerpos al moverse. No tardó mucho en acoplarse a la perfección al movimiento de Jocelyn. La experiencia consistía en una energética fricción concentrada en ese lugar donde su cuerpo había acogido su miembro. Sin embargo, la sensación no se localizaba solo ahí, sino que se extendía más allá. Esa era la unión de un hombre y de una mujer, de Jane y de Jocelyn. Un momento de unión, un momento en el que el «yo» y el «tú» dejaban paso a otra entidad no individual, y el individuo se difuminaba y perdía su significado. Un momento en el que la pluralidad se convertía en singularidad.

Deseo, anhelo febril… con un matiz doloroso y la impresión de que había algo… algo al alcance…

—Ahora, Jane —lo oyó decir, y vio que levantaba la cabeza. La besó en los labios y la miró a los ojos—. Ahora. Córrete conmigo. Ahora, Jane.

Sí, ahora, pensó. Ahora, repitió para sus adentros. Se dejó arrastrar hacia lo desconocido, hacia la plenitud. Hacia el olvido. Hacia la experiencia más sublime. Hacia la unidad.

Sí, ahora.

—¡Jocelyn!

Escuchó que alguien gritaba el nombre de Jocelyn. Y en respuesta escuchó que alguien murmuraba el suyo.

Sintió que él se derramaba en su interior y supo que el momento se había completado.

Después escuchó murmullos y sintió frío cuando él se apartó de ella. Más murmullos y el alivio de su sudoroso torso contra su pecho cuando la pegó a él y le pasó el brazo por encima. La calidez de las mantas sobre los hombros.

—Jane… —Escuchó su nombre de nuevo—. No sé si podrás repetir eso de que estás viva.

Ella esbozó una sonrisa adormilada.

—Mmm… —murmuró antes de suspirar—. ¿Estamos en el paraíso entonces?

Estaba demasiado cansada como para escuchar la risa de Jocelyn. Se sumió en un sueño delicioso.

Jocelyn no durmió. Se sentía completamente saciado, pero también estaba inquieto. ¿Qué tonterías había dicho? Ojalá Jane no las hubiera escuchado, pensó.

Pero por supuesto que las había escuchado.

Había sido una experiencia compartida. No había sido la unión de dos entidades individuales entregándose y recibiendo a cambio placer físico. Habían compartido…

¡Maldición!, exclamó para sus adentros. Al parecer no podía dejar de pensar las mismas tonterías que había estado diciendo. Era consciente de que en ese instante de unión, él se había convertido en ella y ella, en él. Aunque eso tampoco lo explicaba. Juntos, unidos, se habían convertido en una nueva entidad conformada por los dos, pero que no era ninguno de los dos.

Si no tenía cuidado, acabaría en un manicomio.

Porque lo que había ocurrido trascendía su propia experiencia. Y desde luego no había sido su intención. Lo que buscaba era una nueva amante. Alguien con quien acostarse cuando le apeteciera. Algo sencillo y básico. Jane había despertado su deseo. Necesitaba una casa y un empleo.

De modo que le pareció un arreglo sensato.

Hasta que se soltó el pelo. No, ese gesto solo avivó el deseo.

Hasta que lo llamó por su nombre. Y dijo algo más. ¿Qué demonios había dicho? Se frotó la mejilla con su pelo y la pegó un poco más a él.

«Todo el mundo debería saber lo que se siente cuando te llaman por tu nombre. Por el nombre de ese individuo único que somos en nuestros corazones.»

Sí, ese comentario había sido el culpable. Esas absurdas palabras.

Nació siendo conde con el rango de marqués, heredero a un ducado. Toda su educación, tanto formal como informal, había estado enfocada a prepararlo para asumir tanto el título de su padre como su personalidad cuando llegara el momento. Y había aprendido muy bien las lecciones. Había asumido ambas cosas a la edad de diecisiete años.

«... de ese individuo único que somos en nuestros corazones.»

Pero él carecía de corazón. Como era habitual entre los Dudley.

Y no tenía una personalidad única. Era lo que su padre y los demás habían esperado que fuese. Durante años se había envuelto en su reputación de hombre sombrío, cruel y peligroso.

El pelo de Jane olía a ese aroma a rosa que siempre parecía rodearla. Le recordó a un jardín rural a principios de verano. Y le provocó un extraño anhelo. Extraño porque siempre había odiado el campo. Solo había ido dos veces a Acton Park, su casa solariega, desde que se marchó tras la amarga discusión que tuvo con su padre a los dieciséis años. La primera ocasión fue para el funeral de su padre, un año después de marcharse. Y la segunda, para el de su madre, cuatro años más tarde.

Su intención había sido la de no regresar jamás hasta el día de su propio entierro. Sin embargo, si cerraba los ojos en ese momento mientras abrazaba a Jane, veía las boscosas y suaves colinas que se extendían por el este de la mansión donde había jugado con Ferdinand y Angeline fingiendo ser salteadores de caminos, ladrones, Robin Hood y exploradores. Y donde, a veces, cuando estaba solo, había fingido ser poeta y místico, envuelto por los olores de la naturaleza mientras experimentaba la grandiosidad y el misterio de esa cosa tan abstracta llamada «vida» y trataba de darle forma verbal a sus pensamientos e intuiciones, escribiéndolas en verso. De vez en cuando incluso le gustaba lo que escribía.

Antes de marcharse de su hogar, en un arranque de pasión y furia, hizo trizas todos sus poemas.

Llevaba mucho tiempo sin pensar en su hogar. En su hogar, porque, en cuanto a la propiedad, se mantenía siempre bien informado. Incluso había olvidado que Acton Park fue su casa en otra época. Porque lo había sido. En otra época. Recordaba una niñera que les había demostrado afecto y disciplina en grandes dosis. Estuvo con ellos hasta que él tenía ocho o nueve años. Incluso se acordaba de por qué la despidieron. Recordaba el día que lo consoló en la habitación infantil porque le dolía una muela. Recordaba su mano regordeta y grande acariciándole la mejilla. Su padre entró sin avisar en la habitación infantil... un acontecimiento poco habitual.

Y la despidió al punto.

Él, Jocelyn, fue convocado al despacho de su padre para que esperara la azotaina tras la cual le arrancaron la muela.

El duque de Tresham, su padre, le recordó, con cada doloroso golpe de la vara que le daba en la espalda, que no educaba a sus hijos para que fueran niñas. Mucho menos a su heredero.

—Jocelyn... —Jane se había despertado.

La vio echar la cabeza hacia atrás para mirarlo a los ojos. Su hermoso rostro estaba sonrojado, tenía los párpados entornados y los labios enrojecidos e hinchados por sus besos. Parecía envuelta en un fragante halo dorado.

—¿He sido muy torpe?

Jocelyn pensó que era una de las pocas mujeres para las que la pasión y la sexualidad eran instintivas. Porque se había entregado a ambas esa tarde como si no temiera el dolor. La humillación. El rechazo.

Sin embargo, antes de que pudiera contestar, ella le acarició el puente de la nariz con la yema de un dedo que fue ascendiendo hasta cubrir su ceño fruncido.

—¿Qué es esto? —la oyó preguntar—. ¿Por qué estás ceñudo? He sido torpe, ¿verdad? Qué absurdo suponer que porque para mí haya sido una experiencia estremecedora, también lo haya sido para ti.

Qué absurdo era que se expusiera de esa forma al ridículo y al dolor. La aferró por la muñeca y le apartó la mano de su cara.

—Jane, eres una mujer —le dijo—. Una mujer preciosa. Con todo en su sitio y muy bien puesto. He disfrutado mucho.

Se percató de que algo le sucedía a sus ojos. Algo se cerró en el fondo de esos ojos azules. Y reconoció la repentina irritación que lo invadía por lo que era en realidad. Era la vergüenza lo que le había provocado un nudo en la garganta y una opresión en el pecho, debido a las lágrimas contenidas. Y furia porque Jane lo hubiera hecho caer tan bajo.

Jamás debería haberle dicho que lo llamara por su nombre de pila.

—Estás enfadado —afirmó ella.

—Porque estás hablando de experiencias estremecedoras y me temo que te he confundido —adujo con voz cortante—. Te pago por ser mi amante. Lo único que he hecho es ponerte a trabajar. Suelo esforzarme mucho para que mis amantes encuentren agradable su trabajo, pero eso es lo que es: trabajo. Acabas de ganarte el salario.

Se preguntó si Jane habría sentido el azote de sus palabras tanto como lo había sentido él. En ese momento se odió sí mismo, aunque eso no era nada nuevo, salvo quizá por el hecho de que la pasión de ese odio que se profesaba se había ido suavizando con el paso de los años hasta convertirse en un desdén por el mundo en general.

—Desde luego que me lo he ganado —replicó ella con frialdad—. Excelencia —añadió, volviendo al tratamiento de cortesía—, le recuerdo que me ha contratado usted para el uso y disfrute de mi cuerpo. No me está pagando para el uso de mi mente ni de mis emociones. Si decido que parte de mi trabajo me resulta estremecedor, soy libre de experimentarlo siempre y cuando le garantice el acceso a mi cuerpo.

Sus palabras le provocaron una ira cegadora en un primer momento. Si Jane se hubiera deshecho en lágrimas como habría sido el caso de una mujer normal, él podría haberse flagelado más al tratarla con desdén. Pero, como era habitual en ella, lo estaba atacando con gélida dignidad pese al hecho de estar desnuda en la cama con él.

Jocelyn rió entre dientes.

—Nuestra primera discusión, Jane —dijo—. Y no será la última, sospecho. Sin embargo, te advierto que no consentiré que los sentimientos tengan cabida en nuestra relación. No quiero que sufras cuando llegue el inevitable final. Lo que sucede en este dormitorio es sexo. Nada más. Y no has sido torpe. Ha sido una experiencia sexual tan satisfactoria como cualquiera de las que he tenido hasta ahora. Muy satisfactoria. Hala, ¿estás más tranquila?

—Sí —respondió ella, todavía con voz fría—. Gracias.

Jocelyn volvió a excitarse. Por su propia ira y por la gélida renuencia de Jane a que la pusiera en su lugar, por su rubia belleza y por el sutil aroma a rosa. Hizo lo que tenía que hacer para reafirmar que tenía el control de la situación: la puso de espaldas en el colchón y volvió a hacerle el amor, pero en esa ocasión se esforzó por mantener el encuentro en el ámbito estrictamente carnal, con un empeño casi clínico. Un hombre y su amante. Nada más.

Y después se durmió, relajado por el golpeteo de la lluvia en los cristales.

—Pensaba que te gustaría quedarte a cenar —dijo Jane.

—No.

Se habían vestido y estaban en la sala de la planta baja. Sin embargo, Jocelyn no se había sentado, como sí había hecho ella. Se había colocado frente a la chimenea y había clavado la vista en el carbón. Después caminó hasta la ventana para contemplar la lluvia.

Su presencia y su energía colmaban la estancia. Mientras observaba su inmaculada elegancia, su porte orgulloso, sus anchos hombros y sus poderosos muslos, Jane no acababa de creerse que apenas media hora antes había yacido desnudo a su lado en la cama. Ni siquiera se creía lo que había sucedido, pese a las consecuencias físicas: el dolor entre los muslos, la sensibilidad en los pechos y el temblor en las piernas.

—Tengo un compromiso —adujo—. Y después un baile infernal al que asistir. No, no he venido para quedarme, Jane. Solo para consumar nuestra relación.

No iba a ser fácil ser su amante. No había esperado que lo fuera. Era un hombre arrogante con mucho temperamento. Estaba acostumbrado a salirse con la suya, sobre todo con las mujeres. Pero lo más difícil sería lidiar con sus repentinos y extraños cambios de humor.

Su respuesta le habría dolido, como le habían dolido y la habían humillado las palabras que le había dicho en la cama. Sin embargo, se percató de que no había hablado al descuido, sino que sus palabras eran muy deliberadas. No estaba segura del motivo. ¿Para recordarle que le pagaba por ser su amante?

¿O para convencerse a sí mismo de que solo era un cuerpo femenino con el que obtener placer?

Pese a su ignorancia e inexperiencia, Jane juraría que la primera vez que la había penetrado no la estaba utilizando para ese propósito. No había sido un mero cuerpo femenino. No había sido solo placer carnal.

Le había hecho el amor. A ella, como persona.

Y después se había arrepentido de demostrar semejante debilidad.

—Es un alivio, entonces —repuso ella con frialdad—. Tenía la esperanza de poder comenzar con los cambios que quiero realizar en otras estancias, pero ya he perdido la mayor parte de la tarde.

Jocelyn volvió la cabeza sin moverse del lugar que ocupaba y la miró fijamente.

—Jane, no hay forma de ponerte en tu sitio, ¿verdad?

—Si te refieres a que no voy a permitir que me hagas sentir como una puta —puntualizó ella—, tienes razón. Estaré disponible cuando me necesites. Así lo hemos acordado. Pero mi vida no girará en torno a tus visitas. No me pasaré los días mirando por la ventana ni estaré pendiente de la puerta por las noches.

Recordó con cierta culpabilidad que se había pasado toda la mañana paseando inquieta frente a la ventana. No volvería a hacerlo.

—Jane, si te parece —dijo él en voz baja al tiempo que entrecerraba los ojos de forma peligrosa—, te enviaré una nota para avisarte de mi visita cada vez que quiera acostarme contigo a fin de que me hagas un hueco en tu ocupada agenda.

—No me has escuchado —lo reprendió—. He firmado un contrato, de modo que pienso atenerme a mi palabra y asegurarme de que tú también lo hagas.

—¿Qué haces en tu tiempo libre? —le preguntó él mientras le daba la espalda a la ventana y le echaba un vistazo a la estancia—. ¿Sales?

—Al jardín trasero —contestó—. Es muy bonito, aunque necesita un poco de trabajo. Tengo ciertas ideas y he empezado a ponerlas en marcha.

—¿Lees? —Jocelyn frunció el ceño—. ¿Hay libros en esta casa?

—No —respondió, y bien que lo sabía él.

—Mañana por la mañana te llevaré a la biblioteca de Hookham —sentenció Jocelyn de forma brusca—, y pagaré tu cuota de suscripción.

—¡No! —exclamó con firmeza, pero después relajó el tono de voz—. No, gracias, Jocelyn. Tengo muchas cosas que hacer. Convertir un burdel en un hogar conlleva mucho trabajo y energía, ¿sabes?

—Jane, ese comentario ha sido una insolencia inmerecida, indigna de ti. —Se acercó a ella hasta detenerse delante del sillón. Parecía muy grande y amenazador, con los pies separados y su ceño fruncido—. Supongo que si te digo que vendré para acompañarte a dar un paseo por Hyde Park también estarás muy ocupada, ¿verdad?

—Sí —contestó, asintiendo a la vez con la cabeza—. No hace falta que te preocupes por mí.

Jocelyn la miró en silencio con una expresión tan inescrutable que no vio nada en él del hombre que la había amado poco antes con una pasión inconfundible. Parecía un hombre adusto, sin sentido del humor e inalcanzable.

Acto seguido, le hizo una repentina reverencia se volvió y salió de la sala.

Jane clavó la mirada en la puerta después de que él la cerrara, y aguzó el oído para escuchar cómo se abría y se cerraba la puerta principal. Se había ido. Sin decirle adiós ni decirle siquiera cuándo volvería.

En esa ocasión sí se sintió dolida.

Desolada.

15

La habitación contigua a la sala de estar contaba con un diván, una mullidísima alfombra, una increíble cantidad de espejos (que multiplicaban por diez el propio reflejo dependiendo del lugar que se ocupara, ya fuera de pie, sentado o tumbado) y los inevitables cojines y cachivaches. En opinión de Jane, las antiguas amantes del duque, que preferían su propia compañía a la de cualquier otra persona, la habían usado como salita privada, o tal vez como alternativa al dormitorio. Suponía que se trataba de lo segundo.

Había pasado por alto la estancia mientras redecoraban las dos habitaciones principales. Pero en ese momento, a su propio ritmo, se estaba apropiando de ella. La sala de estar lavanda era elegante por fin, pero no era suya.

Los espejos y el diván desaparecieron, sin importarle qué fuera de ellos. Envió al señor Jacobs a comprar un escritorio, una silla, papel, plumas y tinta. Mientras tanto, mandó a la señora Jacobs a comprar lino de buena calidad, un bastidor, madejas de seda de todos los colores y varios accesorios más.

El gabinete, una especie de refugio privado, tal como Jane pensaba en la habitación, se convertiría en su sala de escritura y de costura. Allí daría rienda suelta a su pasión por el bordado.

La noche posterior a la consumación de su relación con Jocelyn, estaba sentada en su gabinete, con el fuego crepitando en la chimenea. Se lo imaginó en una fastuosa cena, seguida de un baile todavía más fastuoso, e intentó no sentir envidia. Jamás había disfrutado de una temporada social. Primero pasó el año de luto por su madre y después su padre enfermó gravemente, aunque la animó a aceptar la oferta de lady Webb para presentarla en sociedad. Sin embargo, ella había insistido en quedarse para cuidarlo. Y después aconteció la muerte de su padre y el consiguiente año de luto. Y a partir de ese momento las circunstancias la hicieron quedar bajo la tutela del nuevo conde.

¿Bailaría Jocelyn esa noche?, se preguntó. ¿Bailaría un vals?

Sin embargo, no iba a regodearse en pensamientos deprimentes.

El corazón le dio un vuelco al escuchar que alguien llamaba a la puerta del gabinete. ¿Había regresado? Pero en ese instante vio que el mayordomo asomaba la cabeza, con expresión ansiosa.

—Le pido disculpas, señora —dijo el señor Jacobs—, pero acaban de llegar dos cajas muy grandes. ¿Qué quiere que haga con ellas?

—¿Cajas? —Jane enarcó las cejas y soltó la labor.

—De Su Excelencia —explicó el mayordomo—. Casi demasiado pesadas como para levantarlas.

—No espero nada. —Se puso en pie—. Será mejor que vaya a ver de qué se trata. ¿Está seguro de que las envía Su Excelencia?

—Oh, sí, señora —le aseguró él—. Sus propios criados las han traído y han explicado que son para usted.

Jane estaba intrigada, sobre todo después de ver las dos grandes cajas en mitad del suelo de la cocina.

—Por favor, abra una —dijo, y la señora Jacobs cogió un cuchillo para que su marido cortara la cuerda que cerraba una de las cajas.

Jane apartó la tapa y todos los criados (el mayordomo, el ama de llaves, la cocinera, la doncella y el criado) se inclinaron para echar un vistazo.

—¡Libros! —La doncella parecía decepcionadísima.

—¡Libros! —La señora Jacobs parecía sorprendida—. En

fin, nunca había mandado libros. Me pregunto por qué los ha enviado ahora. ¿Lee usted, señora?

—Por supuesto que sí —dijo el señor Jacobs con sequedad—. ¿Para qué si no iba a querer un escritorio, papel y tinta? A ver, dímelo.

—¡Libros! —exclamó Jane con un deje reverente en la voz y las manos pegadas al pecho.

Se percató de que los primeros eran de su propia biblioteca. Antes de tocar los ejemplares vio uno de Daniel Defoe, otro de Walter Scott, otro de Henry Fielding y uno de Alexander Pope.

—Me parece un regalo un poco raro —comentó la doncella—, perdone que lo diga, señora. Tal vez haya algo mejor en la otra caja.

Jane se estaba mordiendo el labio superior.

—Es un regalo que no tiene precio —replicó—. Señor Jacobs, ¿las cajas son demasiado pesadas para que Phillip y usted las lleven al gabinete?

—Las puedo trasladar yo solo, señora —se apresuró a asegurar el joven criado—. ¿Quiere que también saque los libros?

—No. —Jane le sonrió—. Eso lo haré yo, gracias. Quiero verlos uno a uno. Quiero ver qué ha escogido para mí.

Daba la casualidad de que había una estantería en el gabinete, si bien había estado decorada con adornos de pésimo gusto antes de que Jane la limpiara.

Pasó dos horas arrodillada junto a las cajas, sacando los libros de uno en uno, organizándolos con cuidado en las baldas, meditando cuál debería leer primero.

Y de vez en cuando tuvo que parpadear deprisa e incluso limpiarse los ojos con un pañuelo porque se lo imaginó volviendo a casa esa tarde y escogiendo todos esos libros para ella. Sabía que no se había limitado a ordenarle al señor Quincy que los eligiera en su lugar. Entre los libros estaban algunos de los que ella había mencionado como sus preferidos.

Ni una costosa joya le habría gustado tanto como los libros. Y sabía que sus arcas ni siquiera habrían notado el gasto de dicho regalo. ¡Pero los libros…! Sus propios libros, porque no los había comprado. Había sacado esos ejemplares de su propia biblioteca, y entre ellos también se encontraban algunos de los títulos preferidos de Jocelyn.

Un parte de la soledad que la había embargado a lo largo de la tarde se disipó. Así como también lo hizo parte del desconcierto que sintió al verlo marcharse de forma tan repentina, sin despedirse. Sin duda había regresado directo a su casa y había pasado un rato en la biblioteca. Por ella.

No podía permitirse enamorarse todavía más de él, se dijo con firmeza. Y no podía, bajo ninguna circunstancia, permitirse amarlo.

Jocelyn estaba complaciendo a una nueva amante. Nada más.

Pero leyó feliz hasta la medianoche.

A la mañana siguiente el duque de Tresham entró a caballo en Hyde Park a la hora en la que solía encontrarse con un grupo de amigos en Rotten Row. La lluvia había escampado durante la noche y el sol brillaba, haciendo que las gotas relucieran cual diamantes sobre la hierba. Por suerte para su necesidad de distracción, se topó con sir Conan Brougham y el vizconde de Kimble casi de inmediato.

—Tresh —lo saludó el vizconde cuando Jocelyn se unió al grupo—, te esperábamos para cenar en White's.

—Cené en casa —replicó. Y lo había hecho. Había sido incapaz de cenar con Jane ya que tenía las emociones a flor de piel y no había querido que ella se diera cuenta. Y aunque se había arreglado para salir, no lo había hecho. No sabía muy bien por qué.

—¿Solo? —preguntó Brougham—. ¿Ni siquiera con la compañía de la deliciosa señorita Ingleby?

—Jamás ha cenado conmigo —respondió Jocelyn—. Como recordarás, era una sirvienta.

—Me encantaría que me sirviera —comentó Kimble con un suspiro dramático.

—Y no fuiste al baile de lady Halliday —señaló Brougham.

—Me quedé en casa —dijo Jocelyn.

Se dio cuenta de que sus amigos intercambiaban una mirada antes de echarse a reír a carcajadas.

—Vaya, Tresham —dijo Brougham—, ¿quién es? ¿Alguna conocida?

—¿Acaso un hombre no puede decir que ha pasado una noche tranquila en casa sin levantar sospechas? —Jocelyn azuzó a su caballo para ponerlo al trote. Sin embargo, sus amigos, que hicieron lo propio para no quedarse atrás, no se dieron por vencidos y lo flanquearon al cabo de un momento.

—Es nueva si le impidió que fuera a cenar a White's y lo mantuvo alejado de la sala de juegos de lady Halliday, Cone —sentenció Kimble.

—Y lo mantuvo despierto toda la noche a juzgar por el mal humor de esta mañana —comentó Brougham.

Estaban hablando con Jocelyn en medio, los dos muy sonrientes, como si él no estuviera allí.

—Idos al cuerno —les dijo.

Pero sus amigos recibieron la desagradable invitación con más carcajadas.

Fue un alivio ver que Angeline se acercaba caminando con su amiga, la señora Stebbins. Estaban dando un paseo matinal.

—¡Qué hombre más irritante! —exclamó su hermana en cuanto Jocelyn estuvo lo bastante cerca como para escucharla—. ¿Por qué nunca estás en casa cuando voy a verte, Tresham? Me tomé la molestia de ir a Dudley House ayer por la tarde porque Heyward me dijo que te habías marchado de White's antes del almuerzo. Estaba convencida de que habrías vuelto a casa.

Jocelyn jugueteó con el cordón de su monóculo.

—¿De verdad? —preguntó—. Sería una redundancia informarte de que te equivocaste. Si se me permite preguntarlo, ¿a qué se debe esa muestra de afecto fraternal? Buenos días, señora Stebbins. —Se llevó la fusta al ala del sombrero e inclinó la cabeza.

—Es la comidilla de todo el mundo —dijo Angeline mientras su amiga le hacía una genuflexión a Jocelyn—. Lo he oído en tres ocasiones estos dos últimos días, por no mencionar que Ferdie también me lo contó ayer cuando lo vi. Así que seguro que tú lo has oído. Pero insisto en que me prometas que no vas a cometer una tontería, Tresham, o mis nervios no lo soportarán. Y también me tienes que prometer que defenderás el honor familiar, cueste lo que cueste.

—Espero que tarde o temprano tengas la intención de comunicarme el tema de esta fascinante conversación, Angeline. ¿Puedo sugerir que sea lo segundo, ya que Cavalier sigue bastante inquieto?

—Se comenta que los hermanos Forbes abandonaron la ciudad por miedo a que te vengaras de lo que intentaron hacerle a Ferdie.

—Y hacen bien en tener miedo —replicó—. Si ese ha sido el verdadero motivo de su desaparición, veo que entre los tres tienen un mínimo de seso.

—Pero ahora lo comentan como una verdad absoluta... ¿No es cierto, Maria? —Angeline se volvió hacia la señora Stebbins en busca de confirmación—. El señor Hammond lo mencionó en el baile de la señora Bury-Haugh hace dos días y todo el mundo sabe que su esposa es prima segunda de la señora de Wesley Forbes. Así que debe de ser verdad.

—Inequívocamente, diría yo —convino Jocelyn con sequedad, mientras observaba con su monóculo a los otros paseantes que transitaban por el otro lado de la valla y a los jinetes que cabalgaban por la pista.

—No están satisfechos —anunció Angeline—. ¿Puedes creerte la tremenda desfachatez, Tresham? ¡Cuando Ferdie podría haberse matado! No están conformes porque tú ibas en el tílburi y solo acabaste con los guantes de cuero rotos. Y ellos siguen jurando que van a vengarse de ti. Cuando todo el mundo sabe que eres tú el ofendido. Se han ido en busca de refuerzos y se espera que regresen en cualquier momento.

Jocelyn se volvió con una floritura para mirar el extenso prado que tenía detrás.

—Pero todavía no han vuelto, Angeline —repuso—. ¿Debo

suponer que los refuerzos a los que te refieres son el reverendo Josiah Forbes y el capitán Samuel Forbes?

—Serán cinco contra uno —señaló su hermana con gesto teatral—. O cinco contra dos, si contamos a Ferdie, porque insiste en que debe ser así. Serían cinco contra tres si Heyward no se negara a sumarse, con esa odiosa costumbre de no involucrarse en chiquilladas. Creo que voy a quitarle un arma y a empezar a practicar el tiro de nuevo. Al fin y al cabo, soy una Dudley.

—Te ruego que no lo hagas —dijo Jocelyn con firmeza—. Si demuestras tener la misma puntería que de pequeña, no sabríamos dónde íbamos a correr más peligro, si delante o detrás de ti. —Levantó de nuevo el monóculo y la miró de la cabeza a los pies—. Llevas un bonete la mar de elegante —comentó—. Pero las amapolas desentonan lamentablemente con el rosa de tu vestido mañanero.

—Lord Pym se ha detenido para hablar con nosotras hace diez minutos —replicó ella con un movimiento de cabeza— y el muy tonto me ha dicho que parezco un valle delicioso donde desearía poder pasear a solas. ¿A que sí, Maria?

—¿De verdad? —Jocelyn adoptó al punto una actitud gélida—. Espero, Angeline, que le recordaras a lord Pym que eres la hermana del duque de Tresham.

—He suspirado melancólicamente y después me he reído de él —le aseguró su hermana—. Solo ha sido un halago inocente, Tresham. ¿De verdad crees que permitiría que algún hombre se tomara libertades? Cuando se lo diga a Heyward, mirará al techo y después me dirá que… En fin… —Se ruborizó y soltó una carcajada antes de despedirse de Kimble y de Brougham con un gesto de la cabeza, aferrar el brazo de Maria Stebbins y continuar con su paseo.

—Londres necesita otro escándalo —comentó Jocelyn mientras reanudaba la marcha con sus amigos—. Al parecer, nadie tiene otra cosa de lo que hablar estos días salvo de esos canallas cobardes que afirman ser parientes de lady Oliver.

—Por Dios, seguro que están temblando de miedo —dijo el vizconde de Kimble— desde que Joseph Forbes cometió la imprudencia de asumir la responsabilidad en nombre de todos ellos por los arañazos de tus manos. Pero también es seguro que están planeando más tropelías… nada tan directo como un duelo, por supuesto.

—Puede que no les quede más remedio… salvo que quieran perder el respeto y lo poco que les queda de honor —repuso Jocelyn—. Pero ya basta del tema. Estoy harto. Vamos a disfrutar del aire fresco y del sol.

—¿Para despejar las telarañas? —sugirió Brougham, inclinándose un poco hacia delante para dirigirse a su otro amigo, que seguía al otro lado de Jocelyn—. Kimble, ¿te has fijado en que según lady Heyward Tresham no estuvo en casa ayer por la tarde? ¿Estuvo contigo?

—No estuvo conmigo, Cone —contestó el vizconde, muy serio—. ¿Y contigo?

—No lo he visto desde ayer por la mañana y hasta hace un rato —respondió Brougham—. Tiene que ser muy nueva y muy retozona.

—¡Maldición! —Kimble detuvo su caballo de repente y echó la cabeza hacia atrás con una carcajada tan fuerte que casi se cayó de la silla y necesitó de toda su habilidad para controlar su caballo—. La hemos tenido delante de las narices, Cone —dijo cuando fue capaz de hablar—. Me refiero a la respuesta.

Los caballos de Conan Brougham y de Jocelyn hacían cabriolas no muy lejos de él.

—¡La deliciosa señorita Ingleby! —exclamó Kimble—. Menudo canalla, Tresh. Nos has mentido. La estás manteniendo. Y ella te mantuvo alejado de los amigos, de las obligaciones y de tu cama (la de tu casa, digo) casi todo el día de ayer y casi toda la noche. Debe de haber cumplido con creces el tremendo potencial que demostraba tener.

—Lo hemos tenido delante todo el tiempo, ¿no? —convino Brougham con una sonrisa—. Incluso bailaste con ella, Tresham. Un vals nada menos. Y no podías quitarle los ojos de encima. ¿A qué viene tanto secretismo, amigo mío?

—Creo que llevaré luto a partir de ahora —dijo Kimble con

un suspiro exagerado—. Había pensado contratar a un investigador de Bow Street para buscarla.

—Al cuerno los dos con mis bendiciones —replicó Jocelyn con su habitual arrogancia—. Ahora, y si me perdonáis, el desayuno me espera en Dudley House.

Al principio reinó el silencio, pero después sus amigos estallaron en carcajadas mientras él ponía rumbo con parsimonia hacia su casa.

No era así, se repetía como un tonto. No era así.

Pero si no era así, si no era un hombre con una nueva amante que disfrutaba de la novedad de ese cuerpo femenino con el que se complacía, ¿cómo era?

Detestaba la idea de que incluso sus amigos íntimos se echaran unas risas a costa de Jane.

Debía de haberlo oído llegar. Volvía a estar en la puerta de la sala de estar, con un vestido amarillo claro en esa ocasión, otro vestido nuevo de corte clásico y sencillo. Parecía que Jane tenía un gusto excelente en cuanto a la ropa, una vez que se había visto obligada a quitarse esas monstruosidades grises.

Le entregó el sombrero y los guantes al mayordomo y se acercó a ella. Jane le sonrió con una calidez sorprendente y extendió las dos manos hacia él, desconcertándolo por completo. Había estado de un humor de perros con el mundo, incluso con ella, y enfadadísimo consigo mismo por no poder controlar el impulso de visitarla de nuevo esa tarde.

—Gracias —dijo ella al tiempo que le daba un apretón en las manos cuando él se las tendió—. ¿Cómo puedo darte las gracias?

—¿Por los libros? —Frunció el ceño. Se había olvidado de los libros. Su intención era la de llevarla a la cama directamente y saciar su deseo con ella antes de marcharse para continuar con el resto del día, sin que lo distrajeran los pensamientos sobre Jane. Su intención era la de corregir el rumbo de esa relación y llevarla a donde quería. Al mismo tiempo detestaba pensar en los comentarios soeces de Kimble y de Brougham, que seguro que tendría que soportar esa noche, a sabiendas de que tenían algo de razón—. Una nimiedad —comentó con sequedad. Se zafó de sus manos y le hizo un gesto para que ella entrara en primer lugar.

—Para ti, tal vez —repuso ella—. Pero para mí es muy importante. No te haces una idea de lo mucho que he echado de menos leer desde que me mudé.

—¿Y por qué narices no me dejaste llevarte a la biblioteca? —preguntó, irritado, mientras cerraba la puerta y echaba un vistazo a su alrededor.

¿Y por qué narices se avergonzaba tanto de que la vieran? Sus otras amantes se habían vuelto locas de contentas cuando las acompañaba a algún lugar donde pudieran verlas en su compañía.

Seguramente era la hija de un dichoso clérigo. Pero que lo partiera un rayo si empezaba a sentirse culpable por haberle quitado la virginidad.

Por supuesto, Jane no pensaba contestar la pregunta. Se limitó a sonreír, ladeando la cabeza.

—Esta tarde estás de mal humor —señaló—. Pero no pienso dejarme amilanar. ¿Ha ocurrido algo de lo que desees hablar?

La pregunta estuvo a punto de arrancarle una carcajada.

—Los hermanos Forbes han huido de la ciudad en busca de refuerzos —contestó—. Les da miedo enfrentarse a mí aunque sería tres contra uno. Planean ampliar esa ventaja al ser cinco contra uno. Pronto descubrirán que yo sigo teniendo las de ganar. Lidiar con matones y cobardes me provoca cierto placer.

Jane suspiró.

—Los hombres y su orgullo —dijo—. Supongo que seguirás peleándote cuando tengas ochenta años, si acaso llegas a cumplirlos. ¿Por qué no te sientas? ¿Pido que nos traigan té? ¿O quieres subir de inmediato?

De repente, por raro y alarmante que pareciera, no la deseaba. No en la cama. No en ese momento. Porque parecía demasiado… ¿demasiado qué? ¿Sórdido? De nuevo estuvo a punto de soltar una carcajada.

—¿Dónde están los libros? —quiso saber—. ¿En el dormitorio? ¿En el ático?

—En la habitación contigua —contestó ella—. La he redecorado para mi uso particular cuando no estés aquí. Considero ese gabinete como mi refugio privado.

Jocelyn detestaba la sala de estar. Aunque se había convertido en un lugar elegante y refinado, seguía recordándole a una sala de espera, a ese espacio impersonal donde se observaban ciertas convenciones antes del inevitable paso al dormitorio. Y no había toques personales que convirtieran esa estancia en la sala de estar de Jane.

—Llévame —le ordenó.

Debería haber adivinado que Jane no se daría la vuelta sin más y lo conduciría, cabizbaja, a la habitación.

—Es mi estancia —dijo ella—. Aquí es donde te entretengo… y supongo que de vez en cuando también usaremos el comedor. El dormitorio es donde te concedo tus derechos contractuales. Considero el resto de la casa como mis dominios personales.

Jocelyn apretó los labios, indeciso entre alzar la voz solo por la satisfacción de verla saltar de miedo y echar la cabeza hacia atrás para soltar una carcajada.

¡Derechos contractuales, por el amor de Dios!

—Señorita Ingleby —dijo con voz burlona, haciéndole su reverencia más elegante—, ¿me concedería el privilegio de ver su gabinete privado?

La vio titubear, mordiéndose el labio inferior, antes de asentir con la cabeza.

—Muy bien —accedió ella, y se volvió para salir de la estancia delante de él.

El gabinete era Jane. Lo sintió nada más entrar. Tuvo la sensación de haber entrado en su mundo por primera vez. Un mundo elegante y refinado, a la par que acogedor y dedicado al trabajo.

La alfombra y las cortinas en tonos beige siempre le habían dado un aire tristón a la estancia, y todos los intentos de sus predecesoras por iluminar la habitación con cojines, mantas y fruslerías espantosas solo habían conseguido aumentar dicha sensación. Los espejos, añadidos por Effie, la habían multiplicado. De modo que había adquirido la costumbre de no pisar esa estancia.

En ese momento, los tonos neutros, que Jane no había intentado enmascarar, le conferían una sensación de paz a la habitación. El diván había desaparecido. Al igual que los espejos, aunque no era una sorpresa. Había añadido unos cuantos sillones elegantes, así como un escritorio y una silla; y en la mesa había suficientes cuartillas como para indicar que no solo estaban allí a efectos decorativos. La estantería estaba llena con sus libros, si bien uno estaba abierto sobre una mesita auxiliar junto al sillón situado cerca de la chimenea. Delante del sillón, al otro lado de la chimenea, se encontraba un bastidor donde había montado un trozo de lino. Sobre la tela descansaban hebras de hilo de seda, tijeras y agujas.

—¿Puedo sentarme? —preguntó.

Jane le indicó el sillón junto al libro.

—Si quieres —sugirió ella—, puedes deducir el coste del escritorio y de la silla de mi salario, dado que los compré para mi uso privado.

—Creo recordar que te di carta blanca en cuanto a la renovación de la casa, Jane. Deja de decir tonterías y siéntate. En fin, es que soy demasiado educado como para sentarme antes de que tú lo hagas.

Se sentía incómoda, era evidente. Se sentó en el borde de un sillón, un poco apartada.

—Jane —dijo, impaciente—, siéntate delante del bastidor. Deja que te vea bordar. ¿Debo suponer que es otra habilidad que aprendiste en el orfanato?

—Sí —contestó ella al tiempo que ocupaba su lugar y cogía la aguja.

La observó en silencio durante un rato. Era la personificación de la belleza y de la elegancia. Una dama de los pies a la cabeza. Caída en desgracia, sin duda alguna, obligada a ir a Londres en busca de trabajo, obligada a trabajar como aprendiz de costurera, obligada a convertirse en su enfermera, obligada a convertirse en la amante de alguien. No, en ese caso no estaba obligada. No iba a aceptar esa culpa. Le había ofrecido una alternativa magnífica. Raymore la habría convertido en una estrella.

—Esto siempre ha sido mi ideal de felicidad doméstica —dijo al cabo de un momento, sorprendiéndose a sí mismo por esas palabras, que había pronunciado sin pensar.

Jane alzó la vista brevemente del bordado.

—Una mujer bordando junto al fuego —continuó—. Un hombre al otro lado de la chimenea. Paz y tranquilidad a su alrededor y el mundo en orden.

Jane bajó la cabeza una vez más para concentrarse en su labor.

—¿No lo conociste en tu casa cuando eras pequeño? —quiso saber ella.

Soltó una carcajada desabrida al escucharla.

—Estoy convencido de que mi madre no diferenciaba la punta del ojo de la aguja —contestó—, y mis padres no estaban enterados de que era posible sentarse de vez en cuando con la familia frente a la chimenea.

Él tampoco lo hacía. ¿De dónde salían esas ideas?

—Pobre niño —se compadeció ella en voz baja.

De repente, Jocelyn se puso en pie y se acercó a la estantería.

—¿Has leído *Mansfield Park*? —le preguntó a Jane al cabo de un minuto.

—No. —Ella volvió a levantar la vista—. Pero he leído *Sentido y sensibilidad* de la misma autora y me gustó muchísimo.

Sacó el ejemplar del estante y regresó a su sillón.

—Lo leeré en voz alta mientras bordas —se ofreció.

No recordaba haber leído en voz alta, salvo durante sus clases cuando niño. No recordaba que nadie le hubiera leído en voz alta hasta que Jane lo hizo mientras él estaba incapacitado. La experiencia le resultó inesperadamente tranquilizadora, aunque nunca le había prestado especial atención. Abrió el libro y comenzó a leer.

—Hará cosa de treinta años, la señorita Maria Ward, de Huntingdon, con apenas siete mil libras, tuvo la buena fortuna de cautivar a sir Thomas Bertram, de Mansfield Park…

Leyó dos capítulos más antes de parar y dejar el libro en su regazo. Después, siguieron sentados en silencio durante un rato. Un silencio que se le antojaba comodísimo. Se percató de que estaba repantingado en el sillón. Podría quedarse dormido con toda la facilidad del mundo. Se sentía… ¿Cómo se sentía? ¿Contento? Desde luego. ¿Feliz? La felicidad era algo con lo que tenía muy poca experiencia, si acaso tenía alguna, de modo que no sabría apreciarla.

Se sentía aislado del mundo. Apartado de la persona que solía ser. Con Jane. Quien desde luego estaba apartada de su mundo y de la persona que había sido, fueran los que fuesen. ¿Se podía perpetuar esa sensación?, se preguntó. ¿Indefinidamente? ¿Para siempre?

¿O podría convertirse al menos en un refugio ocasional esa habitación que era tan de Jane y donde él se sentía cómodo, en paz y contento… todo lo contrario a su habitual estilo de vida?

Debería acabar con esos sueños tontos, irreales y atípicos sin más dilación, pensó. Debería marcharse… o llevársela a la cama.

—¿Qué estás haciendo? —le preguntó en cambio.

Jane sonrió sin alzar la vista.

—Un mantel —contestó—. Para la mesa del comedor. Tenía que ocuparme de algo. Siempre me ha apasionado bordar.

La observó un buen rato con los párpados entornados y expresión adormilada. El bastidor estaba inclinado hacia el lado contrario, de modo que no podía ver el diseño. Pero las hebras de seda eran en tonos otoñales, y todas combinaban con un gusto exquisito.

—¿Te pondrás de uñas si me acerco a mirar? —le preguntó.

—Por supuesto que no. —Parecía sorprendida—. Pero no tienes la obligación de ser educado, que lo sepas. Seguro que no te interesa mi bordado.

No se molestó en contestar. Se levantó de su mullido y cómodo sillón, y dejó el libro cerrado sobre el que ella tenía abierto.

Jane estaba bordando un paisaje boscoso otoñal en una de las esquinas de la tela.

—¿De dónde has sacado el patrón que estás bordando? —le preguntó. Le gustaría ver la escena completa.

—De mi cabeza —contestó ella.

—Ah. —En ese momento entendió la pasión a la que se había referido. No se trataba únicamente de que fuera buena con la aguja—. Eso quiere decir que para ti es un arte. Tienes muy buen ojo para los colores y los diseños.

—Por raro que parezca —repuso ella—, nunca he sido capaz de plasmar mis visiones en papel o en lienzo. Pero a través de la aguja las imágenes fluyen con facilidad de mi cabeza a la tela.

—Nunca se me ha dado bien pintar paisajes —confesó—. Siempre me ha parecido que la naturaleza lo hacía muchísimo mejor de lo que yo podría hacerlo. Las caras humanas son otra cuestión. Hay mucha vida y carácter que plasmar.

Nada más pronunciar esas palabras, deseó haberse mordido la lengua. Se enderezó con cierta vergüenza.

—¿Pintas retratos? —Jane lo miró con un brillo de interés en los ojos—. Siempre lo he tenido por la expresión artística más difícil de todas.

—Soy un simple aficionado —respondió con tirantez al tiempo que se acercaba a la ventana y clavaba la vista en el jardincito, que, según se percató, estaba muy bien cuidado. ¿Siempre habían estado ahí esas rosas?—. En pasado. Era un aficionado.

—Supongo que no era una actividad viril —aventuró ella en voz baja.

Su padre había usado unas palabras muchísimo más gráficas y mordaces.

—Me gustaría pintarte —se oyó decir—. Tu rostro tiene muchísimas cosas además de una belleza exquisita. Será un desafío monumental.

A su espalda solo hubo silencio.

—En la planta superior satisfaremos nuestras pasiones

sexuales —continuó—. Aquí podríamos satisfacer otras, Jane, si así lo deseas. Lejos de las miradas indiscretas y de las sonrisas condescendientes del mundo. Para eso has creado esta habitación, ¿verdad? Un refugio privado, en tus propias palabras, un lugar donde puedes ser tú misma, donde el resto de circunstancias de la vida, incluido el hecho de ser mi amante, pueden quedar relegadas y ser… simplemente Jane.

Volvió la cabeza. Jane lo miraba sin pestañear, con la aguja suspendida sobre la tela.

—Sí —reconoció ella.

—Y yo soy la última persona con la que querrías compartir la estancia. —La miró con una sonrisa triste—. No voy a insistir. En el futuro me entretendrás en la sala de estar cuando no nos encontremos en el dormitorio.

—No. —Jane tardó un instante en explicarse—. No, ya no pienso que esta estancia sea mía, ahora creo que es nuestra. Un lugar donde nuestro contrato y nuestra supuesta posición social en la vida no tienen importancia. Un lugar donde puedes pintar y leer, donde yo puedo bordar y escribir; un lugar donde puede haber una mujer a un lado de la chimenea y un hombre al otro. Un lugar de paz y de tranquilidad, donde el mundo está en orden. Estás invitado a sentirte como en casa en esta habitación cada vez que quieras, Jocelyn.

La miró por encima del hombro en silencio un buen rato. ¿Qué narices estaba pasando? Solo podía haber un motivo, una pasión que lo llevara a esa casa. No quería que hubiera ningún otro. Porque podía acabar dependiendo de dicho motivo… de ella. Y sin embargo, sentía un doloroso anhelo en el corazón.

¿Por qué?

—¿Quieres un poco de té? —Jane clavó la aguja en la tela mientras se ponía en pie—. ¿Pido que nos traigan una bandeja?

—Sí. —Unió las manos a la espalda—. Sí, por favor.

Jane tiró del cordón de la campanilla.

—Aquí hay sitio de sobra —comentó él—. Voy a hacer que traigan un piano. ¿Puedo? —Apenas podía creerse que le estuviera pidiendo permiso.

—Por supuesto. —Ella lo miró muy seria—. Es nuestra habitación, Jocelyn. Tan tuya como mía.

Por un momento pensó que tal vez fuera felicidad la emoción que estaba a punto de embargarlo. Sin embargo, pronto reconoció otra emoción igual de desconocida.

Pánico.

16

A pesar de acostarse temprano, Jane no pudo conciliar el sueño. Después de una hora, cejó en el empeño. Salió de la cama, encendió una vela, se puso una bata abrigada encima del camisón de lino y unas pantuflas, y bajó a su gabinete. Al gabinete de ambos. Al refugio, como él lo había llamado.

El señor Jacobs seguía levantado. Le pidió que encendiera el fuego. El muchacho que habían contratado como criado llevó el carbón y le preguntó si necesitaba algo más.

—No, gracias, Phillip —contestó ella—. Eso es todo. Creo que seré capaz de volver sola a mi habitación cuando me canse.

—Sí, señora —replicó el criado—. No se olvide de poner la pantalla protectora delante de la chimenea cuando se marche.

—Lo haré. —Sonrió—. Gracias por recordármelo. Buenas noches.

—Buenas noches, señora.

Decidió que leería hasta que se le cerraran los ojos por el cansancio. Se sentó junto al fuego, en el sillón que Jocelyn había ocupado esa tarde, y cogió un libro. No el que él había estado leyendo en voz alta. Ese lo dejó donde estaba. Tal vez quisiera continuar por el tercer capítulo la próxima vez que la visitara. Abrió el libro que ella había estado leyendo la noche anterior por la página marcada y se lo colocó en el regazo.

Clavó la mirada en el fuego.

No debería haberle permitido la entrada a esa estancia. Sabía que ya no volvería a pensar en el gabinete como suyo. Porque era de los dos. Todavía sentía su presencia. Y lo veía tal cual lo había visto esa tarde, repantingado sin perder la elegancia en el sillón que ella ocupaba en ese instante. Escuchaba su voz mientras leía *Mansfield Park* como si estuviera inmerso en la historia, al igual que ella. Y lo veía plantado frente a la ventana…

Era injusto. Podría haber enfrentado su nueva vida si la relación hubiera discurrido por su cauce natural, por el cauce esperado: un cauce puramente sexual. Poseía la suficiente experiencia como para comprender que el sexo no era amor, sobre todo si se trataba de sexo entre un duque libertino y su amante. Pero no sabía qué era lo que había entre ellos.

Jocelyn había pasado más de dos horas con ella esa tarde en el gabinete. Con su amante. Sin tocarla ni una sola vez. No la había llevado a la cama. Después del té, durante el que habían hablado sobre la guerra y la reforma política (ella era pacifista, él no; ella estaba completamente a favor de las reformas, él se mostraba más cauto), Jocelyn se puso en pie de repente, le dijo adiós mientras le hacía una reverencia y se marchó.

Y la dejó vacía por dentro. Aunque esa definición no era muy exacta, porque de ser así no se habría sentido tan agitada. Física, mental y emocionalmente.

Porque durante todo el tiempo que habían pasado juntos en el gabinete, Jocelyn no había sido el duque de Tresham. Había sido Jocelyn. Pero un Jocelyn con muchas menos reservas de las acostumbradas. Un Jocelyn sin máscara. Una persona necesitada de ser quien era porque nunca lo había sido. Un hombre que buscaba amistad, aceptación y … ¡Ay, sí!

Jane suspiró.

Un hombre necesitado de amor.

Pero dudaba mucho de que él aceptara alguna vez el regalo más grande, aun cuando en el fondo de sí mismo reconociera que lo necesitaba.

Dudaba todavía más de su capacidad para devolver dicho regalo.

¿Y quién era ella para ofrecérselo? Una fugitiva. Una asesina.

No, eso no. Comenzaba a creérselo. Era imposible que el golpe que le había asestado a Sidney fuera el culpable de su muerte.

Se estremeció por los recuerdos.

Y después apoyó la cabeza en el respaldo del sillón y escuchó que el señor Jacobs o Phillip cerraban la puerta principal. Al cabo de un momento alguien llamó a la puerta del gabinete.

—Adelante —dijo. Debía de ser media noche, o quizá más tarde. Los criados deberían estar en la cama.

Jocelyn entró con una apariencia poderosa y satánica, ya que una larga capa negra lo cubría desde el cuello hasta los pies. Se detuvo en el vano de la puerta, con una mano en el picaporte, y Jane sintió que el corazón le daba un vuelco. Supo sin lugar a dudas que esa tarde había sido desastrosa para ella.

—¿Todavía levantada? —le preguntó Jocelyn—. He visto luz por debajo de la puerta.

—¿Tienes llave? —le preguntó ella a su vez.

—Por supuesto —contestó él—. La casa es mía.

Jane se puso en pie y se acercó a él. No esperaba verlo esa noche.

Y después pasó algo extraño. Mientras ella se acercaba, Jocelyn soltó el picaporte y extendió los brazos, un movimiento que dejó a la vista el forro de seda blanca de la capa y su elegante atuendo de gala, en blanco y negro. Sin embargo, apenas se fijó en su esplendorosa vestimenta. Siguió andando y no tardó en encontrarse envuelta por la capa mientras levantaba la cabeza y él inclinaba la suya.

Fue un beso largo, apasionado y feroz. Pero, extrañamente, no hubo nada sexual en él. Jane tenía poca experiencia en el tema, pero supo de forma instintiva que no se trataba de un hombre besando a su amante antes de llevársela a la cama. Era Jocelyn. Y estaba besándola a ella, a Jane.

Cuando el beso llegó a su fin, volvía a ser el duque de Tresham.

—Esta noche te haré trabajar, Jane —dijo.

—Por supuesto. —Ella se apartó con una sonrisa.

Y después jadeó, asustada, cuando él la aferró con fuerza por la muñeca y la miró con expresión fría y desabrida.

—¡No! —exclamó con ferocidad—. Ni se te ocurra sonreírme de esa forma, Jane. Como si fueras una coqueta hastiada, que oculta su cinismo tras una fría sonrisa a modo de invitación. Nada de «por supuesto». Si no me deseas, mándame al cuerno y me iré.

Jane se zafó de sus dedos con un tirón.

—¿Qué esperas si me dices que me vas a hacer trabajar? —le preguntó, furiosa—. ¿Acaso una mujer trabaja en la cama cuando está con un hombre a quien desea? Cuando lo llamas «trabajo», me conviertes en una puta.

—Tú eres la que ha hablado de términos contractuales, obligaciones y derechos —le recordó con una mirada tan fría como el acero—. ¿En qué me convierte eso a mí? En un hombre que paga para tener acceso a tu cuerpo. En un hombre que ha comprado los servicios de una puta. Te convierte en una mujer que trabaja cuando se abre de piernas para mí. Así que no me vengas con esos arranques de indignación y esperes que yo me limite a agachar la cabeza. Por mí puedes irte al cuerno.

—Y tú puedes… —Dejó la frase en el aire y se obligó a tomar aliento para calmarse. El corazón le latía desbocado—. Otra vez estamos discutiendo. ¿Ha sido culpa mía en esta ocasión? Lo siento si es así.

—La culpa la tiene ese dichoso contrato —refunfuñó él.

—Del cual yo soy culpable. —Jane esbozó una sonrisa fugaz—. Jocelyn, te aseguro que me alegro mucho de verte.

La ira y la frialdad desaparecieron de su rostro.

—¿De verdad, Jane? —le preguntó.

Ella asintió con la cabeza.

—Y de verdad que te deseo.

—¿De verdad? —Jocelyn la miró con expresión pensativa. Sus ojos parecían muy negros.

¿Ese era el duque de Tresham? ¿Un hombre inseguro? ¿Un hombre que dudaba de ser bien recibido?

—Acabo de decirlo aquí, en la estancia donde hemos acordado no aplicar las condiciones del contrato —respondió—, de modo que debe ser verdad. Acompáñame a la cama.

—Vengo del teatro —le explicó él—. Kimble me invitó a cenar en su casa con su grupo, pero le dije que prefería caminar hasta allí a ir apretujado en un carruaje. Pero en cambio he descubierto que mis piernas me traían hasta aquí. ¿Cómo lo interpretas, Jane?

—Supongo que necesitabas una buena discusión con alguien que no diera su brazo a torcer —respondió ella.

—Pero has sido la primera en disculparte —le recordó Jocelyn.

—Porque estaba equivocada —reconoció—. En fin, no tengo por costumbre insistir para ganar una discusión a toda costa. No como hacen otros que conozco…

Jocelyn la miró con una sonrisa feroz.

—Lo que significa, supongo —replicó—, que has dicho la última palabra, como siempre. Ven, Jane. Ya que he venido a eso y que tú me has invitado, vamos a la cama.

El deseo físico volvió a dejarla sin aliento mientras pasaba al lado de Jocelyn y lo precedía escaleras arriba. Se percató de que él no la seguía de inmediato. Se había detenido para colocar la pantalla protectora delante de la chimenea.

Lo que era, probablemente, pensó con una sonrisa, uno de los gestos más domésticos que el duque de Tresham había hecho en la vida.

Kimble le tomaría el pelo sin piedad por la mañana, pero a Jocelyn le daba igual. ¿Cuándo le había importado lo que pensaran o dijeran de él… aunque fueran sus amigos? Y las bromas serían benévolas en su caso.

Lo cierto era que se había visto obligado a volver esa noche. Los extraños acontecimientos de la tarde lo habían inquietado más de lo que estaba dispuesto a admitir. Se había visto obligado a volver solo para recuperar la normalidad en la relación con su amante. Para ponerla a trabajar.

Había sido un error emplear esas palabras con ella, por supuesto. Pero no estaba acostumbrado a ir con cuidado para no herir la sensibilidad de los demás.

Se desvistió, apagó las velas y se metió en la cama con ella. Le había ordenado que se dejara su recatado y bonito camisón. Por extraño que pareciera, le resultó muy erótico aferrarlo por el borde y subírselo por las piernas y las caderas, hasta llegar a la cintura. Esa noche no quería preliminares. Quería hacer lo que había ido a hacer antes de perder otra vez el control de la situación. Le introdujo una mano entre los muslos y la exploró. Estaba preparada. Se colocó sobre ella, le separó las piernas con una rodilla, le colocó las manos bajo las nalgas y la penetró.

Su cuerpo lo acogió, relajado y húmedo. Comenzó a moverse con un ritmo vigoroso mientras procuraba verla simplemente como a una mujer. Mientras intentaba convencerse de que su deseo solo era sexual.

No obstante, falló de forma estrepitosa en ambos casos.

Rara vez besaba a sus compañeras de cama. Era innecesario, además de ser un gesto demasiado personal para su gusto. Pero besó a Jane.

—Jane… —murmuró sobre sus labios—, dime que querías que volviera, que no has dejado de pensar en mí en toda la tarde.

—¿Para qué? —le preguntó ella—. ¿Para que vuelvas a advertirme que no debo depender hasta ese punto de ti? No me molesta que hayas venido. Me alegra. Me parece lo adecuado.

—Maldita seas —masculló—. Maldita seas.

Jane guardó silencio mientras él seguía a lo suyo. Pero justo cuando estaba al borde del clímax, cuando estaba a punto de acelerar el ritmo y la profundidad de sus embestidas, ella lo abrazó por la cintura y dobló las piernas para levantar las caderas a fin de permitirle un mejor acceso.

—Jocelyn —susurró—, no tengas miedo. Por favor, no tengas miedo.

Puesto que se encontraba al borde del éxtasis, no fue consciente de sus palabras. Sin embargo, una vez que acabó, mientras yacía exhausto a su lado, escuchó el eco del comentario en su mente y llegó a la conclusión de que las había imaginado.

—Ven aquí —le dijo, extendiendo la mano para que ella se acercara.

Jane se acurrucó a su lado y él le bajó el camisón, la arropó con las mantas, la abrazó y se quedó dormido con la mejilla apoyada en su cabeza.

Había pasado muchas noches en esa casa y había vuelto a Dudley House al amanecer, haciendo eses. Jamás se había quedado dormido. En esa ocasión había ido con la intención de pasar un buen rato en la cama para que tanto él como Jane tuvieran presente la naturaleza básica de su relación.

Cuando se despertó, la luz entraba a raudales en el dormitorio. Jane, despeinada, sonrojada y deliciosa, seguía dormida entre sus brazos.

Le apartó el brazo y salió de la cama, despertándola en el proceso. Ella le sonrió, adormilada.

—Lo siento —se disculpó él con tirantez mientras volvía a ponerse su traje de gala—. Supongo que según ese dichoso contrato, no tengo derecho a entrometerme en tus momentos de intimidad si no voy a reclamar mis derechos. Me iré ahora mismo.

—Jocelyn… —dijo ella con tono de reproche, tras lo cual tuvo la desfachatez de echarse a reír.

Con ganas.

De él.

—¿Te parezco gracioso? —La miró con el ceño fruncido.

—Creo que te da vergüenza haberte quedado dormido en vez de pasar la noche demostrándome tu legendaria fama como amante —respondió ella—. Siempre pareces estar obligado a demostrar lo viril que eres.

El hecho de que tuviera toda la razón no mejoró ni un ápice su humor.

—Me alegro de haberte hecho reír al menos —repuso al tiempo que se echaba la capa por los hombros con un gesto brusco y se la abotonaba al cuello—. Tendré el honor de visitarte otro día, cuando te necesite. Buenos días.

—Jocelyn —lo llamó en voz baja después de que abriera la puerta del dormitorio. Él la miró enarcando las cejas con arrogancia—, ha sido una noche extraordinaria. Dormir contigo es maravilloso.

Jocelyn no esperó a comprobar si se estaba burlando de él o no. Salió y cerró la puerta sin mucha delicadeza.

¡Que me parta un rayo!, exclamó al ver el reloj del pasillo mientras bajaba las escaleras. Hizo una mueca al reparar en la presencia de Jacobs, que lo esperaba en el vestíbulo. Eran las siete de la mañana. Llevaba siete horas en esa casa. Había pasado siete horas en la cama de Jane y solo le había hecho el amor una vez. ¡Una vez!

Le deseó buenos días al mayordomo con brusquedad y enfiló la calle, momento en el que se percató con cierta satisfacción de que la rigidez que aún sentía en la pierna derecha mejoraba día a día.

«Dormir contigo es maravilloso.»

Jocelyn rió entre dientes muy a pesar suyo. Jane tenía razón, maldita fuera. Había sido una noche estupenda y se sentía mucho más descansado que de costumbre.

Decidió ir a casa para bañarse y cambiarse de ropa, y después ir de compras. Un pequeño piano, y material de dibujo y de pintura. Tal vez lo mejor que podía hacer, inmerso como estaba en esa extraña situación, era seguir adelante, dejarse llevar, dejar que continuara de forma natural hasta llegar a la inevitable conclusión. Tarde o temprano se cansaría de Jane Ingleby. Tal como se había cansado de todas las mujeres que había conocido o con las que se había acostado. También se cansaría de ella; tal vez dentro de un mes, de dos o quizá dentro de un año.

Entretanto, ¿por qué no disfrutar de la novedad de estar...? Ah, sí, las terribles palabras que rondaban sus pensamientos desde hacía un tiempo y que amenazaban con tomar forma.

¿Por qué no?

¿Por qué no disfrutar de la emoción de estar enamorado?

¿Por qué no regocijarse por una vez en la vida de esa locura tan extrema?

Esa misma mañana, mientras trabajaba en el jardín, encantada con el ejercicio, y mientras disfrutaba del brillo y del calor del sol en la espalda, Jane tomó una decisión.

Estaba enamorada de Jocelyn, por supuesto. No, era peor que eso. Porque creía que empezaba a quererlo. Era inútil tratar de negar sus sentimientos y también lo era luchar contra ellos.

Lo quería.

En vano, claro. No era tan tonta como para imaginar que él correspondería su amor, si bien tenía muy claro que estaba obsesionado con ella. Además, aunque la quisiera, para ellos no habría un final feliz. Era su amante. Y era quien era.

No obstante, tampoco imaginaba toda una vida como fugitiva. No debería haber cedido al cobarde impulso que la instó a huir y a esconderse. Porque había sido una reacción contraria a su carácter. Tendría que salir a la luz y hacer lo que debía haber hecho tan pronto como descubrió que lady Webb no se encontraba en Londres para ayudarla.

Encontraría al conde de Durbury si este seguía en Londres. Si no era así, buscaría el lugar donde se emplazaba la sede de los Investigadores de Bow Street y se presentaría en ella. Le escribiría a Charles. Le contaría su historia a todo aquel que quisiera escucharla. Aceptaría su destino. Tal vez acabase arrestada, sometida a juicio y considerada culpable de asesinato. Tal vez le supusiera la muerte en la horca o, al menos, la deportación o un encarcelamiento de por vida. Pero no sin luchar. Porque combatiría como una leona hasta el último momento. No seguiría huyendo ni escondiéndose.

¡Daría por fin la cara y lucharía!

Pero todavía no. Ese fue el acuerdo al que llegó consigo misma mientras arrancaba las malas hierbas que crecían entre los rosales y removía la tierra hasta que estuvo de un color marrón oscuro. Debía establecer un límite de tiempo para no seguir posponiendo el asunto semana tras semana, mes tras mes. Se daría un mes, un mes marcado por el calendario, que comenzaría ese mismo día. Un mes para ser la amante de Jocelyn, su amor, aunque él no fuera consciente de lo último, claro estaba. Un mes para pasarlo a su lado como una persona, como una amiga en el gabinete, si acaso regresaba, como una amante en el dormitorio.

Un mes.

Y después se entregaría. Sin decírselo. Era posible que se viera involucrado en el escándalo cuando se descubriera que la había cobijado en Dudley House durante tres semanas o si alguien estaba al tanto de que la mantenía como su amante. Sin embargo, no pensaba preocuparse por eso. Al parecer, la vida de Jocelyn consistía en una sucesión de escándalos. Parecía nutrirse de ellos. Tal vez el suyo en concreto le pareciera gracioso.

Un mes.

Se sentó sobre los talones para inspeccionar su trabajo, pero vio que Phillip se acercaba desde la casa.

—Me envía el señor Jacobs para informarle de que acaba de llegar un nuevo piano y unos cuantos paquetes, señora —le dijo—. Quiere saber dónde quiere que coloquemos todo.

Jane se puso en pie con el corazón rebosante de alegría y siguió al criado de vuelta a la casa.

Un mes glorioso durante el cual ni siquiera intentaría ocultar sus sentimientos. Un mes de amor.

Jocelyn ignoró por completo a su familia, a los Oliver, a los Forbes y los comentarios con los que la alta sociedad solía entretenerse durante la semana que siguió a la noche de marras. Una semana durante la que cabalgó por las mañanas en Hyde Park para después pasar un par de horas en White's, desayunando, leyendo la prensa y charlando con sus amigos, pero durante la que asistió a contados eventos sociales.

Kimble y Brougham encontraban la situación hilarante, por supuesto, y lo hicieron el blanco de sus bromas más groseras. Hasta que una mañana, mientras caminaban por una calle afortunadamente desierta después de desayunar en White's, Kimble abrió la boca.

—Tresh —dijo, fingiendo un tono de voz hastiado—, lo único que puedo decirte es que cuando la deliciosa señorita Ingleby por fin te deje agotado, me la pases, si eres tan amable, para ver si yo puedo agotarla a ella. Supongo que conozco más de un truco que ella no habrá aprendido contigo y si...

Su monólogo fue interrumpido con brusquedad por el puñetazo que Jocelyn le asestó en la parte izquierda del mentón, tras el cual Kimble cayó al suelo, mudo por la sorpresa. Jocelyn miró, con no menos sorpresa, el puño que todavía mantenía cerrado.

—¡Caray! —protestó Conan Brougham.

—¿Requieres reparación con un duelo? —le preguntó Jocelyn con brusquedad a su amigo mientras este se tocaba con cuidado el mentón.

—¡Caray! —repitió Brougham—. No puedo ser el padrino de los dos.

—Amigo, deberías habérmelo dicho —comentó Kimble con sorna mientras sacudía la cabeza para despejarse. Después, se puso en pie y se sacudió la ropa—. Así no habría metido la pata. ¡Por Dios, estás enamorado de la muchacha! Dadas las circunstancias, el puñetazo es comprensible. Pero deberías haber sido un poco más justo y advertirme, Tresh. Sufrir la caricia de uno de tus puños no es una experiencia muy agradable. No, por supuesto que no voy a cruzarte la cara con un guante, así que quita ya esa expresión tan seria. Mi intención no era la de faltarle el respeto a la dama.

—Y yo no quería poner en peligro nuestra amistad —replicó Jocelyn, que extendió la mano derecha. Su amigo la aceptó con recelo—. Kimble, no me importa que Conan y tú os burléis de mí. Yo haría lo mismo. Pero no quiero que nadie más se sume a las bromas. No permitiré que se le falte el respeto a Jane.

—¡Caray! —Brougham parecía muy indignado—. Tresham, no pensarás que nos hemos ido de la lengua, ¿verdad? ¡Menuda idea! Aunque jamás había pensado que viviría para verte enamorado. —Se echó a reír de repente.

—¡Al cuerno con el amor! —exclamó Jocelyn de mal humor.

Sin embargo, salvo por ese incidente, esa semana estuvo totalmente concentrado en la casa donde Jane vivía y donde pasaba la mayor parte de su tiempo, de dos formas distintas pero extrañamente complementarias. Las tardes y algunas noches las pasaba en el gabinete, con ella pero sin tocarla apenas. Las noches las pasaba en el dormitorio, con ella, haciendo el amor y durmiendo a su lado.

Fue una semana mágica.

Una semana para recordar.

Una semana de un disfrute tan intenso que no podía durar. Y no lo hizo, por supuesto.

Pero antes de que acabara, al menos tuvieron esa semana.

17

En un par de ocasiones pasearon por el jardín, y Jane le enseñó lo que ya había hecho y también le explicó lo que quería hacer a continuación. Pero pasaron la mayor parte del tiempo dentro. Fue una semana húmeda y lluviosa, de todas formas.

Jane se abandonó al placer sin más. Pasaba las horas bordando junto a la chimenea encendida, necesaria por el frío y la humedad, mientras el bosque otoñal se extendía gloriosamente por una esquina del mantel hasta la otra. De vez en cuando él le leía en voz alta; ya casi habían llegado a la mitad de *Mansfield Park*. La mayoría de las noches Jocelyn tocaba el piano. Casi todas eran composiciones propias. A veces tocaba de forma entrecortada, titubeante al principio, como si no supiera de dónde procedía la música ni adónde iba. Pero Jane aprendió a reconocer el punto en el que pasaba de ser una actividad mental y manual a convertirse en una actividad que brotaba del corazón y del alma. Porque en ese punto era donde la música fluía.

A veces se colocaba detrás de él o se sentaba a su lado y cantaba… casi siempre baladas populares y tonadas que los dos conocían. Incluso, por sorprendente que pareciera, unos cuantos himnos eclesiásticos en los que él la acompañó con su voz de barítono.

—Nos obligaban a ir a la iglesia todos los domingos —le dijo él— para aposentar nuestros superiores traseros en la mullida banca familiar (aunque nunca debíamos movernos o nos veríasmos forzados a soportar las consecuencias) mientras los simples mortales se sentaban en duras bancas de madera y nos miraban asombrados. ¿Y tú, Jane? ¿A los huérfanos os obligaban a ir en una pulcra fila de a dos a la iglesia para sentaros en bancas sin respaldo y dar gracias a Dios por las bendiciones que os había otorgado? —Sus dedos tocaban un alegre arpegio.

—Siempre me gustó ir a la iglesia —contestó ella en voz baja—. Y siempre hay bendiciones por las que dar las gracias.

Jocelyn se echó a reír por lo bajo.

La mayoría de las veces él pintaba por las tardes. Al final decidió que no quería pintar solo su cara. Quería pintarla a ella, tal como era. Jane lo miró sin decir nada cuando lo escuchó decir eso, y él se limitó a enarcar las cejas.

—¿Crees que voy a obligarte a posar de forma lasciva en el suelo, Jane, ataviada solo con tu pelo? —le preguntó—. Si lo hiciera, sería para darte otro uso mucho mejor que ese, y que no tendría nada que ver con la pintura, créeme. Esta noche te lo demostraré. Sí, definitivamente. Esta noche habrá velas, desnudos y pelo suelto, y te enseñaré a posar para mí como la sirena que podrías ser si te lo propusieras. Te pintaré mientras bordas. Es el momento en el que eres más fiel a ti misma. —La miró con los ojos entrecerrados—. Silenciosa, trabajadora, elegante y ocupada creando una obra de arte.

De modo que la pintó mientras bordaba, los dos en silencio. Jocelyn se quitaba la chaqueta y el chaleco, y después se ponía un blusón ancho sobre la camisa. Conforme los días pasaban, dicho blusón iba acumulando manchas de pintura.

No le permitió ver el cuadro hasta que estuviera acabado.

—Yo te dejo ver mi bordado —le recordó ella.

—Yo te pedí permiso y tú me lo diste —replicó él—. Tú me lo has pedido y yo te lo he negado.

Y contra esa lógica aplastante no podía discutir.

Jane trabajaba en su labor, pero también lo observaba. Discretamente, por supuesto. Si lo miraba de frente o dejaba de bordar durante mucho tiempo, Jocelyn fruncía el ceño, se distraía y la regañaba. A veces le costaba conciliar la idea de que ese hombre con quien compartía su espacio más íntimo con tanta naturalidad era el mismo que en una ocasión vaticinó que acabaría pensando que morir de hambre habría sido mejor que trabajar para él. El infame y despiadado duque de Tresham.

Tenía el alma de un artista. La música había estado atrapada en su interior la mayor parte de su vida. Todavía no había visto ningún cuadro producido por su pincel, pero Jane reconocía la absorción total en su trabajo, la seña de un verdadero artista. Casi toda la crueldad y el cinismo desaparecían de su cara. Parecía más joven y su apostura se le antojaba más convencional.

Y absolutamente merecedor de ser amado.

Sin embargo, no fue hasta la cuarta noche cuando comenzó a hablar de verdad, cuando empezó a dejar ver con palabras a la persona que se escondía detrás de la arrogante, segura, inquieta y perversa fachada que le había mostrado al mundo durante toda su vida de adulto.

Jocelyn estaba disfrutando de la novedad de estar enamorado, aunque no dejaba de repetirse que solo era eso, una novedad, y que pronto pasaría, de modo que volvería a estar en territorio conocido y seguro. Pero la certeza de que Jane acabara pareciéndole como cualquier otra mujer hermosa de la que había disfrutado antes de cansarse, la certeza de que llegaría el momento en el que el hecho de estar con ella, dentro o fuera de la cama, no le provocaría esa inmensa alegría tan deslumbrante como la luz del sol lo entristecía mucho, aunque también lo tranquilizaba.

El deseo sexual que sentía por ella aumentaba conforme avanzaba la semana. No se daba por satisfecho con las dos primeras experiencias sexuales de las que habían disfrutado, casi castas ambas, de modo que se dispuso a enseñarle (y enseñarse a sí mismo) unos placeres diferentes, más eróticos y prolongados. La semana anterior podría haber disfrutado de los juegos de alcoba con su nueva amante y proseguir con su vida como si nada. Pero no estaban en la semana anterior. Era esa semana. Y esa semana había mucho más que simples juegos de alcoba. De hecho, sospechaba que en la alcoba eran tan compatibles precisamente porque había muchísimo más que eso.

Se atrevió a hacer cosas que había anhelado de niño: tocar el piano, pintar, soñar, dejar que su mente vagara a reinos que trascendían lo práctico. Su pintura lo frustraba y lo deleitaba a la vez. Era incapaz de capturar la esencia de Jane, tal vez porque la buscaba con excesiva ansia y pensaba demasiado en ella, comprendió por fin. Así que reaprendió lo que en otro tiempo fue instintivo para él: observar no con los sentidos, ni tan siquiera con la mente, sino con esa parte ajena al cerebro y desconectada del mundo que también formaba parte de la esencia que estaba buscando. Aprendió a dejar de doblegar su arte a su voluntad. Aprendió que para crear tenía que permitir de algún modo que la creación surgiera a través de él.

No habría explicado bien el concepto si alguna vez lo hubiera expresado con palabras. Pero había aprendido que las palabras no siempre servían para expresar lo que él anhelaba decir. Había aprendido a traspasar la frontera de las palabras.

Poco a poco la mujer que se había convertido en la gran obsesión de su vida fue tomando forma en el lienzo.

Sin embargo, fueron las palabras las que por fin lo catapultaron a una nueva dimensión con su amante durante la cuarta noche. Había estado tocando el piano, ella había estado cantando. Después, Jane ordenó que les llevaran la bandeja del té y disfrutaron del mismo sumidos en un silencio cómodo. Sentados de forma relajada a ambos lados de la chimenea. Jane con la vista clavada en el fuego; y él, con la vista clavada en ella.

—Había unos bosques en Acton Park —comentó él de repente, sin venir a cuento—. Unas laderas boscosas que se extendían hasta la linde oriental de la propiedad. Una zona salvaje, sin cultivar y habitada por las criaturas del bosque y por pájaros. Solía escaparme solo durante largas horas, hasta que aprendí que era mejor no hacerlo. Fue cuando me di cuenta de que nunca podría pintar un árbol, una flor ni una brizna de hierba siquiera.

Jane esbozó una sonrisa perezosa. Por una vez, se percató él, tenía la espalda y la cabeza apoyadas por completo en el respaldo del sillón.

—¿Por qué? —preguntó ella.

—Solía pasar las manos por los troncos de los árboles —respondió—, e incluso me pegaba a ellos y los abrazaba. Solía sostener las flores silvestres entre las palmas de las manos y acariciar las briznas de hierba con los dedos. Había muchísimo allí, Jane. Demasiadas dimensiones. Y estoy diciendo tonterías, ¿verdad?

Cuando la vio negar con la cabeza, supo que ella lo entendía.

—Ni siquiera podía asimilar todo lo que allí había —continuó—. Solía sentirme… ¿Cómo describir esa sensación? ¿Sin aliento? No, es del todo inadecuado. Pero tenía esa sensación, como si estuviera en presencia de un misterio insondable. Y lo más raro era que no quería desentrañarlo jamás. ¿Qué te parece eso como ejemplo de falta de curiosidad humana?

Sin embargo, Jane no iba a permitir que se riera de sí mismo.

—Eras un contemplativo —repuso ella.

—¿Un qué?

—Algunas personas… casi todas, de hecho —se corrigió—, se contentan con una relación con Dios que les permite describirlo con palabras, y utilizan las palabras para dirigirse a Él. Es inevitable que todos lo hagamos en cierta medida, por supuesto. Los humanos nos comunicamos con palabras. Pero unas cuantas personas descubren que Dios es muchísimo más vasto que todas las palabras de todas las lenguas y que todas las religiones del mundo juntas. Descubren atisbos muy cercanos de Dios en los silencios… en la nada más absoluta. Solo se comunican con Dios huyendo de todo intento por comunicarse con él.

—¡Maldita sea, Jane! —exclamó—. Ni siquiera creo en Dios.

—Los contemplativos no suelen hacerlo —repuso ella—. O al menos no creen en un Dios que pueda ser nombrado, descrito con palabras o imaginado.

Jocelyn se echó a reír al escucharla.

—Solía pensar que era una blasfemia creer que tenía más posibilidades de encontrar a Dios en las colinas que en la iglesia —dijo—. Pero me gustaba esa blasfemia.

—Cuéntame cosas de Acton Park —le pidió ella en voz baja.

Y lo hizo. Habló largo y tendido de la mansión y de la propiedad; de su hermano y de su hermana; de los criados con los que había tenido contacto diario durante niño, incluida su niñera; de sus juegos; de sus travesuras; de sus sueños; y de sus miedos. Resucitó una vida a la que hacía mucho tiempo había relegado a un recóndito compartimiento de su memoria, donde esperaba que se difuminara por completo.

Por fin se hizo el silencio.

—Jocelyn —dijo ella al cabo de unos minutos—, deja que todo vuelva a formar parte de ti. Está dentro de ti lo quieras o no. Y amas Acton Park mucho más de lo que crees.

—Esqueletos, Jane —le dijo—. Esqueletos. No debería haber permitido que salieran. No deberías ser una acompañante tan reconfortante.

—Ninguno de tus esqueletos me parece muy amenazador —comentó ella.

—Ah, pero tú no sabes lo que se esconde detrás, Jane. —Se puso en pie y le tendió una mano—. Es hora de ponerte a trabajar en el dormitorio. —Pero le sonrió cuando vio que Jane echaba chispas por los ojos—. Y es hora de que tú me pongas a trabajar a mí. ¿Lo harás, Jane? ¿Me darás un trabajo físico muy duro? Te enseñaré a montarme, y así podrás usarme para obtener placer todo el tiempo que quieras. Ven y móntame hasta dejarme exhausto, Jane. Oblígame a pedirte clemencia. Conviérteme en tu esclavo.

—¡Menuda tontería! —Ella se levantó y aceptó su mano—. No tengo el menor deseo de esclavizarte.

—Pero ya lo has hecho, Jane —replicó con docilidad, riéndose de ella con la mirada—. Y ni se te ocurra decirme que mis palabras no te han excitado. Tienes un rubor muy elocuente en las mejillas y has hablado con esa voz entrecortada que empiezo a reconocer.

—Nunca he fingido que el deber no sea placentero —le dijo ella, muy remilgada.

—Pues ven y deja que te enseñe lo placentero que resulta

llevar las riendas del momento en vez de dejarse hacer, Jane. Deja que te enseñe a ser mi dueña.

—No tengo el menor deseo de... —Sin embargo, Jane soltó una carcajada de repente, una risa alegre que a él le encantaba arrancarle—. No eres mi dueño, Jocelyn. ¿Por qué iba a querer yo ser tu dueña? Pero tú ganas. Enséñame a montarte. ¿Es como montar a caballo? Se me da muy bien cabalgar. Y por supuesto a esas maravillosas criaturas hay que enseñarles quién está al mando...

Se rió con ella mientras la conducía fuera de la estancia.

Jocelyn terminó el retrato el último día de esa primera semana, bien entrada la tarde. Se había comprometido a asistir a una cena esa noche, un hecho que decepcionó mucho a Jane, pero esperaba poder regresar más tarde. Sin embargo, ya había pasado una semana de su precioso mes. Solo quedaban tres. Y atesoraba cada día, cada hora.

Le gustaba verlo pintar muchísimo más que verlo tocar el piano. Con el piano se sumergía en un mundo propio, donde la música fluía libre de obstáculos. Con el pincel, en cambio, tenía que trabajar más. Fruncía el ceño y mascullaba obscenidades, absorto en su trabajo.

Pero por fin lo terminó. Jocelyn limpió el pincel y dijo:

—En fin, supongo que has echado una miradita cada vez que me iba de la casa.

—¡Claro que no! —exclamó, indignada—. ¡Menuda ocurrencia, Jocelyn! Y lo has dicho porque seguro que tú sí lo harías.

—No si hubiera dado mi palabra de honor —le aseguró él—. Además, no tendría que echar un vistazo. Lo miraría sin tapujos. Ven a verlo. Dime si te gusta.

—¿Está terminado? —No le había dado el menor indicio de que lo estaba acabando. Clavó la aguja en la tela y se puso en pie de un salto.

—Ven a descubrir si es cierto que solo soy un aficionado

—dijo él, que se encogió de hombros como si no le importase su veredicto mientras se disponía a limpiar la paleta de colores.

En ese momento a Jane le dio miedo mirar, le dio miedo que de verdad se encontrara un retrato inferior y tuviera que ser diplomática. Claro que Jocelyn la despedazaría, no le cabía la menor duda, si no le decía la verdad por brutal que esta fuera.

Su primera impresión fue que había mejorado su imagen. Estaba sentada delante de la labor, con el cuerpo arqueado de forma elegante. Su cara estaba de perfil. Parecía muy ocupada y absorta en su trabajo. Pero ella nunca se veía de esa manera, por supuesto. Supuso que en realidad era un parecido muy bueno. Se sonrojó de placer.

Su segunda impresión fue que el parecido, o no, del retrato no era el quid de la cuestión. No estaba mirando un cuadro creado para que la modelo exclamara por lo bien que la había retratado. Estaba mirando algo… algo más.

Los colores eran más vivos de lo que había esperado, aunque al observarlos con ojo crítico se dio cuenta de que eran los correctos. Sin embargo, había algo más. Frunció el ceño. No sabía qué era. Jamás había sido una experta en arte.

—¿Y bien? —En su voz había impaciencia y una enorme arrogancia. ¿Y tal vez un deje de ansiedad también?—. ¿No te he retratado lo bastante guapa, Jane? ¿No te sientes halagada?

—¿De dónde…? —Volvió a fruncir el ceño. No estaba segura de qué quería preguntarle—. ¿De dónde proviene la luz?

Eso era. El cuadro era un retrato excelente. Era colorido y elegante. Pero era más que un simple cuadro. Tenía vida. Y había luz en él, aunque no estaba segura de qué quería decir con eso. Por supuesto que había luz. Era una vibrante escena diurna.

—Ah —dijo él en voz baja—, ¿eso quiere decir que lo he hecho, Jane? ¿La he capturado? ¿He capturado tu esencia? La luz proviene de ti. Es el efecto que tú tienes en lo que te rodea.

Pero ¿cómo lo había hecho?

—Estás decepcionada —comentó Jocelyn.

Se volvió hacia él y negó con la cabeza.

—Supongo que nunca tuviste un profesor de pintura —dijo—.

Eso no le estaría permitido al futuro duque de Tresham. Jocelyn, eres un hombre en todos los sentidos que tú crees importantes. Debes atreverte a ser más hombre todavía, como lo has sido durante esta semana en esta habitación. Tienes un asombroso talento como músico, y un impresionante talento como pintor. Debes continuar usando estos dones incluso después de que yo me vaya. Por tu bien así como por el bien del resto del mundo.

Era típico de él, por supuesto, escoger contestar a un detalle sin importancia.

—¿Eso quiere decir que vas a abandonarme, Jane? —le preguntó—. ¿Tal vez en busca de pastos más verdes? ¿En busca de alguien que te enseñe trucos nuevos?

Reconoció el motivo del insulto. Su sincera alabanza lo había avergonzado.

—¿Por qué iba a abandonarte cuando las cláusulas del contrato me son tan favorables siempre y cuando seas tú quien me deje? —preguntó con sequedad.

—Como acabaré haciendo de forma inevitable, por supuesto —puntualizó él, mirándola con los ojos entrecerrados—. Suelen sucederse un par de semanas de encaprichamiento absoluto, Jane, seguidas por unas cuantas en las que el interés va decreciendo y al final la relación acaba por completo. ¿Cuánto tiempo llevo totalmente encaprichado de ti hasta ahora?

—Me gustaría tener tiempo para practicar otras aficiones además del bordado —comentó al tiempo que regresaba a su sillón y recogía las hebras de seda para guardarlas en la bolsa de la costura—. El jardín necesita más cuidados. Tengo muchos libros por leer. Y me gustaría escribir más de lo que escribo. Supongo que cuando tu interés se vaya apagando, descubriré que mis días están repletos de actividades agradables.

Jocelyn se echó a reír por lo bajo.

—Creía que no debíamos discutir en esta habitación, Jane —dijo.

—Y yo creía que el duque de Tresham no podía entrar en esta habitación —replicó con descaro—. Creía que habíamos acordado que ese hombre arrogante y desagradable no podría traspasar el umbral. Menuda desfachatez decirme cuándo debo esperar que pierdas interés en mí y cuánto tiempo voy a disfrutar de tus hastiados favores a partir de ese momento. Si vienes aquí creyendo que me haces un favor, Jocelyn, vas a irte más deprisa de lo que llegaste, no te quepa la menor duda. Porque recuerda que tengo que darte mi consentimiento antes de que me pongas un dedo encima.

—¿Te gusta el retrato? —preguntó él con timidez.

Jane soltó la bolsa de la costura y lo miró, exasperada.

—¿Por qué te ves obligado a hacerme daño cada vez que te sientes vulnerable? —quiso saber ella—. Me encanta. Me encanta porque lo has pintado tú y porque siempre me recordará esta semana. Pero sospecho que si supiera más de pintura, me encantaría porque es una obra de arte. Creo que lo es, Jocelyn. Pero vas a tener que consultar a un experto. ¿El cuadro es mío? ¿Puedo quedármelo? ¿Para siempre?

—Si lo quieres, Jane —contestó él—. ¿Lo quieres?

—Por supuesto que lo quiero. Y ahora será mejor que te vayas si no quieres llegar tarde a tu cena.

—¿Cena? —Frunció el ceño antes de que pareciera recordar la cita—. ¡Ah, la cena! ¡Al cuerno con la cena! Me quedaré contigo y cenaremos juntos, Jane.

Una noche más de su mes que atesorar.

Disfrutaron de un té después de la cena y él retomó la lectura de *Mansfield Park* mientras ella se relajaba en su sillón. Sin embargo, después se sentaron sumidos en un cómodo silencio hasta que él volvió a hablar de su infancia, como había hecho las dos últimas noches. Una vez que comenzó, parecía incapaz de detenerse.

—Creo que deberías regresar, Jocelyn —dijo ella durante una pausa—. Creo que necesitas regresar.

—¿A Acton Park? —preguntó—. ¡Jamás! Solo para mi funeral.

—Pero hablas de esa propiedad con cariño —insistió—. ¿Cuántos años tenías cuando te marchaste?

—Dieciséis —contestó—. Juré que nunca volvería. Y no lo he hecho, salvo para dos entierros.

—Debías de estar en la escuela todavía —comentó ella.

—Sí.

Jane no hizo la pregunta. Era típico de ella. No se inmiscuiría. Sin embargo, bien podría haberla hecho a gritos. Siguió sentada en silencio y a la espera. Jane, a quien le había mostrado tantísimo de su persona en la última semana.

—No te gustará saberlo, Jane —le aseguró.

—Creo que tal vez tú necesites contarlo —repuso ella.

Eso fue lo único que dijo. Jocelyn clavó la mirada en el fuego y recordó la iniciación. El momento en el que se convirtió en su padre. Y en su abuelo. En un verdadero Dudley. En un hombre.

—Tenía dieciséis años y estaba enamorado —comenzó—. De la hija de un vecino que en aquel entonces tenía catorce años. Nos juramos amor eterno y fidelidad. Incluso conseguí quedarme con ella a solas en una ocasión y besarla… en los labios. Durante tres segundos. Era muy serio, Jane.

—No siempre es prudente burlarnos de cuando éramos jóvenes —replicó ella, en respuesta a la ironía de su voz, ya que le había hablado como si ella tuviera ochenta años—. El amor es tan serio y tan doloroso para los jóvenes como para los adultos. Más todavía. Porque hay mucha más inocencia.

—Mi padre se percató de por dónde iban los tiros y se temió lo peor —continuó—. Aunque si hubiera esperado un par de meses, seguro que yo me habría encaprichado de otra muchacha. Los Dudley no llevan en la sangre ser constantes en el amor, Jane… ni siquiera en la lujuria, ya que estamos.

—¿Os separó? —quiso saber ella.

—Hay un pabellón. —Echó la cabeza hacia atrás y cerró los ojos—. Ya te lo he mencionado antes, Jane. Con su inquilina, una pariente sin recursos diez años mayor que yo.

—Sí —dijo ella.

—Había un arroyo no muy lejos del pabellón —prosiguió—. Era idílico, Jane. Al pie de las colinas, verde por el reflejo de las ramas de los árboles, aislado, donde se podía escuchar el trino de los pájaros. Solía ir los veranos a bañarme, ya que lo prefería al lago que había cerca de la casa. Ella llegó un día antes que yo, se estaba bañando, vestida únicamente con una fina camisola.

Jane guardó silencio mientras él hacía una pausa.

—Por supuesto, estaba convenientemente avergonzada al salir del arroyo, aunque parecía que no llevase nada. Y después se echó a reír, empezó a bromear y se mostró encantadora. ¿Te lo imaginas, Jane? ¿La experta y bien dotada cortesana y el jovenzuelo ignorante y virgen? La primera vez ni siquiera llegamos al pabellón. Nos dimos un revolcón en la hierba junto al arroyo. Descubrí dónde iba cada cosa y lo que sucedía cuando todo encajaba en su sitio. Creo que todo terminó en cuestión de medio minuto. Me creía un tipo genial.

Jane tenía los ojos cerrados, se percató Jocelyn cuando él los abrió.

—Fue mi primera obsesión. —Soltó una risilla—. Al día siguiente fui al pabellón, y al siguiente también. Trabajé duramente esa última vez, tras haber descubierto que podía prolongar el placer mucho más de medio minuto. Estaba orgulloso y exhausto cuando por fin terminé de demostrar mi destreza. Y en ese momento ella comenzó a hablar, Jane, con una voz muy normal y risueña. «Es un pupilo muy aplicado y demuestra un gran potencial», dijo. «Pronto me estará enseñando trucos a mí.» Y después, antes de que pudiera levantar la cabeza y averiguar de qué narices estaba hablando, escuché otra voz, Jane. La de mi padre. Que procedía de la puerta del dormitorio, situada a mi espalda. «Lo has hecho muy bien, Phoebe», dijo él. «Se ha sacudido con mucho brío entre tus muslos.» Mi padre se echó a reír cuando salté de la cama, al lado contrario de donde había dejado la ropa, como si me hubieran escaldado. Lo vi con el hombro apoyado en la jamba de la puerta, como si llevara allí un buen rato. Por supuesto, había estado observando y evaluando mi actuación, posiblemente intercambiando guiños y miradas lascivas con su amante. «No tienes que avergonzarte», me dijo. «Todo hombre debería desvirgarse con una experta. Mi padre lo arregló para mí y yo lo he arreglado para ti. No existe nadie más experimentada que Phoebe, aunque hoy ha sido tu última vez con ella, mucha-cho. A partir de ahora está fuera de tu alcance. No puedo permi-tir que mi hijo se corra juergas con mi amante, ¿verdad?»

—¡Oh! —exclamó Jane en voz baja, haciendo que Jocelyn regresara al presente de inmediato.

—Recogí mi ropa y salí corriendo del pabellón —dijo— sin detenerme a vestirme antes. Necesitaba vomitar. En parte por-que mi padre había observado algo tremendamente íntimo. Y en parte porque había sido su amante con quien yo me estaba acos-tando y él lo había planeado todo. Hasta ese momento ni siquie-ra sabía que tenía amantes. Había supuesto que mis padres eran fieles. De joven fui un inocentón, Jane.

—Pobrecito —dijo ella en voz baja.

—Ni siquiera me permitieron vomitar en paz. —Soltó una carcajada seca—. Mi padre había ido acompañado por otra per-sona: su vecino, el padre de la muchacha de la que me creía ena-morado. Y allí que salió mi padre, pisándome los talones, para contar la broma con todos los detalles morbosos. Quería llevar-nos a ambos a la taberna del pueblo para brindar por mi recién adquirida hombría con una pinta de cerveza. Le dije que podía irse al cuerno, y me explayé más tarde cuando volvimos a casa. Me marché de Acton Park al día siguiente.

—¿Y por esto te has sentido culpable desde entonces? —qui-so saber Jane.

De repente, Jocelyn descubrió que ella se había levantado de su sillón y que había atravesado la alfombra para colocarse de-lante de él. Antes de que se diera cuenta de lo que estaba a pun-to de hacer, Jane se sentó en su regazo y se acurrucó hasta apoyar la cabeza en su hombro. La abrazó por un mero acto reflejo.

—Para mí fue como un incesto —continuó—. Era la puta de mi padre, Jane.

—Estabas a merced de un hombre cruel por una parte y de una experimentada cortesana por la otra —le recordó ella—. No fue culpa tuya.

—Estaba enamorado de una muchacha inocente —replicó—. Y sin embargo, no pensé ni una sola vez en ella mientras me revolcaba con una mujer diez años mayor que yo, a la que creía que era de mi familia. Saqué una lección muy valiosa de ese incidente, Jane. Era digno hijo de mi padre. Soy digno hijo de mi padre.

—Jocelyn, tenías dieciséis años —señaló ella—. Da igual quién fueras, tendrías que haber sido sobrehumano (o infrahumano) para resistir semejante tentación. No debes culparte. Deja de culparte. Ese incidente no demostró que seas depravado por naturaleza. Todo lo contrario.

—Tardé unos cuantos años más en demostrarlo —le aseguró.

—Jocelyn. —Podía sentir los dedos de Jane jugueteando con un botón de su chaleco—. Dime una cosa. Algún día, cuando pasen los años y tengas un hijo, ¿le harás eso? ¿Lo iniciarás con una de tus amantes?

Inspiró hondo muy despacio e imaginó al maravilloso ser humano que sería su hijo, producto de su simiente, y visualizó a la mujer con la que saciaría sus apetitos en vez de serle fiel a su esposa. Corriéndose juntos, dándose un revolcón mientras él miraba.

—Antes prefiero arrancarme el corazón —dijo—. El que no tengo.

—En ese caso no eres como tu padre —repuso ella— ni como tu abuelo. Eres tú mismo. Eras un muchacho sensible, artístico y romántico a quien reprimieron y a quien sedujeron cruelmente. Eso es todo, Jocelyn. Has permitido que tu vida quedara truncada por ese incidente. Pero todavía tienes mucha vida en tu interior. Perdónate a ti mismo.

—Ese día perdí a mi padre —continuó—. Y perdí a mi madre poco después, en cuanto llegué a Londres y averigüé la verdad sobre ella.

—Sí —convino ella con tristeza—. Pero también tienes que perdonarlos a ellos, Jocelyn. Fueron productos de su educación y de su experiencia. A saber los demonios que guardaban en su interior. Los padres no solo son padres. También son personas. Débiles como los demás mortales.

Jocelyn se percató de que estaba jugueteando con los mechones del pelo de Jane.

—¿Qué te ha hecho ser tan sabia?

Jane tardó en contestar.

—Siempre es más fácil mirar la vida de otra persona y ver su patrón —contestó—, sobre todo la vida de alguien que te importa.

—¿Eso quiere decir que te importo, Jane? —preguntó al tiempo que le besaba la coronilla—. ¿Aunque ahora ya conoces los detalles más sórdidos de mi pasado?

—Sí, Jocelyn, me importas —respondió ella.

Esas fueron las palabras que acabaron por romper sus defensas. Ni siquiera se dio cuenta de que estaba llorando hasta que sintió cómo las lágrimas caían sobre su pelo y cómo su propio pecho se convulsionaba. Se quedó espantado. Sin embargo, Jane se negó a que la apartara. Le rodeó el cuello con el brazo libre y se pegó todavía más a él. Y fue así como sollozó e hipó vergonzosamente con ella entre los brazos, tras lo cual tuvo que buscar un pañuelo con el que sonarse la nariz.

—Maldita sea, Jane —dijo—. Maldita sea.

—Dime una cosa. ¿Tienes algún buen recuerdo de tu padre? —le preguntó ella—. Por pequeño que sea.

¡Imposible! Pero cuando se detuvo a pensar, recordó que su padre le había enseñado a montar en su primer poni, y también que había jugado al críquet con Ferdinand y con él.

—Solía jugar al críquet con nosotros —contestó—, cuando éramos tan pequeños que bateábamos el aire y lanzábamos la bola a diez centímetros de nosotros. Tuvo que ser tan emocionante para él como ver crecer la hierba.

—Recuerda esos momentos —le aconsejó ella—. Busca más recuerdos parecidos. No era un monstruo, Jocelyn. Tampoco era un hombre agradable. No creo que me hubiera caído bien. Pero no era un monstruo pese a todo. Solo era un hombre. E incluso cuando te traicionó, en el fondo creía estar haciendo algo necesario para tu educación.

Jocelyn volvió a besarle la coronilla antes de que ambos se sumieran en el silencio.

No terminaba de creerse que por fin hubiera revivido esos

recuerdos. En voz alta. Delante de una mujer. De su amante, nada menos. Pero por extraño que pareciera, se sentía bien al haberlo hecho. Ese incidente sórdido y espantoso parecía menos atroz una vez expresado. Él parecía menos atroz. Incluso su padre lo parecía.

Se sentía en paz.

—Es terrible tener esqueletos en el armario, Jane —dijo a la postre—. Supongo que tú no tienes ninguno, ¿verdad?

—No —contestó ella después de un silencio tan prolongado que creyó que no iba a hacerlo—. Ninguno.

—¿Vamos a la cama? —le preguntó con un suspiro casi de contento absoluto—. ¿Solo para dormir, Jane? Si no me falla la memoria, anoche estuvimos ocupados con tareas muy extenuantes. ¿Te parece que esta noche durmamos?

—Sí —respondió ella.

Jocelyn estuvo a punto de echarse a reír. Se iba a la cama con su amante.

Para dormir.

Su padre estaría revolviéndose en la tumba.

18

El duque de Tresham regresó directamente a casa a la mañana siguiente, como solía hacer, para bañarse, afeitarse y cambiarse de ropa antes de poner rumbo a sus clubes y comenzar con las restantes ocupaciones matutinas. Sin embargo, Hawkins lo estaba esperando nada más entrar para comunicarle una importantísima información. El señor Quincy quería hablar con Su Excelencia. Lo antes posible.

—Que vaya a verme a la biblioteca en media hora —dijo Jocelyn mientras subía las escaleras—. Y que Barnard suba. Adviértele de que no necesito urgentemente su compañía personal, Hawkins. Sugiérele que sí voy a necesitar agua caliente y los utensilios de afeitar.

Michael Quincy entró en la biblioteca media hora después. Jocelyn ya estaba dentro.

—¿Y bien? —Miró a su secretario con las cejas enarcadas—. ¿Alguna crisis en Acton Park, Michael?

—Ha llegado un hombre, excelencia —respondió su secretario—. Está en la cocina, donde lleva esperando dos horas. Se niega a marcharse.

Jocelyn enarcó las cejas todavía más y unió las manos a la espalda.

—¿De verdad? —preguntó—. ¿No tengo a mi servicio a suficientes criados para que la echen? ¿Voy a tener que hacerlo en persona? ¿Por eso me estás hablando de este asunto?

—Pregunta por la señorita Ingleby, excelencia —dijo Quincy.

Jocelyn se quedó petrificado.

—¿Por la señorita Ingleby?

—Es un investigador de Bow Street —continuó su secretario.

Jocelyn se limitó a mirarlo fijamente.

—Hawkins me lo envió para que yo atendiera sus preguntas —explicó Quincy—. Le dije que no sabía nada de ninguna señorita Ingleby. A lo que me contestó que esperaría para hablar con usted. Cuando le dije que tal vez tuviera que esperar una semana antes de que dispusiera de un hueco libre para él, me dijo que esperaría una semana. Está en la cocina, excelencia, y no parece dispuesto a marcharse.

—Con preguntas acerca de la señorita Ingleby. —Jocelyn entrecerró los ojos—. Será mejor que lo hagas pasar, Michael.

Mick Boden se sentía incómodo. Muy de vez en cuando su trabajo lo llevaba a alguna de las grandiosas mansiones de Mayfair. A decir verdad, la aristocracia lo amedrentaba un poco. Y el dueño de Dudley House era el duque de Tresham, afamado por ser un hombre a quienes sus propios pares temían enfrentarse.

Sin embargo, sabía que estaba cerca. Los criados mentían más que hablaban, todos y cada uno de ellos. Ninguno conocía a la tal señorita Jane Ingleby, incluido el secretario de Su Excelencia, a quien, para su vergüenza, había confundido con el propio duque en un principio, por su elegante porte.

Mick sabía cuándo mentía la gente. Y sabía por qué mentían esas personas. No se trataba de que la estuvieran protegiendo o escondiendo, sino de que esos criados valoraban su trabajo. Y una de las principales normas de dicho trabajo era que no se hablaba con desconocidos sobre los habitantes de la casa, aunque se tratara de otros criados. Una actitud respetable.

Después, el mayordomo, un hombre que parecía olisquear el aire como si quisiera detectar el hedor de los meros mortales, apareció en la cocina y clavó su desdeñosa mirada en Mick.

—Sígame —le ordenó.

Mick lo siguió, más allá de la cocina, tras lo cual subieron la escalera y atravesaron la puerta tapizada que conducía a la parte posterior del vestíbulo. El repentino esplendor de la parte noble de la casa casi lo dejó sin aliento, aunque se esforzó para no demostrar lo impresionado que estaba. El secretario lo esperaba allí.

—Su Excelencia le concederá cinco minutos —dijo—. Lo acompañaré a la biblioteca. Esperaré fuera para acompañarlo a la puerta cuando haya terminado.

—Gracias, señor —dijo Mick Boden.

Estaba un poco nervioso, pero entró con paso bastante seguro en la biblioteca después de que el mayordomo abriera la puerta. Se detuvo tras alejarse seis pasos y plantó los pies con firmeza en el suelo, bastante separados. Sostuvo el sombrero entre las dos manos y agachó la cabeza a modo de saludo. No pensaba hacerle una reverencia.

El duque (suponía que en esa ocasión sí lo era) estaba de pie delante de una recargada chimenea de mármol, con las manos unidas a la espalda. Llevaba un traje de montar, pero estaba tan bien confeccionado y le sentaba tan bien que Mick sintió una vergüenza inmediata por el suyo, barato, aunque se enorgullecía de su pulcritud. Estaba siendo observado con sumo detenimiento por unos ojos tan oscuros que habría jurado que eran negros.

—Tiene unas cuantas preguntas que hacerme —le dijo el duque a Mick—. ¿Es un investigador de Bow Street?

—Sí, señor. Mick Boden, señor. —Mick reprimió el impulso de asentir con la cabeza de nuevo—. Me han informado de que la señorita Jane Ingleby ha estado a su servicio.

—¿En serio? —Su Excelencia enarcó las cejas, adoptando una expresión ciertamente aterradora—. ¿Y quién, si se me permite preguntar, le ha informado?

—Madame de Laurent, señor —contestó Mick Boden—. Una modista. Le dio trabajo a la señorita Ingleby hasta hace cosa de un mes, cuando la joven le presentó la renuncia y le indicó que venía a trabajar para usted.

—¿De verdad? —El duque entrecerró los ojos—. ¿Y qué interés tiene en la señorita Ingleby?

Mick titubeó, pero solo un instante.

—La buscamos por unos crímenes atroces —contestó.

Los dedos de Su Excelencia buscaron y aferraron el mango del monóculo, aunque no se lo llevó al ojo.

—¿Crímenes atroces? —repitió en voz baja.

—Robo, señor —explicó—. Y asesinato.

—Fascinante —comentó el duque en voz igual de baja, y Mick, que sabía juzgar bien a la gente, supo sin lugar a dudas que ese hombre podía ser muy peligroso—. ¿Un cuento chino?

—Desde luego que no, señor —aseguró Mick con sequedad—. Es del todo cierto. El nombre es un alias. En realidad, es lady Sara Illingsworth, que asesinó al señor Sidney Jardine, hijo y heredero del conde de Durbury, y después huyó con el dinero y las joyas del conde. Tal vez haya oído hablar del incidente, señor. Es una fugitiva desesperada y creo que se encuentra en esta casa.

—¡Válgame Dios! —exclamó Su Excelencia tras un breve silencio—. En ese caso tengo muchísima suerte de no haberme despertado una mañana cualquiera del mes pasado con la garganta degollada.

Mick sintió una intensa satisfacción. ¡Por fin! El duque de Tresham bien podía haber admitido que la muchacha se encontraba en Dudley House.

—¿Está aquí, señor? —preguntó.

El duque se llevó el monóculo a medio camino del ojo.

—Estaba aquí —repuso—. La señorita Ingleby estuvo trabajando aquí durante tres semanas en calidad de mi enfermera después de que recibiera un disparo en la pierna. Se marchó hace un par de semanas. Debe continuar su búsqueda en otra parte. Creo que el señor Quincy está esperando en el pasillo para mostrarle la salida.

Pero Mick Boden no estaba dispuesto a que lo despacharan tan pronto.

—¿Puede decirme adónde se fue, señor? —insistió—. Es muy

importante. El conde de Durbury está sufriendo lo indecible y no tendrá paz hasta que la asesina de su hijo acabe ante la justicia.

—Y sus joyas sean devueltas a la caja fuerte de Candleford Abbey —añadió el duque—. La señorita Ingleby fue una criada en esta casa. ¿Acaso estoy obligado a saber adónde van los criados después de abandonar mi servicio? —Volvió a enarcar las cejas con gesto arrogante.

Mick supo que acababa de toparse con una pared. Había estado muy cerca.

—¿Eso es todo? —preguntó Su Excelencia—. ¿Ha acabado el interrogatorio? Debo confesar que estoy ansioso por desayunar.

A Mick le habría gustado hacer más preguntas. En ocasiones, cuando la gente no ocultaba información de forma premeditada, sabían más de lo que se imaginaban. Quizá la muchacha hubiera dejado caer algo acerca de sus planes futuros, alguna pista, o incluso tal vez había confiado en otro criado. Pero era muy improbable, admitió para sus adentros. Sabía que era una fugitiva. Sin duda alguna se había enterado, a lo largo de las semanas en esa casa, de que los investigadores de Bow Street le seguían la pista.

—¿Y bien? —La pregunta encerraba una arrolladora y arrogante incredulidad.

Mick se despidió con un gesto de la cabeza, le deseó los buenos días al duque de Tresham y se marchó. El secretario del duque lo acompañó a la puerta principal, de modo que se encontró en Grosvenor Square, con la sensación de que había vuelto al punto de partida.

O tal vez no.

Se había enterado del duelo antes incluso de que madame de Laurent lo mencionara. El duque de Tresham había recibido un disparo en la pierna y estuvo incapacitado durante tres semanas. El resto de los caballeros londinenses seguramente habían hecho cola delante de su puerta para hacerle compañía. La muchacha había sido su enfermera. Sin duda, alguna de esas visitas la había visto. Algunos de los caballeros tal vez fueran más comunicativos que el duque.

No, no se había topado con una pared después de todo, decidió Mick Boden. Al menos no de momento. La encontraría.

Había tenido todas las pruebas delante de las narices, pensó Jocelyn mientras observaba a través de la ventana de la biblioteca cómo el investigador de Bow Street cruzaba a paso lento la plaza. Tan cerca que, de hecho, su cabeza las había pasado por alto y había sido incapaz de verlas.

Saltaba a la vista que había contado con la educación de una dama. Había demostrado tener todas las virtudes de una dama desde el principio, salvo por la forma de vestir. Hablaba con un acento refinado; se movía con ademanes regios y elegantes; estaba instruida; sabía tocar el piano con cierta soltura, si bien no con mucha habilidad; cantaba de maravilla... con una voz educada y con conocimientos de compositores como Händel; sabía organizar y mandar a los criados; no se acobardaba en presencia de un aristócrata, como él mismo, ni siquiera cuando era muy autoritario.

¿De verdad se había tragado la historia de que había crecido en un orfanato? Tal vez durante un breve lapso. Pero llevaba cierto tiempo sabiendo que Jane había mentido acerca de su pasado. Se había preguntado de forma vaga por qué. Al final, había llegado a la conclusión de que había algo que quería mantener oculto. Nunca había sentido una curiosidad insaciable por los secretos que la gente decidía mantener.

Lady Sara Illingsworth.

No Jane Ingleby, sino lady Sara Illingsworth.

Entrecerró los ojos mientras miraba la plaza ya vacía.

Había malinterpretado una y otra vez la mayor prueba de todas: su renuencia a que la vieran. No había querido salir de Dudley House mientras estuvo empleada como enfermera, salvo al jardín; no quería salir de la casa donde vivía en esos momentos. Había sido muy reacia a cantar para sus invitados.

Había preferido convertirse en su amante a iniciar lo que sin lugar a dudas habría sido una brillante carrera como cantante.

En su momento creyó que estaba avergonzada; al principio,

pensó que se avergonzaba de lo que la gente pensaría de su relación con él y después, de la verdad de dicha relación. Pero no había demostrado más indicios de sentir vergüenza. Había negociado su ridículo contrato con un práctico sentido común. Había redecorado la casa porque se negaba a sentirse como una puta viviendo en un burdel. No se había amilanado al enfrentarse a su destino la tarde que consumaron la relación, no hubo lágrimas ni muestras de remordimientos después.

Su cabeza debería haberlo analizado todo hasta llegar a la conclusión de que le daba miedo ser vista en público por si alguien la reconocía y la apresaban. No había visto lo evidente: Jane se estaba escondiendo.

La buscaban por robo y asesinato.

Jocelyn se apartó de la ventana, se dirigió al otro extremo de la estancia y plantó las manos en el escritorio de roble.

Le importaba un bledo estar cobijando a una fugitiva. La idea de que fuera peligrosa resultaba totalmente absurda. Pero sí que le importaba, y mucho, el detalle de haber descubierto su identidad demasiado tarde.

Ofrecerle trabajo como su amante a una huérfana sin dinero o incluso a una dama empobrecida no era nada fuera de lo común. Ofrecerle el mismo puesto a la hija de un conde era harina de otro costal. Tal vez no debería serlo. Si vivieran en una sociedad perfecta en la que todas las personas fueran iguales, no habría diferencia alguna.

Pero no vivían en dicha sociedad.

Y por tanto había una diferencia abismal.

Había desvirgado a lady Sara Illingsworth, hija del difunto conde de Durbury, de Candleford Abbey, en Cornualles.

En ese preciso momento no se sentía muy magnánimo hacia lady Sara Illingsworth.

Maldita sea, pensó. Golpeó la mesa con el puño y apretó los dientes. Debería habérselo dicho. Debería haberle pedido ayuda. ¿Acaso no sabía que era un hombre ante el cual podía admitir sin tapujos lo peor sin temor a que le diera un ataque y mandara llamar a los investigadores de Bow Street? ¿Acaso no entendía que los hombres como Jardine eran merecedores de todo su desprecio? ¡Maldición! Volvió a golpear el escritorio con fuerza. ¿Qué le había hecho ese malnacido para que ella lo matase? En el caso de que estuviera muerto… ¿Llevaría todo ese tiempo consumida por la culpa, el miedo y la soledad?

¡Al cuerno con Jane! No había confiado en él lo suficiente como para contarle la verdad.

En cambio, le había colocado un grillete al cuello y había tirado la llave. Aunque lo había hecho sin querer (de hecho, no le cabía la menor duda de que esa no había sido su intención, ya que confiaba tan poco en él), lo había hecho de maravilla.

Y por eso le iba a costar muchísimo perdonarla.

¡Maldita fuera esa mujer!

Y había algo más. Sí, claro que había algo más. La noche anterior había desnudado su alma ante ella como nunca lo había hecho con otro ser humano. Había confiado en ella hasta ese extremo.

Sin embargo, ella no le había devuelto esa confianza. Desde que la vio por primera vez, debió de estar padeciendo un tormento. Pero no le había dicho nada. Ni siquiera la noche anterior.

«Es terrible tener esqueletos en el armario, Jane —le había dicho—. Supongo que tú no tienes ninguno, ¿verdad?»

«No —había contestado ella—. Ninguno.»

¡Maldita fuera!

Jocelyn golpeó el escritorio una vez más, haciendo que el tintero se agitara en la escribanía de plata.

Jocelyn pasó el día en sus clubes, en el salón de boxeo de Jackson, en la cancha de tiro y en las carreras. Cenó en White's y pasó un par de horas en una velada insípida, durante la cual su hermana le informó de que estaba muy perdido y de que había convencido a Heyward para que la llevara a pasar unas semanas a Brighton durante el verano para mezclarse con el grupo del príncipe regente y probar los placeres del Pabellón Real. Su hermano, que también le comentó que estaba muy perdido, ardía de indignación.

—Tresham, el asunto es que los Forbes siguen escondidos en

algún sitio, pero siguen alardeando de que eres tú quien teme enfrentarse a ellos. Y además ahora andan diciendo que yo me escondo detrás de las botas de mi hermano mayor. ¿Qué piensas hacer al respecto? Eso es lo que quiero saber. Nunca te había visto tan parsimonioso. Si no salen a la luz en una semana, voy a ir a buscarlos yo mismo. Y al cuerno con la arrogante orden de hermano mayor de que son asunto tuyo. Fue a mí a quien intentaron matar.

Jocelyn suspiró. Sí, había estado retrasando el momento. Todo por haberse encaprichado de una mujer.

—Y a mí a quien querían humillar —señaló—. Me encargaré de ellos, Ferdinand. Pronto. —Se negó a seguir discutiendo el tema.

Sin embargo, mientras retozaba con su amante esa última semana, mientras hablaba con ella, leía, tocaba el piano y pintaba, había dejado que su reputación se resintiera. No podía permitirlo.

No fue hasta bien entrada la noche cuando por fin pudo quedarse a solas con Brougham y Kimble. Volvían dando un paseo a White's después de haber abandonado la velada.

—No habréis mencionado, ninguno de los dos, el nombre de mi amante a nadie, ¿verdad? —preguntó.

—¡Caramba, Tresham! —Brougham parecía irritado—. ¿Necesitas preguntarlo después de habernos pedido que no lo hiciéramos?

—Si es así, Tresh —dijo Kimble con una serenidad que no presagiaba nada bueno—, tal vez debería darte un puñetazo. Aunque puede que la pregunta sea retórica…

—Hay una persona —adujo Jocelyn—, un investigador peinado con fijador y con un gusto espantoso a la hora de vestir, pero de mirada penetrante, que no tardará en haceros una visita para preguntaros por la señorita Jane Ingleby.

—¿Un investigador de Bow Street? —Brougham se detuvo.

—¿Preguntando por la señorita Ingleby? —El ceño de Kimble era visible incluso en la oscuridad de la calle.

—Alias lady Sara Illingsworth —añadió Jocelyn.

Sus amigos lo miraron en silencio.

—Os interrogará junto a otras personas —les aseguró Jocelyn.

—¿La señorita Jane Ingleby? —El gesto de Kimble se tornó inexpresivo—. Jamás había oído hablar de ella. ¿Y tú, Cone?

—¿De quién? —Brougham frunció el ceño.

—No, no —los corrigió Jocelyn en voz baja antes de reemprender la marcha. Sus amigos lo flanquearon—. Todo el mundo sabe que fue mi enfermera mientras me recuperaba del disparo. Yo mismo lo admití esta mañana mientras el tipo este me interrogaba en la biblioteca de mi casa intentando por todos los medios no parecer servil. Jane Ingleby estuvo en mi casa durante tres semanas. Tras las cuales dejó de estar a mi servicio. Pero ¿quién soy yo para seguir las andanzas de una simple criada una vez que sale de mi casa?

—¿Tuviste esa criada? —preguntó Brougham como si tal cosa—. Confieso que no me fijé, Tresham. Claro que no suelo fijarme en los criados de los demás.

—¿No fue la que cantó en tu velada, Tresh? —preguntó Kimble—. Bonita voz para los amantes de ese tipo de música. Y bonita joven para los que gusten de las jovencitas recién llegadas del campo vestidas con muselina cuando el resto de damas presentes lucen satenes, plumas y joyas. ¿Qué pasó con ella?

—Gracias —dijo Jocelyn con sequedad—. Sabía que podía confiar en vosotros.

—Una cosa, Tresham —añadió Brougham, ya con voz normal—, ¿qué le pasó a Jardine de verdad? Espero que no quieras hacernos creer que lady Sara lo asesinó a sangre fría porque la sorprendió robando.

Kimble resopló con desdén.

—No sé qué pasó —contestó Jocelyn entre dientes—. No ha tenido a bien confiar en mí. Pero os voy a decir algo: será mejor que Jardine esté bien muerto. Porque si no lo está, voy a tener el enorme placer de hacerle desear que lo estuviera.

—Si necesitas ayuda —se ofreció Brougham—, no tienes más que pedírsela a tus amigos íntimos, Tresham.

—¿Qué vas a hacer con lady Sara, Tresh? —quiso saber Kimble.

—Darle una azotaina que no olvidará en la vida —contestó con ferocidad—. Llegar al fondo de esta ridícula historia. Casarme con ella y hacer que pase el resto de su vida arrepintiéndose de haber nacido. Por ese orden.

—Casarte. —Conan Brougham hizo una mueca—. Pero es tu aman… —De repente, lo asaltó un golpe de tos, aunque tal vez se debió al codazo que le dio el vizconde de Kimble en las costillas.

—Casarme —repitió Jocelyn—. Pero primero voy a beber. A emborracharme. Hasta perder el sentido y no recordar ni mi nombre.

El problema, por supuesto, era que por más que bebiera nunca parecía poder emborracharse cuando quería. Estaba convencido de que, cuando salió solo de White's pasada la medianoche, había ingerido una buena cantidad de alcohol. Sin embargo, a menos que estuviera más borracho de lo que pensaba, estaba caminando en línea recta en dirección a la casa de su amante, y todavía sentía una ira gélida en vez de una furia abrasadora. ¿Cómo iba a darle una azotaina? Jamás le haría eso, literalmente, ni a ella ni a ninguna otra mujer. ¿Cómo iba a echarle uno de sus famosos rapapolvos si no hervía de furia?

Cuando por fin llegó a la casa y abrió con su llave, solo pensaba en humillarla, en recordarle el puesto tan subordinado que ocupaba en su vida. Iba a tener que casarse con ella, por supuesto, aunque Jane todavía no lo supiera. Sería su esposa de nombre. Pero pronto comprendería que durante el resto de su vida sería para él muchísimo menos que una amante.

19

Pasada la medianoche, Jocelyn llegó a la casa, mucho después de que Jane dejara de esperarlo, aunque todavía estaba levantada, paseando nerviosa del gabinete al comedor y del comedor a la sala, segura de que había pasado algo terrible. Estaba en el gabinete, contemplando el retrato que él había pintado y con las manos en la cintura con gesto protector, cuando lo escuchó abrir la puerta con su llave. Corrió a recibirlo, y cogió una vela de camino. Sin embargo, se obligó a aparecer serena en el vestíbulo. Al cabo de unos momentos se alegró de haberlo conseguido. Jocelyn llevaba la capa negra. Se quitó el sombrero de copa y los guantes con deliberada parsimonia antes de volverse a mirarla. Cuando lo hizo, Jane se descubrió ante el duque de Tresham, ese desconocido que había quedado atrás. El sombrío, cínico, frío y posiblemente borracho duque de Tresham. Sonrió.

—¡Arriba! —le ordenó él con un gélido desprecio, una orden que acompañó con un brusco gesto de la cabeza en dirección a la escalera.

—¿Por qué? —Jane frunció el ceño.

Él enarcó las cejas y la miró como si fuera una cucaracha.

—¿Por qué? —repitió en voz baja—. ¿Por qué, Jane? ¿Me he confundido de dirección por casualidad? No, porque la llave ha abierto la cerradura. ¿No es esta la casa donde alojo a mi amante? He venido para hacer uso de los servicios de mi amante.

Necesito una cama para hacerlo con comodidad y necesito a mi amante en dicha cama. La cama está arriba, creo.

—¡Estás borracho! —exclamó Jane con la misma frialdad que él le demostraba.

—¿Ah, sí? —Jocelyn pareció sorprendido—. No tanto como para no encontrar el camino a la casa de mi amante. No tanto como para no subir las escaleras hasta su dormitorio. No tanto como para que no se me levante, Jane.

El crudo comentario hizo que Jane se sonrojara mientras lo miraba y sentía una opresión en el corazón capaz de aplastárselo. Porque sabía que acabaría hecho trizas cuando esa noche llegara a su fin. ¡Qué tonta había sido! Y no solo por haberse enamorado de él, sino por haber soñado que la correspondía.

—¡Arriba! —le ordenó de nuevo, tras lo cual asintió con la cabeza—. Ah, ya sé por qué titubeas. Se me ha olvidado añadir «por favor». Por favor, Jane, sube. Por favor, quítate la ropa y las horquillas cuando estés en el dormitorio. Por favor, acuéstate en la cama para que pueda hacer uso de tus servicios. Por favor, cíñete a lo estipulado en el contrato.

Su voz era tan fría como el hielo. Su ojos, tan negros como la noche.

No tenía ningún motivo de peso para rechazarlo. Nunca había formado parte del trato que él tuviera que amarla para otorgarle sus favores. Sin embargo, de repente se sintió desorientada, como si la semana, la semana más hermosa de su vida, acabara de desaparecer sin dejar rastro. Como si solo la hubiera soñado. Como si él no se hubiera convertido en su compañero, en su amigo, en su amante. En la otra mitad de su alma.

A fin de cuentas, solo era su amante a sueldo.

Se volvió para precederlo escaleras arriba con la vela en alto y el corazón convertido en piedra. No, se corrigió. Porque las piedras no podían sentir dolor. Parpadeó para librarse de las lágrimas. Jamás le demostraría semejante debilidad.

¡Jamás!

—Jane —lo oyó decir al cabo de un momento al llegar al vano de la puerta del dormitorio, donde se detuvo con expresión inescrutable. Lo único que dejaba entrever era la embriaguez y cierta actitud amenazadora—, he venido para que mi amante me entretenga. ¿Cómo vas a entretenerme?

Volvió a sentir de nuevo que la semana anterior no había existido. Sin embargo, en ese caso no veía nada ofensivo en sus palabras. Porque en realidad no había nada ofensivo en ellas. De modo que no debía responder como si lo hubiera. Simplemente debía olvidar dicha semana. Pero titubeó más de la cuenta.

—Jane, no te dolerá la cabeza, ¿verdad? —le preguntó él con palpable ironía—. ¿O tienes el período?

Todavía le faltaban unos días, y llevaba un tiempo bastante nerviosa al respecto. Pero no quería preocuparse antes de que fuera necesario. Había asumido desde el principio las posibles consecuencias de su relación. Incluso había una cláusula en el contrato concerniente a los hijos que nacieran de dicha relación.

—¿O es que esta noche te doy asco? —siguió Jocelyn, mirándola con los ojos entrecerrados, una expresión que le otorgaba un aire todavía más peligroso—. ¿Vas a ejercer tu derecho de mandarme al cuerno sin satisfacer mi deseo, Jane?

—No, por supuesto que no. —Lo miró con tranquilidad—. Estaré encantada de entretenerte. Al fin y al cabo, ¿en qué otra cosa voy a pensar y a soñar durante todas las horas que paso sin tenerte a mi lado?

—Me reconforta descubrir que, después de todo —replicó él mientras se acercaba a la cama—, sigues siendo una descarada, Jane. Porque no disfrutaría si te limitaras a tumbarte sumisa de espaldas. Bueno, a ver qué placeres sensuales has soñado para mí…

Jane había desarrollado un buen número de habilidades eróticas durante la semana y media transcurrida. Había aprendido a no mostrarse tímida con su propia sexualidad ni tampoco con la de Jocelyn. Era evidente que estaba dispuesto a dejar que ella lo entretuviera. Porque seguía de pie junto a la cama, con los pies separados y las manos a la espalda, mirándola con las cejas enarcadas. Una actitud más que desconcertante y decididamente molesta, a tenor de cómo había esperado que fuera su siguiente encuentro.

Jane se desnudó muy despacio, torturándolo con la piel que iba dejando a la vista, poco a poco. A medida que se quitaba las prendas, las doblaba y las colocaba en una silla. Cuando estuvo desnuda, levantó los brazos y se quitó las horquillas una a una hasta que su melena la envolvió. Y entonces sonrió. Después de todo, tal vez pudiera hacerle olvidar el bochorno por lo sucedido la noche anterior. Si acaso ese era el motivo de su abrupto cambio.

Jocelyn todavía llevaba la capa, pero se había apartado los extremos, echándoselos sobre los hombros. No hizo el menor intento por disimular la erección que tensaba la tela de sus ajustadas calzas. Sin embargo, no se movió. Y su expresión siguió siendo impasible.

Jane le desabrochó el cuello de la capa, que acabó en el suelo, tras él. Sin embargo, al hacerlo descubrió algo que ignoraba hasta ese momento: lo erótica que resultaba la desnudez cuando la pareja estaba totalmente vestida.

—Siéntate —le dijo, a modo de invitación, señalando la cama.

Él enarcó las cejas, pero se sentó en el borde con los pies separados y las manos sobre el colchón, y después se echó hacia atrás, apoyándose en los brazos.

—Estás aprendiendo unas lecciones muy pecaminosas por tu cuenta, Jane —comentó, observándola mientras le desabrochaba las calzas y liberaba su miembro de sus sedosos confines—. ¿Qué me tienes preparado? ¿Vas a darme placer con la boca?

Supo por instinto lo que quería decir. Y aunque su mente encontraba la idea repulsiva, su cuerpo le dijo que no lo sería. De todas formas, no se creía capaz de hacerlo. Todavía no. No hasta que llegara el día en el que fueran amantes de verdad, no un hombre con su mantenida.

Lo acarició con las manos mientras él observaba sus movimientos con los ojos entrecerrados. Después se arrodilló a horcajadas sobre sus caderas, colocó su miembro en el lugar preciso y descendió sobre él. Siguió erguida, con la espalda un tanto arqueada y rozándole los hombros cubiertos por el satén del frac. Lo miró a los ojos.

—Bien, Jane —dijo el—. Muy entretenido. —Y siguió sin moverse.

Notaba su miembro rígido y grande en su interior, pero Jocelyn no se movió. Se percató de que le olía el aliento a alcohol.

Le había enseñado a montarlo. Pero lo había hecho con él tumbado en la cama y ella inclinada sobre su cuerpo. Y Jocelyn la había acompañado en todo momento. Ambos habían colaborado para alcanzar el placer más sublime.

Esa noche se limitaba a seguir sentado y a contemplarla con esos ojos oscuros de mirada peligrosa.

Sabía que estaba mojada, más que preparada y muy excitada. Le habría encantado que él respondiera a su deseo con algo más que simple excitación, le habría encantado entregarle las riendas para que fuera él quien los llevara al éxtasis. Pero no parecía dispuesto a hacerlo. Lo envolvía una oscuridad que ella parecía incapaz de iluminar. Llegó a la conclusión de que los estaba sometiendo a un castigo, a los dos, por lo que interpretaba como una humillación por haberle confesado tantas intimidades la noche anterior.

Se apoyó en las rodillas y en las piernas y comenzó a moverse sobre él. No como lo había hecho en la otra ocasión, contrayendo y relajando los músculos internos al compás de las embestidas de Jocelyn. En aquella ocasión le pareció que mantenía cierto control sobre las arrolladoras sensaciones, sobre los movimientos, al menos hasta los últimos momentos. Sin embargo, en ese instante se movió sin defensa alguna, con los músculos relajados, sin barreras que la protegieran de la rigidez de su miembro que su cuerpo acogía una y otra vez según levantaba y bajaba las caderas con un erótico frenesí. Arqueó más la espalda, echó la cabeza hacia atrás, cerró los ojos y apoyó las manos en las rodillas de Jocelyn, cubiertas por la seda, tras ella.

Intentó demostrarle con su cuerpo que le importaba, que jamás le negaría nada cuando la necesitara. Porque pese a su extraño mal humor, percibía que la necesitaba.

No supo cuánto tiempo siguió moviéndose sobre él mientras Jocelyn seguía duro en su interior, inmóvil. Sin embargo, el deseo se tornó doloroso. Un dolor distinto de cualquier otro. Y antes de que llegara el final (¡felizmente!) sus manos le aferraron las caderas con una fuerza tan inesperada que Jane perdió el ritmo y su control se esfumó mientras él la penetraba con urgencia una y otra vez, derribando las barreras que ella había elegido no erigir. Se escuchó sollozar como si lo hiciera otra persona en la lejanía. Lo escuchó gruñir al llegar al clímax y notó que la inundaba la cálida humedad de su simiente.

La unión. ¡Bendita unión! Por fin podría consolarlo. Se acostarían juntos, sudorosos y saciados, y hablarían. Lo consolaría y él volvería a ser Jocelyn, en vez del sombrío y peligroso duque de Tresham.

Al día siguiente le confiaría sus más oscuros secretos.

Jadeaba y tenía frío porque estaba sudorosa. Seguía a horcajadas sobre él en la cama, con los muslos separados y las piernas rígidas. Jocelyn todavía estaba enterrado en ella. Levantó la cabeza y le sonrió con expresión soñadora.

—Muy entretenido, Jane —lo escuchó decir con voz brusca—. Estás avanzando maravillosamente bien en tu profesión. Comienzas a merecer cada penique de tu salario.

La levantó para apartarla, la dejó tendida sobre el colchón y se puso en pie. Y se abrochó las calzas de nuevo.

Para Jane fue como si le echara un jarro de agua fría por la cabeza.

—Y tú, por supuesto —replicó—, siempre has sido un maestro del insulto velado. Sé muy bien que me pagas para esto. No hace falta que me lo recuerdes solo porque anoche bajaste la guardia y te humillaste al contarme cosas de las que ahora te arrepientes de haberme confesado. —Tiró de las mantas para arroparse. De repente, se sintió muy desnuda.

—Jane, ¿te parece un insulto que halague tus habilidades en la cama? —le preguntó—. No sé, pero te aseguro que no suelo hacer ese cumplido. —Se colocó la capa sobre los hombros.

—Me parece un insulto que creas necesario degradarme —puntualizó ella— con esta conversación sobre habilidades y mi salario. Me parece un insulto que te avergüences de haber confiando en mí solo por que soy una mujer y, además, tu amante. Creía que éramos amigos. Y los amigos se demuestran confianza. Comparten sus secretos más oscuros y sus heridas más profundas. Me equivoqué. No debería haber olvidado que me pagas para esto —dijo, haciendo un gesto con el brazo para señalar la cama—. Y ahora estoy cansada. He trabajado para ganarme el pan. Haz el favor de marcharte. Buenas noches.

—Jane, ¿los amigos se demuestran confianza? —La miraba echando chispas por los ojos, que de repente le parecían muy negros.

Por un momento se asustó mucho. Porque pensó que iba a inclinarse sobre ella para levantarla a la fuerza. En cambio, lo vio ejecutar una reverencia burlona, tras lo cual se marchó del dormitorio.

Jane se quedó aterida y temblorosa, más sola y más triste de lo que había estado en la vida.

Jocelyn regresó a Grosvenor Square con un humor de perros. A esas alturas se odiaba a sí mismo con todas sus fuerzas. Un sentimiento familiar y satisfactorio, al menos. Se sentía como si la hubiera violado, aunque la había tratado tal como solía tratar a sus antiguas amantes. ¡Cómo la odiaba! Jane no debería haberle permitido que se acercara a ella esa noche; en cambio, lo había atendido como una cortesana experimentada.

La odiaba por haberlo engañado durante toda esa semana hasta hacerle creer que había encontrado a una amiga, a un alma gemela y al mismo tiempo a una magnífica compañera de cama. Por haberlo inducido de algún modo a bajar sus defensas, a compartir todo lo que ocultaba en lo más recóndito de su ser. Por haberlo distraído hasta el punto de no haberse percatado de que lo único que ella compartía en respuesta era su cuerpo, que en su relación no había reciprocidad.

Jane se había ganado su confianza, pero se había mantenido escondida tras su papel de amante y tras el alias de Jane Ingleby. Y para colmo tenía la desfachatez de sermonearlo sobre la amistad verdadera.

Ella, que se lo había arrebatado todo, hasta el amor del que se había creído incapaz de sentir.

La odiaba por haberlo engañado hasta hacerlo creer que merecía la pena vivir la vida después de todo. Por haberlo arrancado de la comodidad del grueso capullo en el que llevaba diez años viviendo.

La odiaba.

Ni siquiera podía pensar en ella como en Sara.

Era Jane.

Pero Jane Ingleby no existía.

Mientras se acercaba a casa notó con satisfacción los primeros síntomas de un dolor de cabeza. Con suerte, por la mañana contaría con la distracción de una resaca colosal.

Oculto entre las sombras de un portal situado al otro lado de la calle, Mick Boden observó cómo el duque de Tresham se alejaba por la acera y al poco tiempo vio que se apagaba la luz de lo que debía de ser el dormitorio de la casa. Saltaba a la vista que era un nidito de amor. El duque había abierto con su llave, se había quedado el tiempo suficiente para disfrutar de un buen revolcón o dos en esa habitación cuya luz se había encendido al poco de que él llegara y después había vuelto a casa, aparentemente muy complacido consigo mismo.

Había sido un día muy largo. No tenía sentido seguir más tiempo con la vigilancia. Era poco probable que la amante saliera de la casa para ver cómo se marchaba su protector ni que se asomara por la ventana, ya que ni siquiera lo había hecho para despedirse.

Sin embargo, tendría que salir en algún momento. Por la mañana, a buen seguro, para dar un paseo o para ir de compras. Solo necesitaba verla. Al menos así sabría si el amorcito del duque era lady Sara Illingsworth, alias Jane Ingleby. Mick Boden tenía un pálpito sobre la identidad de la mujer que residía en la casa, y durante los años que llevaba trabajando como investigador de Bow Street había aprendido a confiar en su intuición.

Decidió que volvería por la mañana y vigilaría la casa hasta que ella saliera. También podía enviar a un subordinado para que se ocupara de llevar a cabo una tarea tan mundana, mientras él se encargaba de otras líneas de investigación más importantes, pero sentía mucha curiosidad e incluso cierto respeto por esa mujer, frutos de la larga búsqueda. Quería ser el primero en verla y ser quien la arrestara.

*E*l duque faltó a su habitual cabalgada matutina por el parque. Estaba demasiado ocupado con un tremendo dolor de cabeza, el estómago revuelto y un ayuda de cámara que descorrió las cortinas de su dormitorio para dejar entrar la brillante luz del sol, tras lo cual pareció sorprenderse al descubrir a su señor dormido en su propia cama, con la claridad dándole de lleno en la cara.

Sin embargo, Jocelyn no pensaba permitirse el lujo de aguantar la resaca y aterrorizar a la servidumbre durante mucho tiempo. Tenía cosas que hacer. Por suerte, tuvo la oportunidad de hablar con Kimble y Brougham la noche anterior. No podía decir lo mismo del conde de Durbury, que jamás aparecía en público. Al igual que su sobrina, su prima o lo que fuera lady Sara Illingsworth para él.

No obstante, el conde seguía en la ciudad, alojado aún en el hotel Pulteney, según descubrió Jocelyn cuando preguntó en recepción a media mañana. Y estaba dispuesto a recibir al duque de Tresham, aunque la visita tal vez lo hubiera sorprendido. Al fin y al cabo, jamás habían cruzado palabra salvo para saludarse. Después de que Jocelyn le hiciera llegar su tarjeta y el ayuda de cámara del conde bajara para acompañarlo, lo encontró en la sala de estar privada de su suite.

—¿Tresham? —dijo a modo de saludo—. ¿Cómo está?

—Muy bien, gracias —contestó Jocelyn—. Teniendo en cuen-

ta que ahora mismo bien podría estar en mi propia cama, degolla-
do. O en la tumba, más bien, puesto que lady Sara Illingsworth
se marchó de mi casa hace poco menos de dos semanas.

—Ah, sí, siéntese. Permítame que le sirva una copa.

Era evidente que el investigador de Bow Street lo había puesto al tanto de las últimas noticias.

—¿Sabe dónde está, Tresham? ¿Ha oído algo?

—Nada, gracias —respondió mientras el licor le quemaba el
estómago de forma desagradable. Se acercó a un sillón para sentarse, puesto que lo habían invitado a hacerlo—. Comprenderá
que cuando estaba a mi servicio se vestía como una sirvienta y
usaba un alias. Era una simple empleada. Cuando se marchó, no
se me ocurrió preguntarle adónde iba.

—No, claro, por supuesto. —El conde se sirvió una copa y
se sentó a la mesa cuadrada emplazada en el centro de la estancia.
Parecía decepcionado—. Esos dichosos investigadores de Bow
Street no merecen ni un penique de lo que cobran, Tresham. De
hecho, son unos incompetentes. Llevo un mes aquí consumién-
dome mientras una peligrosa criminal anda suelta entre el cré-
dulo populacho. Y han pasado tres semanas de ese tiempo en
Dudley House. ¡Ojalá lo hubiera sabido!

—La verdad es que he tenido suerte de salir ileso —repuso
Jocelyn—. Ha matado a su hijo, ¿verdad? Mi más sentido pésame, Durbury.

—Gracias.

El conde parecía muy incómodo. Tanto era así que Jocelyn
sacó sus propias conclusiones mientras lo observaba con atención,
si bien adoptó una pose indolente para disimular el escrutinio.

—Y, además, le robó para echarle sal a la herida —siguió—.
Después de pasar tres semanas en Dudley House, lady Sara debe
de ser muy consciente de la gran cantidad de objetos valiosos
que poseo. Estoy muy preocupado desde que ayer por la mañana me enteré de las noticias, porque temo que intente robarme
y yo también acabe muerto en caso de tener la mala suerte de
toparme con ella en un mal momento.

El conde lo miró fijamente, pero Jocelyn era un experto en

controlar las expresiones faciales para no revelar lo que estaba pensando.

—Es lógico —convino el hombre.

—Entiendo a la perfección su… llamémoslo ira, porque un familiar, una mujer que dependía de usted, supongo, le haya causado tanto sufrimiento y haya dejado públicamente en ridículo su autoridad. En su caso, yo estaría esperando impaciente su captura para darle de latigazos antes de entregársela a la ley. Es la única manera de tratar a las mujeres rebeldes, según tengo entendido. De todas formas, quiero comentarle dos cosas. El motivo de mi visita, de hecho.

El conde de Durbury no sabía muy bien si acababa de insultarlo o de demostrarle su solidaridad.

—He interrogado a algunos de mis criados —siguió Jocelyn, aunque era mentira, por supuesto—, y me han asegurado que la enfermera que conocí como Jane Ingleby llegó a Dudley House con una única bolsa de viaje donde llevaba sus pertenencias. Un detalle que me lleva a preguntarme algo. ¿Dónde ha ocultado la fortuna en dinero y joyas que le robó? ¿Se le ha ocurrido al investigador de Bow Street que usted ha contratado perseguir esa línea de investigación? Si encuentra el tesoro, seguro que dará con el rastro de la mujer. —Guardó silencio con las cejas enarcadas, a la espera de la respuesta del conde.

—Es una idea —reconoció Durbury con tirantez.

Jocelyn confirmó de esa forma sus sospechas de que no existía tesoro alguno, o al menos nada que fuera de relevancia.

—Desde luego cumpliría mejor con su labor si buscara el dinero y las joyas en vez de estar persiguiéndome —añadió con voz amigable.

El conde de Durbury pareció sorprendido.

—Supongo que después de la entrevista que mantuve ayer por la mañana con él —continuó Jocelyn—, ha llegado a la conclusión de que soy el tipo de hombre que encontraría excitante acostarse con una mujer que podría robarme hasta el último penique mientras duermo y después abrirme la cabeza con un hacha para rematar la faena. Dicha conclusión es comprensible, dada mi reputación de llevar una vida alocada y peligrosa. Sin embargo, aunque ayer me resultó muy gracioso que me siguiera a todos lados, creo que si hoy se repitiera la experiencia, acabaría cansándome.

Saltaba a la vista que el conde no sabía lo que su investigador había estado haciendo el día anterior. Lo miró sin saber muy bien cómo reaccionar.

—De momento no ha sucedido —admitió él—, supongo que está acampado a las puertas de la casa de cierta… ejem, dama, a quien visité anoche. La dama en cuestión es mi amante, pero debe comprender, Durbury, que cualquier amante a mi servicio cuenta con mi protección completa y que cualquiera que la moleste tendrá que responder ante mí. Tal vez considere pertinente explicárselo a su investigador. Me temo que ahora mismo no recuerdo su nombre. —Se puso en pie.

—Desde luego que lo haré. —El conde de Durbury estaba hecho una furia—. ¿Les estoy pagando a los investigadores de Bow Street una fortuna para que vigilen la casa de su amante, Tresham? Esto es indignante.

—Debo confesar que la idea de que vigilen la ventana cuando se está manteniendo una… —añadió Jocelyn mientras recogía el sombrero y los guantes de la consola situada junto a la puerta—, en fin, una conversación con una dama resulta un tanto molesta. Espero que no vuelva a repetirse esta noche.

—No, desde luego —le aseguró el conde—. Le exigiré una explicación a Mick Boden, créame.

—Ah, sí —replicó Jocelyn al tiempo que salía de la estancia—, ese era el nombre. Un hombre bajito y delgado con fijador en el pelo. Que tenga un buen día, Durbury.

Bajó las escaleras y salió del hotel muy satisfecho por la visita matinal, pese al dolor de cabeza que parecía haberse instalado a sus anchas tras sus ojos. La mañana estaba a punto de concluir. Ojalá Jane fuera fiel a sus costumbres y no asomara la nariz por la puerta de la casa antes de que obligaran al perro guardián a retirarse. De todas formas, no lo creía probable. Jane solo salía al jardín trasero. Y por fin comprendía el motivo.

Jane se convenció de que había llegado el final durante una mañana de dura tarea en el jardín, mientras arrancaba las malas hierbas de un rincón que aún no había limpiado. Jocelyn mismo lo había descrito: el enamoramiento, la pérdida gradual de interés y la rotura de todos los lazos.

El enamoramiento había acabado, víctima de la indiscreción que Jocelyn había cometido, o lo que al parecer él interpretaba como una indiscreción. La pérdida de interés, sospechaba ella, no sería gradual, sino abrupta. Tal vez le esperaran algunas visitas más como la de la noche anterior. Sin embargo, el día menos pensado se presentaría el señor Quincy a fin de hacer los arreglos pertinentes para dar por zanjada la relación. Aunque tampoco habría mucho que discutir. El contrato lo dejaba casi todo muy claro.

Y después nunca volvería a ver a Jocelyn.

Arrancó sin piedad un manojo de ortigas, que le produjeron un terrible picor pese a los guantes.

Lo mismo daba, concluyó. De todas formas tenía pensado entregarse a los investigadores de Bow Street. Pronto podría hacerlo sin el menor impedimento. Pronto perdería las riendas de su destino, si bien lucharía aunque solo fuera por mantener sus principios y aclarar los ridículos cargos que pesaban en su contra. Ridículos salvo por el hecho de que Sidney estaba muerto.

Arrancó otro puñado de ortigas.

Había logrado convencerse de forma tan efectiva que le sorprendió ver llegar a Jocelyn a primera hora de la tarde. Escuchó que llamaban a la puerta principal mientras se estaba cambiando de vestido en la planta alta. Esperó, presa de la tensión, oír sus pasos en la escalera. Pero fue el señor Jacobs quien llamó con timidez a la puerta de su dormitorio.

—Su Excelencia solicita que lo honre con su presencia en la sala de estar, señora —le informó el mayordomo.

A Jane se le cayó el alma a los pies mientras soltaba el cepillo del pelo. Hacía más de una semana que no pisaban la sala de estar.

Al entrar, lo encontró delante de la chimenea, donde no ardía el fuego, con un brazo apoyado en la repisa.

—Buenas tardes, Jocelyn —lo saludó.

Presentaba su habitual actitud cínica, arrogante y sombría. La miró con expresión inescrutable. Tal parecía que su humor no había mejorado desde la noche anterior. De repente, comprendió el motivo de su visita. No iba a enviar al señor Quincy. Se lo diría en persona.

Ese era el fin. Después de una semana y media.

Lo vio inclinar la cabeza, a modo de saludo, pero no dijo nada.

—Fue un error —afirmó ella en voz baja—. Cuando me preguntaste si podías ver la estancia contigua, debería haberme mantenido firme y decirte que no. Jocelyn, lo que buscas es una amante. Una relación física, sin complicaciones, con una mujer. Te asusta la amistad, te asusta crear un vínculo emocional. Tu faceta artística te asusta. Te asusta enfrentarte a tus recuerdos y admitir que has permitido que te arruinen la vida. Te asusta abandonar tu propia imagen de hombre viril. No debería haberte animado a alentar tu yo interior. No debería haberme hecho tu amiga. Debería haber mantenido nuestra relación en el ámbito acordado. Debería haberte entretenido en la cama y animarte a vivir el resto de tu vida fuera de los confines de esta casa.

—¿Ah, sí? —replicó él, frío como un témpano de hielo—. ¿Alguna otra perla de sabiduría que quieras compartir conmigo, Jane?

—No te obligaré a mantener los términos del contrato —siguió ella—. Sería inmoral por mi parte insistir en que me mantengas durante cuatro años y medio cuando nuestra relación apenas ha durado semana y media. Eres libre. Desde este momento. Mañana me iré. Hoy, si insistes.

Sería mejor que se fuera ese mismo día. Marcharse sin tener tiempo para reflexionar al respecto. Ir al hotel Pulteney. O buscar a los investigadores de Bow Street en caso de no encontrar al conde.

—Tienes razón —repuso él después de mirarla sumido en un largo e incómodo silencio—. Nuestro contrato es nulo. Tiene un fallo insalvable.

Jane levantó la barbilla y en ese momento se dio cuenta de que hasta entonces deseaba con todas sus fuerzas que él discutiera su decisión, que intentara persuadirla de que se quedara, que volviera a ser Jocelyn.

—Creo que los contratos son nulos si una de las partes utiliza un alias —le explicó—. No soy un experto en leyes. Quincy podría asegurarlo. Pero creo que tengo razón, Sara.

Al principio no se percató, por tonto que pareciera. Solo sintió una terrible frialdad en el corazón. Pero solo duró un instante. El nombre que había usado pareció quedar suspendido en el aire entre ellos, como si el sonido no hubiera desaparecido cuando lo hizo su voz.

Jane se dejó caer en un sillón cercano.

—No me llamo así —susurró.

—Discúlpame —replicó Jocelyn al tiempo que ejecutaba una burlona reverencia—. Se me olvida que eres muy formal para estas cosas. Debería haber dicho lady Sara. ¿Mejor así?

Ella negó con la cabeza.

—No me has entendido. Ese no es mi nombre. Me llamo Jane. —Se llevó las manos a la cara y descubrió que le temblaban. Las bajó al regazo—. ¿Cómo lo has descubierto?

—He tenido una visita —contestó—. Un investigador de Bow Street. Según me ha explicado, durante la búsqueda de lady Sara Illingsworth dio con el establecimiento de una tal madame de Laurent, aunque tal como lo pronunció no me quedó muy claro el nombre. Y da la casualidad de que es tu antigua jefa, Jane, y también la antigua jefa de lady Sara. El investigador llegó a la perspicaz conclusión de que sois la misma persona.

—Iba a decírtelo —le aseguró, consciente mientras hablaba de lo poco convincentes que parecían sus palabras.

—¿En serio? —Jocelyn aferró el monóculo y se lo llevó al ojo para examinarla con gélido desdén—. ¿En serio… lady Sara? Perdóname si no te creo. Eres la mentirosa más creíble que he conocido en la vida. Me asusta la amistad y el vínculo emocional, ¿no? No deberías haberte convertido en mi amiga, ¿verdad? Para mi mortificación, he sido un tonto. Durante un tiempo, sí. Pero ya no. —Soltó el monóculo, que quedó colgando de su cinta.

Jane sintió la tentación de suplicarle que la creyera, de intentar explicarle que después de la intensidad emocional provocada por la confesión que él hizo dos noches antes, había decidido esperar para contarle su propia historia. Pero no la creería. Si la situación fuera a la inversa, ella tampoco lo haría.

—¿Sabe dónde estoy? —le preguntó—. Me refiero al investigador de Bow Street.

—Anoche me siguió hasta aquí —respondió Jocelyn— y esperó en la calle mientras me complacías en el dormitorio. ¡No te asustes! He logrado que la vigilancia llegue a su fin, al menos en lo que a este domicilio se refiere, aunque no creo haberlo engañado. Creo que es más inteligente que el hombre que lo ha contratado.

—¿El conde de Durbury sigue en el hotel Pulteney? —preguntó Jane—. ¿Sabes si sigue allí?

—Seguía alojado en él esta mañana cuando fui a visitarlo —respondió él.

De repente, se le quedó la cara fría y comenzó a sudar. Oía un fuerte pitido. El aire que respiraba era gélido. Pero no pensaba desmayarse. ¡No se desmayaría!

—Tranquila, no te he traicionado, Sara —le aseguró Jocelyn con los ojos entrecerrados.

—Gracias —replicó—. Prefiero entregarme a que me apresen. Si me concedes unos minutos, subiré en busca de mi bolsa de viaje y me iré para que te asegures de que abandono la casa. A menos que se lo hayas dicho a alguien, no es necesario que se sepa. Supongo que tanto el señor Quincy como los criados son discretos. Debe de ser una condición inherente a su empleo, ¿verdad? No hace falta que el escándalo te salpique más de la cuenta. —Se puso en pie.

—Siéntate —le ordenó él.

Lo dijo en voz baja, pero con tal frialdad que Jane lo obedeció sin pensar.

—¿Eres culpable de algunos de los cargos de los que se te acusa? —quiso saber Jocelyn.

—¿Asesinato o robo? —Bajó la vista a las manos, que tenía en el regazo. La tensión era tal que se percató con serenidad de que tenía los dedos blancos—. Lo golpeé. Me llevé dinero. Por tanto, soy culpable.

—¿Y las joyas?

—Una pulsera —contestó—. Está arriba, en mi bolsa.

No ofrecería explicaciones, ni excusas. Ya no le debía nada. El día anterior habría sido distinto. Habría sido su amigo, su amante. En ese momento ya no era nada.

—Lo golpeaste —repitió él—. ¿Con un hacha? ¿Con un arma?

—Con un libro —respondió.

—¿Con un libro?

—Le di con un pico en la sien —adujo—. Estaba sangrando y mareado. Si se hubiera sentado, no le habría pasado nada. Pero siguió persiguiéndome y cuando me aparté, perdió el equilibrio y se golpeó la cabeza contra la chimenea. No estaba muerto. Ordené que lo llevaran a la planta alta y lo atendí hasta que llegó el médico. Cuando me marché, estaba vivo, aunque inconsciente.

Ya estaba, había cedido al impulso de explicárselo. Todavía tenía la vista clavada en las manos.

—Siguió persiguiéndote —repitió Jocelyn en voz baja—. ¿Por qué te perseguía? ¿Porque te sorprendió robando?

—¡Menuda ridiculez! —exclamó con desdén—. Porque iba a violarme.

—¿En Candleford Abbey? —preguntó Jocelyn con voz desabrida—. ¿En la casa de su padre? ¿Iba a violar a la pupila de su padre?

—No estaban —le explicó—. Me refiero a los condes. Se habían marchado durante unos días.

—¿Y te dejaron sola con Jardine?

—Y con una prima muy anciana como carabina. —Se echó a

reír—. A la prima Emily le gusta el oporto. Y también le gusta Sidney. Bueno, le gustaba, en pasado. —Sintió un desagradable nudo en el estómago—. Sidney la emborrachó y la mandó temprano a la cama. Aquella noche solo estaban unos cuantos amigos suyos y sus propios criados.

—¿Y sus amigos no te defendieron? —quiso saber él—. ¿No se han dignado decir la verdad durante la investigación de la muerte de Jardine?

—Todos estaban borrachos —contestó—. Y lo animaban.

—¿No le asustaban las consecuencias de haberte violado una vez que regresara su padre? —preguntó Jocelyn.

—Supongo que pensaba que yo estaría demasiado avergonzada como para hablar —respondió ella—. Pensaba que accedería dócilmente a casarme con él. Y esa habría sido la solución del conde aun cuando le hubiera contado lo sucedido. Eso era lo que ambos querían y me lo habían repetido hasta tal punto que casi estaba dispuesta a enfrentarme a ellos con un hacha.

—Una novia reticente —comentó Jocelyn—. Sí, Jardine lo encontraría excitante. Sobre todo si su belleza se iguala a la de una diosa. No conozco mucho a Durbury, pero no me ha simpatizado esta mañana. ¿Por qué robaste, huiste de casa y te has mantenido oculta bajo un alias? Tu reacción te hace parecer culpable. Me parece muy poco característico de Jane Ingleby. Pero claro, en realidad, ella no existe, ¿verdad?

—Me llevé quince libras —puntualizó ella—. Durante el año y medio transcurrido desde la muerte de mi padre, el conde no me concedió ninguna asignación. Me dijo que en Candleford Abbey no había nada en lo que pudiera gastar el dinero. Creo que me debe mucho más de quince libras. La pulsera fue el regalo de bodas que mi padre le hizo a mi madre. Ella me la dio en su lecho de muerte, pero le dije a mi padre que la guardara en la caja fuerte con el resto de las joyas de la familia. El conde se negó a dármela o a reconocer que era mía. Pero yo sabía la combinación de la caja fuerte.

—Un error absurdo por su parte el no haberlo tenido en cuenta —señaló Jocelyn.

—Y no huí de casa —lo corrigió Jane—. Estaba harta de todos ellos. Vine a Londres para quedarme en casa de lady Webb, la mejor amiga de mi madre y mi madrina. Lord Webb iba a ser mi tutor legal junto con el primo de mi padre, el nuevo conde, pero murió y supongo que mi padre no se acordó de nombrar a otra persona. Lady Webb no estaba en casa y no esperaban su regreso en breve. Y eso fue lo que provocó el pánico. Me di cuenta de que Sidney podría estar gravemente herido, de que incluso podría haber muerto. Me di cuenta de cómo podía interpretarse que me hubiera llevado el dinero y la pulsera. Me di cuenta de que posiblemente ningún testigo fuera a decir la verdad. Me di cuenta de que podía estar metida en un buen lío.

—Mayor desde que decidiste convertirte en una fugitiva —apostilló Jocelyn.

—Sí.

—¿No había nadie en Candleford Abbey o en el vecindario que pudiera prestarte ayuda? —le preguntó él.

—El nuevo conde es primo de mi padre —le recordó ella—. Sidney es… era su heredero. No había nadie lo suficientemente poderoso como para respaldarme y mi mejor amigo estaba en Somersetshire, visitando a su hermana, y su estancia sería prolongada.

—¿Tu mejor amigo? —le preguntó Jocelyn, enfatizando la última palabra.

—Charles —adujo ella—. Sir Charles Fortescue.

—¿Tu amigo? —repitió él—. ¿Y pretendiente?

Ella alzó la vista para mirarlo por primera vez desde hacía varios minutos. La sorpresa comenzaba a desaparecer. Jocelyn no tenía derecho a interrogarla. Ella no tenía la obligación de contestarle. Solo era su antigua amante. Y no tenía la menor intención de aceptar dinero por la semana y media que había ocupado el puesto, ni tampoco pensaba llevarse la ropa que él le había comprado.

—Y pretendiente —afirmó ella con firmeza—. Pensábamos casarnos, pero dentro de bastante tiempo. No se me permite casarme sin el consentimiento del conde hasta cumplir los veinticinco. Nos habríamos casado el día de mi vigésimo quinto cumpleaños.

—¿Y ya no lo haréis? —dijo Jocelyn mientras volvía a llevarse el monóculo al ojo, pero Jane no estaba dispuesta a dejarse acobardar. Así que su mirada no flaqueó en ningún momento—. ¿No querrá casarse con una asesina, lady Sara? —se burló él—. Qué poco considerado por su parte. ¿No querrá casarse con una mujer caída en desgracia? Qué poco caballeroso.

—Soy yo quien no quiere casarse con él —apostilló ella con voz firme.

—Me parece muy bien —replicó Jocelyn con brusquedad—. Las leyes de nuestro país prohíben la bigamia… lady Sara.

Jane deseó que dejara de llamarla de esa forma.

—¿Bigamia? —preguntó.

¿Se habría casado Charles con alguna dama a la que acabara de conocer?, pensó tontamente, sin preguntarse siquiera cómo se habría enterado el duque de Tresham de esa noticia en caso de que fuera cierta.

—Sir Charles Fortescue no podrá casarse con mi esposa porque la ley se lo impedirá —precisó Jocelyn—. Espero y deseo que no sufra un revés sentimental importante, aunque no lo he visto llegar a Londres a toda prisa para remover cielo y tierra a fin de encontrarte y abrazarte contra su pecho. Espero que tú tampoco sufras un revés sentimental, aunque sinceramente, no puedo decir que me importe mucho.

Jane se puso en pie.

—¿Tu esposa? —repitió con los ojos abiertos de par en par por la sorpresa—. ¡¡Tu esposa!? ¡Qué disparate! ¿Te crees en la obligación de proponerme matrimonio porque has descubierto de repente que soy lady Sara Illingsworth, de Candleford Abbey, y no Jane Ingleby, criada en algún orfanato?

—Yo no habría podido expresarlo mejor —repuso él.

—No sé qué planes tienes para el resto de la tarde —le soltó Jane con sarcasmo sin dejar de mirar su expresión fría y cínica, consciente de la total indiferencia que Jocelyn sentía hacia ella como persona—, pero yo tengo que hacer algo de suma importancia. Tengo que hacer una visita al hotel Pulteney. Si me disculpas... —Se volvió con determinación hacia la puerta.

—Siéntate —le dijo Jocelyn en voz baja, como antes.

Jane se dio media vuelta para enfrentarlo.

—No soy su sirvienta, excelencia —le recordó, empleando el título de cortesía—. No soy...

—¡Siéntate! —exclamó, si bien habló incluso más bajo que antes.

Jane lo miró en silencio durante un instante antes de cruzar la estancia y detenerse a escasa distancia de él.

—Te repito que no soy tu sirvienta. Si tienes que decirme algo más, dilo y deja toda esta formalidad tan ridícula. Mis orejas funcionan perfectamente cuando estoy de pie.

—Mi paciencia tiene un límite —le advirtió él, entrecerrando los ojos de forma amenazadora.

—Pues la mía está más que agotada —repuso Jane, que regresó a la puerta.

—Lady Sara —la llamó él con voz tan gélida que la detuvo sin más—. Vamos a dejar una cosa muy clara. Dentro de poco, en un par de días a lo sumo, serás la duquesa de Tresham. Tus deseos personales no cuentan en absoluto. Me importan bien poco. Vas a ser mi esposa. Y pasarás el resto de tu vida arrepintiéndote del día que naciste.

De no haber estado tan furiosa, Jane se habría echado a reír. Tal como estaban las cosas, se tomó su tiempo para sentarse en el sillón más próximo y, después de colocarse las faldas, lo miró a los ojos cuidándose mucho de hacerlo con expresión distante.

—Qué ridículo te pones cuando decides adoptar la pose de aristócrata arrogante y pretencioso —le soltó mientras unía las manos en el regazo y apretaba los labios. Se preparó para la inminente batalla.

21

Se sorprendió por la intensidad del odio que sentía hacia ella. Jocelyn nunca había odiado a nadie, salvo tal vez a su padre. Ni siquiera a su madre. No se podía odiar cuando no se sentía nada por nadie. Ojalá pudiera sentir solo indiferencia por lady Sara Illingsworth.

Casi lo lograba cuando pensaba en ella por ese nombre. Pero sus ojos veían a Jane Ingleby.

—No estarás obligada a ver a tu ridículo marido muy a menudo, como te aliviará saber —le dijo—. Vivirás en Acton Park, y ya sabes el cariño que le tengo a mi casa solariega. Me verás una vez al año más o menos, cuando sea necesario para que te quedes embarazada. Si eres muy aplicada, tendrás dos hijos varones en los dos primeros años de matrimonio y yo podré considerar que la sucesión está más que asegurada. Si eres increíblemente lista, por supuesto, ya estarás embarazada. —Se llevó el monóculo al ojo y le miró el vientre con él.

Los labios de Jane ya habían ejecutado su conocido truco de desaparición. Se alegraba de que hubiera conseguido recuperar la compostura. Durante un momento la había visto muy blanca, estremecida y deprimida. Casi se descubrió teniéndole lástima. En ese instante, Jane lo fulminaba con sus ojos azules.

—Se te olvida una cosa —repuso ella—. Las mujeres no son unas completas esclavas en nuestra sociedad, aunque están peligrosamente cerca de serlo. Tengo que decir «Sí, quiero» o lo que sea que dicen las novias para dar su consentimiento al matrimonio. Puedes arrastrarme al altar (te concedo que eres mucho más fuerte que yo), pero sufrirás una vergüenza espantosa cuando me niegue a dar mi consentimiento.

Jocelyn era consciente de que la renuencia de Jane debería satisfacerlo. Sin embargo, Jane lo había engañado, lo había humillado y lo había hecho quedar como un tonto. De modo que no pensaba permitirle que impusiera su voluntad en ese asunto en concreto.

—Además —añadió ella—, todavía no soy mayor de edad. Y según el testamento de mi padre no puedo casarme con menos de veinticinco años sin el consentimiento de mi tutor legal. Si lo hago, perderé mi herencia.

—¿Herencia? —Enarcó las cejas.

—Todo lo que mi padre poseía salvo Candleford Abbey estaba desvinculado del título, que obviamente no puedo heredar —explicó ella—. Sus otras propiedades, su fortuna… todo, de hecho, será mío cuando cumpla veinticinco años, o de mi esposo si me caso con el consentimiento de mi tutor antes de esa edad.

Lo que explicaba muchas cosas, por supuesto. Durbury poseía el título, Candleford Abbey y el control de todo lo demás en ese momento. Si podía convencer a lady Sara para que se casase con alguien de su familia, tendría control permanente… o si lograba hacerle la vida tan imposible como para que se fugara con otro hombre antes de cumplir los veinticinco.

—Supongo que si no cumples con el testamento, Durbury lo heredará todo.

—Sí.

—Pues que lo herede todo —replicó con sequedad—. Soy muy rico. No necesito que mi esposa aporte una fortuna.

—Supongo que si me condenan por asesinato, me desheredarán. Tal vez incluso mu… muera. Pero me enfrentaré a lo que el destino me tenga preparado. Y no me casaré con nadie, sea cual sea el resultado. Ni con Charles. Ni contigo. Al menos hasta que cumpla los veinticinco. Después ya veré si me caso o no, es decisión mía. Seré libre. Estaré muerta, encarcelada o deportada, o seré libre. Esas son las alternativas. No seré la esclava de ningún hombre bajo la condición de esposa. Mucho menos la tuya.

Jocelyn la miró en silencio. Ella no apartó la vista, por supuesto. Era una de las pocas personas que aguantaban su escrutinio. Tenía la barbilla en alto. Un brillo acerado en los ojos, y los labios apretados con un rictus obstinado.

—Debería haberme dado cuenta antes —dijo, más para sí mismo que para ella—. De ese gélido vacío que tienes en el alma. Eres sexualmente apasionada, pero el sexo es un acto carnal. No llega al corazón. Tienes la extraña habilidad de abrirte a las confidencias de los demás. Proyectas una imagen de compasión y empatía. Te limitas a recibir y recibir, ¿verdad?, como una criatura de sangre fría que se calentara con la sangre de sus víctimas. De hecho, es difícil darse cuenta de que no das nada a cambio. Jane Ingleby, bastarda de algún caballero sin nombre, educada en algún orfanato de excelente calidad. Eso es lo único que me diste: mentiras. Y tu cuerpo de sirena. Estoy cansado de discutir contigo. Tengo que hacer unas visitas, pero volveré. Y te quedarás aquí hasta que lo haga.

—Te he hecho daño —reconoció ella al tiempo que se ponía en pie—. Te alegrará saber que ya te has vengado. Si mi corazón no era gélido antes, ahora lo es. Me he entregado a ti una y otra vez desde lo más profundo de mi alma porque tu necesidad era enorme. No he tenido la oportunidad de pedir nada para mí, de pedir el consuelo de tu comprensión, de tu compasión y de tu amistad. No ha habido tiempo, solo una semana que terminó abruptamente ayer. Vete. Yo también estoy cansada. Quiero estar sola. ¿Te sientes traicionado? —preguntó—. Pues yo también.

En esa ocasión cuando Jane se dio la vuelta para marcharse, no la detuvo. La vio alejarse. Y siguió donde estaba un buen rato.

Le dolía el corazón.

Ese corazón cuya existencia había ignorado.

No podía confiar en ella. No confiaría en ella. No volvería a hacerlo.

¿La había traicionado? ¿Le había dado Jane compasión, amistad y amor después de todo? ¿Había tenido la intención de desnudarle su alma de la misma manera que él había desnudado la suya?

Jane.

Lady Sara Illingsworth.

¡Ay, Jane!, exclamó en silencio.

Salió de la estancia y de la casa. Cuando ya se hallaba bastante lejos, recordó que le había ordenado quedarse en el domicilio hasta su regreso. Sin embargo, Jane no era de las que aceptaban las órdenes con sumisión. Debería haberla obligado a prometérselo. ¡Demonios, debería haberlo pensado!

No obstante, sería extraño que abandonara la casa en esas circunstancias. Seguro que lo esperaba.

Jocelyn no volvió.

En el caso de que lady Webb se sorprendiera cuando su mayordomo le ofreció la bandeja de las tarjetas y le informó, antes de que pudiera leer la que anunciaba a su visitante, de que el duque de Tresham estaba en el vestíbulo de la planta baja solicitando el honor de que le concediera unos minutos, no lo demostró cuando lo vio aparecer. La dama se levantó de un pequeño escritorio, donde al parecer estaba escribiendo unas cartas.

—¿Tresham? —lo saludó con educación.

—Señora. —Jocelyn le hizo una elegante reverencia—. Le agradezco que me conceda unos minutos.

Lady Webb era una viuda elegante de unos cuarenta años a quien solo conocía de vista. Se movía en un círculo mucho más refinado de los que él solía frecuentar. Sentía un enorme respeto por ella.

—Siéntese —lo invitó lady Webb, que señaló un sillón mientras ella tomaba asiento en un sofá cercano— y cuénteme qué lo trae por aquí.

—Creo que conoce a lady Sara Illingsworth —dijo él al tiempo que se sentaba.

La vio enarcar las cejas y mirarlo con expresión astuta.

—Es mi ahijada —explicó ella—. ¿Tiene noticias suyas?

—Estuvo trabajando en Dudley House como mi enfermera durante tres semanas —contestó—, después de que me disparasen en una pierna durante un… esto… un duelo. Nos descubrió en Hyde Park mientras se celebraba. Iba de camino a un taller de costura para trabajar. Estaba usando un alias, por supuesto.

Lady Webb ni siquiera se movió.

—¿Sigue en Dudley House? —preguntó.

—No, señora. —Jocelyn se apoyó en el respaldo del sillón. Estaba experimentado una incomodidad terrible, una sensación relativamente desconocida para él—. No descubrí su verdadera identidad hasta que un investigador de Bow Street vino a verme ayer. La conocía como la señorita Jane Ingleby.

—Ah, Jane —dijo lady Webb—. Así es como solían llamarla sus padres. Es su segundo nombre.

Por tonto que pareciera, le complació escuchar eso. Era Jane de verdad, tal como le había asegurado.

—Debe entender que era una criada —continuó—. Estuvo trabajando temporalmente para mí.

Lady Webb meneó la cabeza y suspiró.

—Y no sabe adónde ha ido —dijo—. Yo tampoco. ¿Por eso ha venido? ¿Porque se ha indignado al saber que lo engañaron y estuvo cobijando a una fugitiva? Si supiera dónde está, Tresham, no se lo diría. Ni tampoco al conde de Durbury. —Pronunció el nombre con desprecio.

—¿Eso quiere decir que no la cree culpable de ninguno de los cargos de los que se la acusa?

La vio resoplar, aunque fue su único indicio de emoción. Lady Webb estaba sentada con la espalda muy derecha, sin tocar el respaldo, aunque con una pose elegante. Dicha postura le recordó a la de Jane: la pose de una dama.

—Sara no es una asesina —declaró la mujer con firmeza—, ni una ladrona. Apostaría mi fortuna y mi reputación. El conde de Durbury quería casarla con su hijo, a quien ella desprecia por encima de todo, como la muchacha sensata que es. Yo tengo una teoría acerca de cómo Sidney Jardine encontró su fin. Si apoya a Durbury y ha venido con la esperanza de que le cuente más de lo que le dije a él hace unos días, está desperdiciando su tiempo y el mío. Tendré que pedirle que se vaya.

—¿Cree que está muerto? —preguntó Jocelyn con los ojos entrecerrados.

Lady Webb lo miró.

—¿Jardine? —dijo ella—. ¿Por qué iba a decir su padre que está muerto si no es así?

—¿Lo ha dicho? —insistió Jocelyn—. ¿O solo se ha limitado a no contradecir el rumor que circula por los salones y los clubes londinenses?

La dama lo miraba fijamente.

—¿Por qué ha venido? —quiso saber ella.

Jocelyn llevaba todo el día preguntándose qué respondería a esa pregunta. No había llegado a una conclusión satisfactoria.

—Sé dónde está —contestó—. Le encontré otro trabajo cuando se marchó de Dudley House.

Lady Webb se puso en pie de inmediato.

—¿En la ciudad? —preguntó—. Lléveme hasta ella. La traeré a mi casa y le ofreceré refugio mientras mi abogado investiga las ridículas acusaciones que pesan en su contra. Si sus sospechas son ciertas y Sidney Jardine sigue vivo… En fin. ¿Dónde está?

Jocelyn también se había puesto en pie.

—Está en la ciudad, señora —le aseguró—. Se la traeré. La habría traído conmigo ahora, pero tenía que asegurarme de que encontraría un refugio seguro en esta casa.

De repente, la dama lo miró con expresión suspicaz.

—Tresham —dijo, como él temía que hiciera—, ¿qué otro trabajo le ha buscado a Sara?

—Debe entender, señora —dijo con sequedad—, que me dio un nombre falso. Me dijo que había crecido en un orfanato. Era evidente que había recibido una buena educación, pero la creía sumida en la pobreza y sin amigos.

Lady Webb cerró los ojos un instante, pero no relajó su tensa postura.

—Tráigamela —le ordenó—. Y que venga acompañada por una doncella o por una dama de compañía respetable.

—Sí, señora —accedió—. Por supuesto, me considero comprometido con lady Sara Illingsworth.

—Por supuesto. —Los ojos de lady Webb lo atravesaban con cierta frialdad—. Me parece una triste ironía que haya escapado de un canalla para caer en las garras de otro. Tráigamela.

Jocelyn le hizo una reverencia y resistió el impulso de adoptar su habitual expresión cínica y arrogante. Al menos esa mujer tenía la integridad suficiente como para no frotarse las manos al pensar que su ahijada había pescado al duque de Tresham.

—Que su abogado empiece a trabajar, señora —le dijo—. Mientras tanto yo haré lo necesario para limpiar el nombre de mi prometida y para liberarla de las cadenas de un tutor inadecuado. Buenos días.

La dejó de pie y muy erguida, con porte orgulloso y hostil, en mitad del salón. Una persona en cuyas manos Jane estaría a salvo. Una amiga por fin.

Jane se quedó en su dormitorio una hora entera después de que Jocelyn se marchara, pero se limitó a sentarse en el taburete del tocador, con los pies juntos en el suelo, las manos apretadas en el regazo y los ojos clavados en la alfombra, sin verla siquiera.

Después se puso en pie y se quitó la ropa, todo lo que había comprado con el dinero de Jocelyn. Sacó del armario su sencillo vestido de muselina, la práctica camisola y las medias que llevaba cuando llegó a Londres, y se vistió de nuevo. Se cepilló el pelo y se hizo una trenza muy tirante para poder ocultarla bajo el bonete gris. Se colocó la capa a juego con este, metió los pies en sus antiguos zapatos, se puso los guantes negros y estuvo preparada para marcharse. Cogió la bolsa con sus escasas pertenencias (y la valiosísima pulsera) y salió en silencio de su dormitorio.

Por desgracia, Phillip estaba en el pasillo de la planta baja. La miró sorprendido. Nunca había salido antes, por supuesto, y llevaba un atuendo muy sencillo.

—¿Va a salir, señora? —le preguntó, aunque no hacía falta.

—Sí. —Sonrió—. Solo voy a dar un paseo y a tomar el aire, Phillip.

—Sí, señora. —Se apresuró a abrirle la puerta y miró con expresión titubeante su bolsa—. Si vuelve Su Excelencia, ¿adónde le digo que ha salido, señora?

—Dile que he ido a dar un paseo. —Mantuvo la sonrisa al cruzar el umbral. De inmediato sintió el pánico de saberse al borde de un precipicio. Dio un paso firme hacia delante—. Supongo que sabes que no soy una prisionera.

—No, claro que no, señora —se apresuró a decir Phillip—. Disfrute del paseo, señora.

Quería darse la vuelta y despedirse de él como era debido. Era un joven amable siempre dispuesto a agradar. Pero se limitó a seguir caminando mientras escuchaba el sonido de la puerta al cerrarse.

Como la de una prisión.

Dejándola fuera.

Tal vez fuera producto de sus destrozados nervios, por supuesto, pensó mientras se percataba, menos de cinco minutos después, de que la estaban siguiendo. Pero no iba a volverse para mirar. Tampoco iba a apretar el paso… ni a andar más despacio. Caminó por la acera con paso firme, la espalda recta y la barbilla en alto.

—¿Lady Sara Illingsworth? Buenas tardes, milady.

La voz, bastante agradable, sin una nota más alta que otra, procedía de un lugar muy cerca, a su espalda. Jane tuvo la sensación de que una serpiente le subía por la espalda. El pánico le aflojó las rodillas y le revolvió el estómago. Se detuvo y se dio la vuelta muy despacio.

—Supongo que es uno de los investigadores de Bow Street —aventuró ella con voz igual de educada. Aunque el hombre no lo parecía. Ni era alto ni fuerte, de hecho, parecía un pobre imitando a un dandi.

—Sí, señora. A su servicio —dijo el investigador sin apartar la vista de ella, y sin mostrarle el debido respeto.

Eso quería decir que Jocelyn se había equivocado. No había conseguido que dejaran de vigilar la casa. Había descrito al investigador como un hombre astuto, pero no se había percatado de que lo era demasiado como para acatar la orden de alejarse de su presa cuando sabía que estaba cerca.

—Voy a facilitarle la labor —dijo, sorprendiéndose por la templanza de su voz. De hecho, era sorprendente cómo menguaba el miedo una vez que se enfrentaba a sus circunstancias—. Me dirijo al hotel Pulteney para ver al conde de Durbury. Puede acompañarme hasta allí y reclamar la gloria de haberme detenido si lo desea. Pero no se acerque más ni me toque. Si lo hace, gritaré con todas mis fuerzas. Hay bastantes carruajes y transeúntes a la vista. Me inventaré cualquier excusa para hacer que mi audiencia crea que me está siguiendo y molestando. ¿Está de acuerdo?

—Verá, señora —respondió el investigador, con una voz que parecía agradable y apesadumbrada—, la cosa es así: Mick Boden no permite que los criminales se le escapen cuando los tiene a la vista. No cometo la tontería de dejarlos sueltos solo porque sean damas y tengan un piquito de oro. Y no hago tratos con los criminales. Puede acompañarme en silencio después de que le haya atado las manos debajo de la capa, y no va a ponerse en ridículo. Sé que a las damas no les gusta que las avergüencen en público.

Tal vez el hombre fuera astuto, pero desde luego no era listo. Dio un paso firme hacia ella al tiempo que metía una mano en un bolsillo interior. Jane abrió la boca y soltó un chillido... seguido de otro. Incluso se sorprendió a sí misma. Jamás había chillado, ni siquiera de niña. El investigador puso cara de sorpresa, y de asombro. Sacó la mano del bolsillo con un trozo de cuerda.

—Vamos, no hay necesidad de ponerse así —dijo el hombre con brusquedad—. No voy a...

Sin embargo, Jane nunca descubrió lo que no iba a hacer. Dos jinetes se acercaron al trote y desmontaron de sus caballos. Un carruaje de alquiler se detuvo de repente al otro lado de la calle y su corpulento cochero se apeó del pescante mientras le gritaba a un barrendero que sujetara los caballos. Una pareja de ancianos de mediana edad y aspecto respetable, que había pasado junto a Jane hacía un instante, se volvió y se acercó a ella a toda prisa. Un tipo gigantón, que tenía pinta de ser un púgil, se había materializado de la nada y había agarrado a Mick Boden desde atrás, sujetándole los brazos a los costados. Fue eso lo que hizo que el investigador dejara la frase a la mitad.

—Me ha acosado —informó Jane a los salvadores que se habían congregado a su alrededor—. Iba a atarme con eso —dijo al tiempo que señalaba la cuerda con un dedo que le temblaba de verdad— y a secuestrarme.

Todos hablaron a la vez. El púgil se ofreció a apretar más fuerte hasta que al villano se le saliera el estómago por la boca. El cochero sugirió llevarlo en su carruaje hasta el magistrado más cercano, donde seguro que lo condenaban a la horca. Uno de los jinetes aseguró que sería una pena que un ser tan despreciable fuera ahorcado antes de que le recompusieran la cara. El anciano caballero no sabía por qué un matón de aspecto tan tétrico podía deambular por las calles de una ciudad civilizada, aterrorizando a las mujeres. Su esposa le pasó un brazo a Jane por encima de los hombros, con gesto maternal, y chasqueó la lengua con preocupación e indignación.

Mick Boden había recuperado la compostura aunque le fue imposible soltarse.

—Soy un investigador de Bow Street —anunció con voz autoritaria—. Iba a capturar a una infame ladrona y asesina, y les sugiero que no se inmiscuyan ni entorpezcan la labor de la justicia.

Jane alzó la barbilla.

—Soy lady Sara Illingsworth —repuso, indignada, con la esperanza de que ninguno de los presentes hubiera oído hablar de ella—. Voy de camino a visitar a mi primo y tutor legal, el conde de Durbury, que se hospeda en el hotel Pulteney. Se enfadará mucho conmigo cuando le confiese que he salido sin mi doncella. Pero la pobre muchacha está enferma con un resfriado. Debería haberme acompañado un criado, por supuesto, pero no sabía que hubiera hombres desesperados que acosan a las damas incluso a plena luz del día. —Se sacó un pañuelo del bolsillo y se lo llevó a la boca.

Mick Boden la censuró con la mirada.

—Vamos, no hay necesidad de todo esto —dijo.

—Venga, querida —dijo la anciana al tiempo que se cogía de su brazo—. La acompañaremos para que llegue sana y salva al hotel Pulteney, ¿verdad, Vernon? No está muy lejos de nuestro destino.

—Váyase, milady —le dijo uno de los jinetes—. Sabemos dónde encontrarla si es necesario que preste declaración. Pero yo me inclino por ahorrarle trabajo a la justicia sin molestar a un magistrado. Márchese.

—Un momento —protestó Mick Boden mientras Jane aceptaba el brazo del anciano y echaba a andar por la acera, protegida y flanqueada por el caballero y su esposa.

En otras circunstancias, a Jane le habría hecho gracia la escena. Pero en ese momento sentía una mezcla de audacia (por fin estaba haciendo algo) y de miedo. Ese hombre iba a atarle las manos.

Le dio las gracias desde el fondo de su corazón a sus acompañantes cuando llegaron a las puertas del hotel Pulteney, y les prometió que jamás volvería a cometer la insensatez de pasear por las calles de Londres sola. Habían sido tan amables con ella que se sentía mal por haberlos engañado. Aunque, por supuesto, no era ni una ladrona ni una asesina. Entró en el hotel.

Al cabo de unos minutos llamó a la puerta de la suite del conde de Durbury, después de haber declinado el ofrecimiento de anunciar su visita al mismo mientras ella esperaba en el recibidor de la planta baja. Reconoció al ayuda de cámara de su primo, Parkins, que fue quien abrió la puerta y la recordó. Se quedó boquiabierto, una expresión muy poco elegante. Jane dio un paso al frente sin decir nada y el hombre se apartó de un salto.

Se encontró en la espaciosa y refinada sala de estar de la suite. El conde estaba sentado al escritorio, de espaldas a la puerta. Muy a su pesar, el corazón le latía frenético en el pecho y en la garganta, y le atronaba los oídos.

—¿Quién era, Parkins? —preguntó él sin volverse.

—Hola, primo Harold —lo saludó ella.

Jocelyn no quería perder tiempo en llevar a Jane a casa de lady Webb. De hecho, no podía quedarse ni un minuto más del necesario donde estaba. Le pediría a la señora Jacobs que la acompañase en su carruaje.

Sin embargo, para conseguir su carruaje tenía que atravesar Hyde Park. Y fue mientras atravesaba el parque cuando se topó con una escena muy interesante. Un numeroso grupo de jinetes se encontraba un poco apartado del camino que él transitaba, y varios de ellos hablaban y gesticulaban agitados.

Se estaba preparando una pelea, pensó. En circunstancias normales no habría dudado en acercarse y descubrir de qué se trataba, pero ese día tenía asuntos mucho más importantes que atender, y habría pasado de largo de no haber reconocido a uno de los caballeros que más gesticulaban: su hermano.

¿Ferdinand en una pelea? ¿Se estaría metiendo en un lío del que su temperamento Dudley no le permitiría salir hasta que ya fuera demasiado tarde? En fin, lo menos que podía hacer, decidió Jocelyn con un suspiro resignado, era acercarse y ofrecerle apoyo moral.

Su llegada fue percibida primero por los que no estaban participando en el bullicioso altercado, pero después también se percataron sus participantes. La multitud se volvió al unísono para verlo llegar, apoderándose de ella un curioso silencio.

El motivo de todo quedó patente para Jocelyn casi al punto. Por fin estaban allí, los cinco juntos: los hermanos Forbes. Aterrados, sin duda, de dejarse ver en cualquier parte de Londres por separado, ese día estaban proyectando un frente unido ante el mundo.

—¡Tresham! —exclamó Ferdinand. Miró a los Forbes con

expresión triunfal—. ¡Ahora veremos quién es el cobarde malnacido!

—¡Válgame Dios! —Jocelyn enarcó las cejas—. ¿Quién ha estado usando un lenguaje tan escandaloso y vulgar, Ferdinand? No sabes lo aliviado que me siento de no haber estado presente para escucharlo. ¿Y quién, si se me permite preguntar, era el destinatario de tan crítica descripción?

Aunque era un pelmazo en el púlpito, el reverendo Josiah Forbes, que así se llamaba, no era un canalla asustadizo y dado a esconderse. Azuzó el caballo sin titubear hasta que su rodilla casi tocó la de Jocelyn, se quitó con mucha pompa el guante derecho y dijo:

—Pues era usted, Tresham. Un cobarde malnacido y también un corruptor de la virtud conyugal. Va a tener que enfrentarse a mí, si quiere rebatir estas acusaciones.

Se inclinó hacia delante y cruzó la mejilla de Jocelyn con el guante.

—Encantado —repuso Jocelyn con hastiada arrogancia—. Su padrino puede reunirse con sir Conan Brougham cuando lo estime conveniente.

El lugar del reverendo Forbes fue ocupado a continuación por el capitán Samuel Forbes, espléndido con su uniforme escarlata reglamentario, y entre el murmullo excitado de los espectadores Jocelyn se dio cuenta de que los otros hermanos Forbes hacían cola tras él, temblando de forma evidente. Bostezó con delicadeza detrás de una mano.

—Tendrá que enfrentarse a mí por el honor de mi hermana, Tresham —dijo el capitán Forbes, antes de cruzar la misma mejilla ducal con su guante.

—Si el destino me lo permite —le recordó Jocelyn con suavidad—. Pero debe entender que si su hermano desparrama mis sesos en el campo de honor antes de poder acudir a nuestra cita, me veré obligado a declinar su invitación… o al menos Brougham lo hará en mi nombre a título póstumo.

El capitán Forbes alejó su caballo y al parecer le tocaba el turno a sir Anthony Forbes. Sin embargo, Jocelyn levantó una mano para detenerlo y miró uno a uno a los restantes hermanos con estudiado desdén.

—Deben perdonarme —dijo en voz baja— por verme en la obligación de rechazar la oportunidad de encontrarme con alguno de ustedes en un campo de honor. No hay honor en intentar castigar a un hombre sin desafiarlo primero cara a cara. Y tengo como norma personal batirme a duelo solo con caballeros. No tiene nada de caballeroso haber intentado herir a un hombre matando a su hermano.

—Y el ardid no está libre de riesgos —añadió Ferdinand, furioso— cuando dicho hermano puede contarlo para vengar esa cobardía en persona.

El creciente círculo de espectadores prorrumpió en aplausos.

—Mis puños serán su castigo aquí y ahora —continuó Jocelyn al tiempo que señalaba a los restantes tres hermanos con la fusta—, aunque sugiero que nos traslademos a un lugar más apartado. Nos enfrentaremos todos a la vez. Podrán defenderse porque yo sí soy un caballero y no pienso aprovecharme de ustedes impidiéndoles luchar como los canallas y cobardes que son. Pero no habrá reglas ni tampoco padrinos. Esto no es un campo de honor.

—¡Caray, Tresham! —exclamó Ferdinand con alegre entusiasmo—. Bien dicho. Pero seremos dos contra tres. Al fin y al cabo, también es mi pelea y no pienso permitir que me prives de la satisfacción de impartir el castigo. —Desmontó mientras hablaba y condujo su caballo hacia la arboleda que Jocelyn había señalado. Al otro lado había un prado, pero no senderos, de modo que los jinetes y los transeúntes que frecuentaban el parque durante el día rara vez lo pisaban.

Los tres hermanos Forbes, tal como Jocelyn había sospechado, no podían evitar el enfrentamiento sin quedar en ridículo. Los otros caballeros los siguieron de cerca, encantados por la inesperada oportunidad de ver una pelea en Hyde Park, nada menos.

Jocelyn se quitó la chaqueta y el chaleco mientras su hermano hacía lo propio junto a él. Después se adentraron en el cuadrilátero de hierba que se había formado gracias a la multitud de conocidos que querían presenciar la pelea.

Era una lucha muy desigual, descubrió Jocelyn con cierta decepción y desprecio a los dos minutos de empezar. A Wesley Forbes le gustaba utilizar su bota y saltaba a la vista que esperaba desarmar a sus oponentes con una patada bien dada a cada uno. Por desgracia para él, Ferdinand, que tenía muy buenos reflejos, atrapó su pie en el aire con ambas manos como si fuera una pelota y le hizo perder el equilibrio mientras utilizaba sus piernas, considerablemente más largas, para darle una patada en el mentón.

A partir de ese momento, y al clamor de los vítores entusiasmados de la mayoría de los espectadores, se redujo a un dos contra dos.

Sir Anthony Forbes, que había conseguido asestarle un puñetazo a Jocelyn en el estómago por pura casualidad, intentó devolver golpe por golpe durante un tiempo, pero pronto comenzó a quejarse de que era injusto que luchara con él cuando había sido Wes quien manipuló el tílburi.

La multitud comenzó a vitorear.

—En ese caso tal vez sea justicia poética —replicó Jocelyn mientras asaltaba las defensas de sir Anthony y esperaba más de lo que era necesario antes de dar el golpe de gracia— que vaya a castigar al hermano equivocado.

Al final le asestó un gancho de izquierda seguido de uno de derecha que le golpeó el mentón, lo que hizo que su oponente cayera al suelo como un palo golpeado por una bola de críquet.

Mientras tanto Ferdinand estaba usando el estómago de Joseph Forbes como saco de boxeo. Sin embargo, al escuchar los vítores que se produjeron cuando sir Anthony cayó al suelo, terminó el encuentro con un puñetazo a la cara del hombre. Las rodillas de Joseph cedieron hasta que rodó por el suelo al tiempo que se aferraba la sanguinolenta nariz. No intentó levantarse.

Jocelyn se acercó a los otros dos hermanos, que lo habían observado todo en silencio. Los saludó con una inclinación de cabeza bastante respetuosa.

—Esperaré noticias de sir Conan Brougham —dijo.

Ferdinand, sin una marca aparente en el cuerpo, se estaba poniendo la chaqueta y se echó a reír con jovialidad.

—Ojalá hubieran sido los cinco a la vez —comentó—, pero no se debe ser avaricioso. Bien hecho, Tresham. Menuda inspiración. Nada de duelos para estos tres, sino un simple castigo. Y una audiencia lo bastante grande como para que se hable del asunto durante semanas. Les hemos recordado a todos las consecuencias de irritar a un Dudley. ¿Vienes a White's?

Sin embargo, Jocelyn acababa de percatarse de todo el tiempo que había perdido con ese encuentro.

—Tal vez después —contestó—. Ahora tengo que ocuparme de algo de vital importancia. —Miró con expresión pensativa a su hermano al tiempo que despachaba con un gesto de la mano a los caballeros que se habrían acercado para felicitarlos y montó en su caballo—. Pero sí hay algo que puedes hacer por mí, Ferdinand.

—Lo que sea. —Su hermano parecía sorprendido y encantado a la vez. Jocelyn no solía pedirle favores.

—Puedes hacer que corra la voz, con sutileza —añadió—, por supuesto, de que se ha descubierto que la señorita Jane Ingleby, mi antigua enfermera y el principal entretenimiento musical de mi velada, es en realidad lady Sara Illingsworth. Que me la encontré por casualidad y que la he llevado a casa de lady Webb. Que está a punto de demostrarse que todos los rumores que circulan sobre ella son exagerados y sin fundamento, como suele suceder en estos casos.

—¡Caray! —Ferdinand parecía muy intrigado—. ¿Cómo lo has descubierto, Tresham? ¿Cómo la has encontrado? ¿Cómo…?

No obstante, Jocelyn levantó la mano para silenciarlo.

—¿Lo harás? —quiso saber—. ¿Hay algún evento importante esta noche? —Era lamentable lo absorto que estaba en sus cosas.

—Un baile —contestó Ferdinand—. El de lady Wardle. Seguro que estará muy concurrido.

—Pues déjalo caer ahí —sugirió Jocelyn—. Solo tienes que mencionarlo una sola vez. Dos para asegurarte. Pero ni una más.

—¿Qué...? —comenzó Ferdinand, pero Jocelyn levantó la mano de nuevo.

—Después —lo interrumpió—. Tengo que llevarla a casa de lady Webb. La cosa va a estar difícil, Ferdie. Pero lo conseguiremos.

Era muy agradable, pensó mientras se alejaba a caballo, haber descubierto que su hermano también podía ser un amigo, tal como lo fueron de niños.

De modo que tenía que enfrentarse a dos duelos más... después de haberse encargado de ese latoso asunto con Jane. ¿Se mostraría tan contraria a que la acompañara a casa de lady Webb como se había mostrado antes por todo lo demás con tal de mantenerse fiel a sus principios?, se preguntó.

¡Qué mujer más exasperante!

22

El conde de Durbury se volvió al punto, con los ojos abiertos de par en par por la sorpresa.

—Vaya —dijo al tiempo que se ponía en pie—, así que por fin has salido de tu madriguera, ¿verdad, Sara? ¿Ha sido por culpa del investigador de Bow Street? ¿Dónde está?

—No estoy muy segura —contestó mientras se adentraba en la estancia para dejar los guantes y el bonete en una consola—. El grupo de hombres que impidió que me secuestrara no había decidido todavía qué hacer con él cuando continué hacia aquí. He venido a verte voluntariamente. Para darte el pésame. Y para preguntarte qué crees que estás haciendo al colocar a un investigador de Bow Street a las puertas de mi casa como si fuera una vulgar criminal.

—Ajá —dijo el conde con sequedad—. Eso quiere decir que estaba en lo cierto, ¿no? Debería haberlo sabido. Eres una buscona, la ramera de Tresham.

Jane no le hizo caso.

—Contrataste a un investigador de Bow Street —repuso— que habría creado un escándalo al traerme a la fuerza y con la manos atadas, y que me llamó ladrona. Por favor, dime qué he robado que sea tuyo y no mío. Y también me llamó asesina. ¿En qué sentido tengo responsabilidad criminal por la muerte de Sidney cuando se cayó y se golpeó la cabeza en su afán por violarme a fin de obligarme a casarme con él? Estaba vivo cuando me fui de Candleford Abbey. Ordené que lo llevaran a su habitación. Yo misma lo cuidé hasta que llegó el médico al que mandé llamar. Siento mucho que pese a todo muriera. No le desearía la muerte ni siquiera a una criatura tan despreciable como Sidney. Pero nadie puede considerarme responsable. Si quieres intentar que me condenen por su asesinato, no puedo impedírtelo. Pero te advierto que solo conseguirás convertirte en el hazmerreír de la gente.

—Siempre tuviste una lengua descarada y viperina, Sara —dijo su primo, que unió las manos a la espalda y la fulminó con la mirada—. Ya veremos qué tiene más peso para un jurado, si la palabra del conde de Durbury o la de una vulgar puta.

—Me aburres, primo Harold —replicó al tiempo que se sentaba en el sillón más cercano, con la esperanza de que el temblor de sus piernas no fuera evidente—. Me gustaría tomar una taza de té. ¿Llamas tú al servicio o lo hago yo?

Sin embargo, no tuvo la oportunidad de decidirlo. Alguien llamó a la puerta y el ayuda de cámara, que permanecía en silencio, se volvió para abrirla. El investigador de Bow Street entró en la estancia, con la respiración bastante entrecortada y un aspecto desaliñado. Tenía la nariz más roja que un tomate y definitivamente hinchada. En una mano sostenía un pañuelo en el que Jane pudo ver manchas de sangre. Un hilillo rojo le caía por uno de los orificios de la nariz. Fulminó a Jane con la mirada, acusándola.

—La había atrapado, milord —dijo—. Pero para mi absoluta vergüenza debo confesar que es más ladina y peligrosa de lo que había imaginado. La ataré ahora mismo si así lo desea y la llevaré ante un magistrado antes de que pueda hacer otro truco.

Jane casi sintió lástima de él. Había quedado en ridículo. Supuso que no era frecuente que su dignidad se viera tan afectada.

—Me la llevaré de vuelta a Cornualles —replicó el conde—. Allí se enfrentará a su destino. Nos marcharemos esta noche, en cuanto yo haya cenado.

—Pues en ese caso, yo no me fiaría de que vaya a quedarse sentada a su lado en el carruaje, señor —le advirtió el investigador—, ni de que entre en las posadas a lo largo del camino sin montar una escena para obligarlo a enfrentarse a un puñado de imbéciles ignorantes que no verían la verdad aunque la tuvieran delante de las narices. Tampoco me fiaría de que no le golpeara la cabeza como hizo con su hijo en cuanto se durmiera.

—He herido muchísimo sus sentimientos —dijo Jane con voz agradable—. Pero recuerde que le advertí de que gritaría.

El investigador la miró con desprecio.

—Yo que usted la ataría de pies y manos, señor —continuó él—. Y también la amordazaría. Y contrataría a un escolta para que viajara con usted. Conozco a una mujer que estaría dispuesta a hacerlo. La dama aquí presente no podría jugársela a Bertha Meeker, créame.

—¡Qué tontería! —exclamó Jane.

Sin embargo, el conde comenzaba a parecer inquieto.

—Siempre ha sido muy obstinada —dijo—. Nunca ha sido obediente pese a la comprensión que le demostramos después de la muerte de su padre. Verás, era hija única y la malcriaron espantosamente. Quiero que vuelva a Candleford Abbey, donde podré encargarme de ella como es debido. Sí, hazlo, Boden. Contrata a esa mujer. Pero tiene que estar aquí en dos horas o anochecerá antes de que nos pongamos en marcha.

Jane había sentido un enorme alivio. Todo había sido muchísimo más fácil de lo que había esperado. De hecho, le costaba imaginar que hubiera estado tan acobardada durante tanto tiempo. Jamás debería haber cedido a la tentación de esconderse, de dejarse llevar por el pánico de lo que pasaría si ninguno de los testigos estaba dispuesto a decir la verdad de lo sucedido en Candleford Abbey aquella noche.

Pero en ese momento el terror volvió a asaltarla. Iban a maniatarla y a mandarla de vuelta a Cornualles como una prisionera, con una mujer como guardiana. Y después iban a juzgarla por asesinato. De repente, el aire que respiraba le pareció gélido.

—Mientras tanto —dijo Mick Boden, mirando a Jane con expresión desagradable—, ataremos a la dama a ese sillón para que pueda usted cenar en paz. Su ayuda de cámara me auxiliará.

La rabia acudió en ayuda de Jane. Se puso en pie de un salto.

—Quédese donde está —le ordenó al investigador con tanta altivez que por un instante el hombre se detuvo en seco—. ¡Menudo disparate! ¿Es su idea de venganza? Acaba de perder el poco respeto que me merecían usted y su inteligencia. Te acompañaré a Candleford Abbey por propia voluntad, primo Harold. No me vas a llevar atada como una vulgar criminal.

Sin embargo, el investigador acababa de sacar la cuerda del bolsillo una vez más y el ayuda de cámara, tras echarle una mirada inquieta al conde, quien asintió con la cabeza, dio unos pasos hacia ella.

—Átela —dijo el conde antes de volverse para mirar los papeles que tenía en el escritorio.

—Muy bien. —Jane apretó los dientes—. Si quiere pelea, va a tenerla.

Sin embargo, en esa ocasión no podía gritar. Sería muy sencillo para el conde convencer a cualquier posible salvador de que era una asesina que se estaba resistiendo al arresto. Y por supuesto perdería la pelea: se enfrentaba a dos hombres y además su primo podría colaborar con su fuerza en caso de ser necesario. En cuestión de minutos volvería al sillón atada de pies y manos, y posiblemente también amordazada. En fin, no pensaba rendirse sin dejarles unos cuantos arañazos y moratones a sus asaltantes. Todo el miedo que sentía desapareció, reemplazado por un extraño frenesí.

La atacaron al unísono, desde ambos lados del sillón, y la agarraron. Jane lanzó golpes primero con los puños y después con los pies. Se contorsionó y se retorció, asestó codazos e incluso mordió una mano que se acercó incautamente a su boca. Y sin pensarlo siquiera utilizó el mismo lenguaje con el que se había familiarizado esas últimas semanas.

—¡Quitadme las malditas manos de encima e idos al cuerno! —exclamó justo antes de que una voz serena consiguiera imponerse al alboroto de la lucha.

—¡Válgame Dios! —dijo la voz—. ¿Interrumpo algún juego? A esas alturas Parkins la había aferrado por un brazo mientras que el investigador le retorcía el otro de forma dolorosa a la espalda. Jane, que jadeaba en busca de aire y que no veía bien porque el pelo le caía por la cara, fulminó con la mirada a su salvador, que estaba apoyado en la jamba de la puerta abierta, con el monóculo pegado al ojo, deformándolo.

—Vete —le dijo ella—. Estoy harta de los hombres, no quiero saber nada de vosotros en la vida. No te necesito. Puedo apañármelas muy bien sola.

—Ya lo veo. —Jocelyn bajó el monóculo—. Pero qué lenguaje más atroz, Jane. ¿Dónde has oído esas barbaridades? ¿Puedo preguntar, Durbury, por qué hay un hombre (ninguno de ellos un caballero, me temo) aferrado a cada uno de los brazos de lady Sara Illingsworth? Me parece un juego muy raro y muy injusto.

Jane vio a la señora Jacobs al otro lado de la puerta, con cara de estar hirviendo de furia. Lo mismo que sentía ella. ¿Por qué dos hombres adultos que se habían mostrado lo bastante violentos como para someterla hacía un minuto se habían quedado quietos y sumisos, como si estuvieran esperando las órdenes de ese hastiado caballero?

—Buenos días, Tresham —lo saludó el conde con brusquedad—. La prima Sara y yo nos iremos a Candleford Abbey antes de que anochezca. Su presencia aquí es innecesaria.

—He venido por propia voluntad —terció Jane—. Ya no eres responsable de mí de ninguna de las maneras.

No le hizo caso, por supuesto. En cambio, se dirigió al investigador de Bow Street.

—Suelte a la dama —ordenó en voz baja—. Bastante hinchada tiene ya la nariz. ¿Ha sido cosa tuya, Jane? Felicidades. Detestaría tener que ponerle los ojos a juego, amigo mío.

—Un momento… —comenzó Mick Boden.

Sin embargo, el monóculo regresó al ojo del duque y sus cejas se enarcaron. Por más aliviada que se sintiera cuando le soltaron el brazo, Jane también se sentía indignada al ver que un hombre podía hacer y deshacer a su antojo a través del poder de sus cejas y de su monóculo.

—Despache al investigador —le ordenó el duque al conde de Durbury—. Y a su criado. Si este incidente llega a llamar la atención de otros huéspedes del hotel o de algún empleado, puede que tenga que explicar por qué un hombre supuestamente asesinado está sano y salvo en Candleford Abbey.

La mirada de Jane voló de inmediato a la cara de su primo. Parecía furioso y estaba muy colorado. Pero de momento no dijo nada. No protestó. No contradijo lo que acababa de decir.

—Exactamente —dijo Jocelyn.

—Pues también sería muy molesto que todos se enteraran de que ha estado dándole refugio a una vulgar criminal en calidad de su quer…

—Yo que usted no terminaría esa frase —aconsejó Jocelyn—. ¿Va a despachar al investigador, Durbury? ¿O lo hago yo?

Mick Boden tomó aire.

—Debo decirle que… —comenzó.

—¿Debe hacerlo? —preguntó Jocelyn con sutil indiferencia—. El caso, señor mío, es que yo no tengo deseos de escuchar lo que deba decirme. Será mejor que se vaya antes de que decida ajustar cuentas por ese retorcimiento de brazo que acabo de presenciar.

En un primer momento dio la impresión de que el investigador iba a aceptar el desafío, pero después devolvió la cuerda a su bolsillo y salió de la estancia a grandes zancadas, haciendo alarde de su dignidad herida. El ayuda de cámara del conde lo siguió de buena gana y cerró la puerta sin hacer ruido al salir.

Jane se volvió hacia su primo echando chispas por los ojos.

—¡Sidney está vivo! —exclamó—. ¡Sano y salvo! ¡Pero aun así me has estado persiguiendo todo este tiempo como si fuera una asesina! ¡Desde que he entrado en esta habitación has dejado que creyera que estaba muerto! ¿Cómo has podido ser tan cruel? Ahora sé por qué querías regresar a Candleford Abbey en vez de llevarme a un magistrado londinense. Sigues creyendo que puedes convencerme para que me case con Sidney. O tienes muchos pájaros en la cabeza… o crees que los tengo yo.

—Todavía hay que resolver el violento ataque que dejó a mi

hijo debatiéndose entre la vida y la muerte durante semanas —replicó el conde—. Todavía hay que resolver la desaparición de cierta cantidad de dinero y de cierta pulsera muy valiosa.

—¡Vaya! —exclamó Jocelyn al tiempo que dejaba el sombrero y el bastón en una silla situada junto a la puerta—. Es gratificante comprobar que mi suposición era correcta. ¿Eso quiere decir que Jardine sigue siendo un miembro activo de este valle de lágrimas? Felicidades, Durbury.

Jane dirigió su indignación hacia él.

—¡Era una suposición! —exclamó—. ¡Un farol! ¿Y por qué sigues aquí? Te he dicho que no te necesito. Nunca volveré a necesitarte. Vete.

—He venido para acompañarte a casa de lady Webb —le dijo.

Jane puso los ojos como platos.

—¿A casa de la tía Harriet? ¿Está aquí? ¿Ha vuelto a la ciudad?

Jocelyn asintió con la cabeza antes de volverse hacia el conde.

—Será un lugar mucho más conveniente que Candleford Abbey para visitar a mi prometida —señaló.

Jane tomó aire para hablar. ¿¡Cómo se atrevía!? Sin embargo, Sidney estaba vivo y coleando. La tía Harriet estaba de vuelta en Londres. Iba a ir a su casa. Se había terminado todo, se había acabado esa pesadilla en la que había vivido lo que le parecía una eternidad. Volvió a cerrar la boca.

—Sí, amor mío —dijo Jocelyn en voz baja, mirándola.

—¿Su prometida? —El conde estaba recuperando la compostura—. Un momento, Tresham, lady Sara tiene veinte años. Hasta que no tenga veinticinco no puede casarse ni comprometerse con nadie que no reciba mi aprobación. Usted no la tiene. Además, este asunto del compromiso es el mayor disparate que he escuchado nunca. Un hombre de su calaña no se casa con su puta.

Jane observó con los ojos abiertos de par en par cómo Jocelyn daba unos pasos hacia delante con mucha parsimonia. Al cabo de un instante, las punteras de los zapatos de su primo arañaban el suelo en busca de algo en lo que apoyar el peso mientras su corbata, que Jocelyn aferraba con una mano, se convertía en una conveniente soga. La cara de su primo se enrojeció todavía más.

—A veces creo que me falla el oído —dijo Jocelyn en voz baja—. Supongo que debería hacérmelo mirar por un médico antes de que castigue a un hombre solo por lo que creo que ha dicho. Pero por si me resulta imposible contenerme pese a mis buenas intenciones, le sugiero, Durbury, que en un futuro hable muy claro y muy despacio.

Los tacones del conde volvieron a tocar el suelo y su corbata recuperó su función anterior, si bien estaba un poco más arrugada y torcida.

Jane no habría sido un ser humano si hubiera podido contener el ramalazo de pura satisfacción femenina que sintió en ese momento.

—¿Debe concederme permiso para casarme con lady Sara Illingsworth? —preguntó Jocelyn—. Pues en ese caso lo tendré, por escrito, antes de que ponga rumbo a Cornualles… Tengo entendido que lo hará no más tarde de mañana por la mañana, ¿verdad? —Se llevó el monóculo al ojo.

—¡No voy a dejar que me avasalle para hacerlo! —le aseguró el conde—. Sara es mi responsabilidad. En memoria de su difunto padre debo encontrar un marido más adecuado que usted, Tresham, que pueda proporcionarle una felicidad duradera. Que no se le olvide que atacó a mi hijo y que estuvo a punto de matarlo. Que no se le olvide que me robó dinero y joyas. Debe responder de esos hechos en Cornualles, aunque solo sea ante mí. Soy su tutor legal.

—Tal vez esos cargos deberían presentarse en Londres, Durbury —sugirió Jocelyn—. Sin duda alguna lady Sara será una prisionera pésima en el largo trayecto hasta Cornualles. Le ayudaré a llevarla ante un magistrado ahora mismo. Y después la alta sociedad, que está desesperada por alguna novedad a estas alturas de la temporada, podrá disfrutar del entretenimiento de ver a una dama de buena cuna juzgada por golpear y derribar con la ayuda de un libro a un hombre que la dobla en tamaño. Y por quitarle quince libras a su tutor legal, quien llevaba más de un año sin entregarle la asignación que le correspondía. Y por sacar de la caja fuerte una pulsera que era de su propiedad mientras dejaba atrás lo que sin duda son unas joyas valiosísimas que serán suyas cuando se case o cuando cumpla los veinticinco años. Le aseguro que la alta sociedad se reirá de lo lindo.

El conde de Durbury resopló con fuerza.

—¿No estará intentando chantajearme por casualidad, Tresham? —preguntó.

Jocelyn enarcó las cejas.

—Le aseguro, Durbury, que si intentara chantajearle, le amenazaría con la certeza de que mi prometida va a denunciarles, a usted por la negligencia de no haberla protegido en su propia casa y a su hijo por intento de violación. Estoy seguro de que podré convencer al menos a uno de los testigos para que diga la verdad. Y añadiría, para dejar bien clara mi postura, que si por desgracia el camino de Sidney Jardine se cruza alguna vez con el mío, acabará, a los cinco minutos de producirse ese encuentro, con los dientes en la garganta. Tal vez quiera transmitirle este último comentario.

Jane sintió otro ramalazo de satisfacción muy a su pesar. A Jocelyn no debería haberle resultado tan fácil. No era justo. ¿Por qué nadie era capaz de enfrentarse al duque de Tresham? La valentía del primo Harold desapareció al comprender que su plan de atraparla, de llevarla de vuelta a Cornualles y de chantajearla para que se casara con Sidney no iba a funcionar. Al comprender que si le negaba el consentimiento para que se casara, sufriría unas consecuencias mucho peores que la pérdida de los bienes de su padre y de la mayor parte de su fortuna.

Jane contempló sentada, sumida en un silencio indignado y siendo ignorada como si su propia existencia fuera irrelevante, cómo al duque de Tresham se le concedía por escrito el permiso para casarse con lady Sara Illingsworth, después de que llamaran a la señora Jacobs y al ayuda de cámara para que actuaran como testigos.

Acto seguido, a Jane no le quedó otra cosa que hacer que alisarse las arrugas de la capa y ponerse el bonete y los guantes con deliberada lentitud mientras la señora Jacobs cogía su bolsa. Al cabo de unos instantes salieron de la suite y bajaron las escaleras hasta el carruaje que esperaba, con el blasón ducal y un montón de aduladores a la espera de cumplir todas las órdenes del duque, de reverenciarlo y de rendirle pleitesía. Jane subió al carruaje y se sentó, con la señora Jacobs a su lado. Si fuera posible que un ser humano estallara de rabia, pensó, ella lo haría sin lugar a dudas. Y Jocelyn tendría bien merecido que el elegante y costoso interior de su berlina quedara manchado de sangre, sesos y vísceras.

Él entró y se sentó enfrente.

Jane se enderezó en el asiento y alzó la barbilla. Clavó la mirada al otro lado de la ventanilla del carruaje.

—Voy a aceptar que me acompañe a casa de lady Webb, pero vamos a dejar algo muy claro, excelencia —añadió, decidida a mantener las distancias—, y la señora Jacobs puede servirme de testigo. No me casaría con usted ni aunque fuera el último hombre sobre la faz de la tierra y me acosara todos los días durante un millón de años. No lo haré.

—Mi querida lady Sara. —Su voz sonaba arrogante, hastiada y tan distante como la suya—. Le pido que considere mi orgullo. ¿Un millón de años? Le aseguro que dejaría de pedírselo después del primer milenio.

Jane apretó los labios y resistió el impulso de soltarle un comentario mordaz e hiriente como se merecía. No iba a darle la satisfacción de enzarzarse en una discusión.

Había acudido en su rescate, por supuesto que lo había hecho. Era justo lo que haría el duque de Tresham. Ella se había marchado de la casa sin su permiso. Había sido su amante. Y él estaba decidido a hacer lo correcto y casarse con ella. Era su posesión.

Pero no pensaba que hubiera sido su amiga.

Tampoco pensaba que ella lo consideraba su amigo y que le habría contado la verdad acerca de su identidad.

No confiaba en ella. No la quería. Por supuesto que no la quería.

Por suerte, el trayecto hasta casa de lady Webb fue muy corto. Pero solo se acordó de su madrina cuando el carruaje se detuvo. Seguro que estaba al tanto de que iba de camino. ¿Tendría conocimiento también de todo lo demás? ¿La recibiría con los brazos abiertos?

Sin embargo, obtuvo las respuestas a esas preguntas cuando un criado abrió la puerta del carruaje y desplegó los escalones. La puerta de la casa se abrió y lady Webb salió no solo a la entrada, sino que bajó los escalones.

—¡Tía Harriet!

Jane apenas se percató de que Jocelyn se apeaba y la ayudaba a descender. En un abrir y cerrar de ojos se encontró envuelta en la seguridad de los brazos de la mejor amiga de su madre.

—¡Sara! —exclamó ella—. Mi niña. Creía que no aparecerías nunca. Te juro que he desgastado la alfombra del salón. ¡Ay, mi niña!

—Tía Harriet.

De repente, Jane empezó a llorar sin disimular los sollozos mientras su madrina la instaba a subir los escalones y entraban en un vestíbulo bien iluminado. La llevaron escaleras arriba hasta el salón, la sentaron en un elegante sillón junto al alegre fuego que crepitaba en la chimenea y le entregaron un pañuelo ribeteado de encaje con el que secarse los ojos. En ese momento se percató de que lady Webb y ella estaban solas.

Jocelyn se había marchado.

Tal vez para siempre.

No podía haberlo rechazado de forma más enérgica.

Y se había quedado muy a gusto.

Quizá ese fuera el momento más desolador de toda su vida.

Iba a ser una mañana ajetreada. Jocelyn fue a pasear a caballo por el parque, donde se encontró con el barón Pottier y con sir Conan Brougham. Este último ya había hablado con los padrinos de los dos hermanos Forbes y había acordado que los duelos tuvieran lugar en días sucesivos, en cuestión de una semana y en

Hyde Park. Gracias a él Hyde Park volvería a ponerse de moda para la celebración de duelos si no cambiaba pronto la familia de la que procedían sus oponentes, pensó Jocelyn con sorna.

No era una idea agradable. Otros dos hombres tendrían la oportunidad de dejarlo sin vida. Porque no le parecía que el reverendo Josiah Forbes, al menos, fuera de los que se dejaban intimidar por su famosa mirada de ojos negros.

El vizconde de Kimble se reunió con ellos y Ferdinand lo hizo más tarde, de modo que Jocelyn desterró los duelos de su cabeza.

—Anoche se corrió la voz como la pólvora —comentó Ferdinand con una sonrisa—. ¡La señorita Jane Ingleby ha resultado ser lady Sara Illingsworth! Es la sensación del momento, Tresham. Los que estuvieron en tu velada y la escucharon cantar alardearon en el baile de lady Wardle, te lo digo en serio. El viejo Hardinge estaba intentando convencer a todo aquel que le prestara atención de que lo adivinó desde el principio. Era demasiado educada, dijo, para no ser otra que lady Sara.

—¿Dónde la encontraste, Tresham? —preguntó el barón Pottier—. ¿Y cómo descubriste la verdad? Cuando recuerdo que estaba presente todas las veces que fuimos a verte a Dudley House… Y jamás lo sospechamos siquiera.

—¿Es verdad que ha quedado demostrada su inocencia y ha recuperado su buen nombre, Tresham? —preguntó sir Conan.

—Todo fue un malentendido. —Jocelyn agitó una mano con gesto indolente antes de llevársela al sombrero para saludar a dos damas, que cabalgaban en la otra dirección—. Anoche hablé con Durbury, justo antes de que se marchara a Cornualles. Jardine no está muerto. De hecho, se ha recuperado perfectamente de su pequeño accidente. Durbury vino a Londres y contrató a un investigador de Bow Street para encontrar a lady Sara y decirle que no tenía nada de lo que preocuparse. Los rumores corrieron, como pasa con todos los rumores, pero él no tuvo nada que ver.

—Pero ¿y el robo, Tresham? —preguntó el barón Pottier.

—No hubo tal robo —contestó Jocelyn—. Qué susceptibles

somos todos a los rumores. Eso hace que me pregunte si no deberíamos buscarnos algo mejor que hacer.

Sus amigos se echaron a reír como si hubiera tenido una ocurrencia estupenda.

—Pero los rumores tienen la desagradable costumbre de perdurar —continuó Jocelyn— a menos que algo los sustituya. Por mi parte, yo iré a visitar a lady Sara a casa de lady Webb e incluso cultivaré su amistad.

El barón Pottier soltó una carcajada.

—¡Vaya, Tresham! —exclamó—. Eso seguro que lo soluciona. Porque creará otro rumor. La gente dirá que estás buscando que te atrapen.

—Así es —convino Jocelyn con voz agradable—. Desde luego no sería deseable que la dama acabara con la reputación mancillada, ¿verdad?

—Yo también iré a visitarla, Tresham —dijo Ferdinand—. Quiero echarle un buen vistazo a lady Sara ahora que sé que es lady Sara. ¡Caray, esto es genial!

—Será un placer visitarla, Tresh —comentó el vizconde.

—Seguro que mi madre y mi hermana estarán encantadas de conocerla —añadió sir Conan—. Las llevaré de visita, Tresham. Mi madre conoce a lady Webb.

Sus amigos lo entendían, descubrió Jocelyn con alivio. Kimble y Brougham contaban con la ventaja de conocer toda la verdad, por supuesto, pero incluso los otros dos parecían darse cuenta de que sentía cierta vergüenza al haberle dado trabajo a la dama como enfermera durante tres semanas. Todos estaban dispuestos a esforzarse para que la alta sociedad aceptara a Jane, para hacerla respetable, para acabar con cualquier vestigio de duda sobre los crímenes de los que la habían acusado.

La nueva sensación reemplazaría por completo al antiguo rumor, por supuesto, en cuanto se supiera que el duque de Tresham estaba cortejando a la mujer que había sido su enfermera.

Todo se solucionaría. Ninguna de las escasas personas que sabían que lady Sara Illingsworth había sido su amante diría jamás una palabra sobre el tema. Ella estaría a salvo y su reputación, intacta.

A partir de ese momento la conversación fue una larga reconstrucción de la pelea del día anterior.

Más tarde mientras desayunaba, después de decidir quedarse en casa para leer los periódicos antes de dirigirse a White's, llegó Angeline. Su hermana entró en el comedor sin ser anunciada.

—Tresham, ¿en qué estabais pensando, Ferdie y tú, los dos, para enfrentaros a tres de los hermanos Forbes ayer en el parque? Casi me ha dado un soponcio al enterarme. Pero qué maravilla que tuvieran que llevarlos en brazos a los tres hasta el carruaje más cercano, dos de ellos sin sentido y el tercero con la nariz rota. Qué pena que no fueran los cinco. Eso habría significado una gloriosa victoria para los Dudley, y estoy convencida de que podríais haberlo conseguido. Supongo que es cierto que te has visto obligado a pactar un duelo con los otros dos. Heyward dice que esa información no es apropiada para una dama, pero no lo ha negado, así que seguro que es verdad. No voy a poder pegar ojo hasta que todo pase. Seguro que te matan, ¿y qué haré yo entonces? Y si los matas tú, tendrás que huir a París, y Heyward, mi odioso marido, sigue diciendo que no me llevará a Francia aunque estuviera dispuesta a olvidarme de los placeres de Brighton. Además, Tresham, ¿qué es eso de que esa tal Ingleby ha resultado ser lady Sara Illingsworth?

—Siéntate, Angeline —la invitó Jocelyn al tiempo que señalaba con pereza la silla que tenía enfrente—, y tómate una taza de café. —Levantó un dedo hacia el mayordomo, que estaba junto al aparador—. Y quítate ese espantoso, más espantoso que de costumbre, por cierto, bonete verde chillón, te lo ruego. Me temo que me va a provocar indigestión.

—¿Es verdad? —preguntó ella—. Dime que sí. Es justo la clase de historias que nos encantan a los Dudley, ¿verdad? Darle cobijo a una asesina empleándola como enfermera y presentarla a un selecto grupo de la alta sociedad como un ruiseñor. Es impagable. —Se echó a reír a carcajadas mientras Hawkins se inclinaba para llenarle la taza de café.

Angeline no hizo ademán de quitarse el bonete. Jocelyn lo miró con desagrado.

—Lady Sara Illingsworth se encuentra ahora en casa de lady Webb —le explicó a su hermana—. Te agradecería que fueras a visitarla, Angeline. Solo Dios sabe por qué, pero eres la única Dudley respetable... seguramente porque te casaste con el estirado de Heyward y él te tiene más o menos atada, aunque ciertamente no en corto.

Su hermana volvió a reírse con naturalidad.

—¿Heyward es un estirado? —preguntó—. Sí, sí que lo es, ¿verdad? Al menos en público.

Jocelyn adoptó una expresión más apesadumbrada todavía al ver que el rubor de su hermana desentonaba de forma espantosa con las plumas rosas de su bonete.

—Desde luego que iré a casa de lady Webb —dijo Angeline—. Heyward me acompañará esta tarde. Me muero de ganas por verla, Tresham. ¿Crees que tendrá un hacha en las manos? Eso sería increíblemente emocionante. Heyward se vería obligado a arriesgar su vida para defenderme.

—Golpeó a Jardine en la cabeza con un libro —repuso con sorna— cuando él estaba... esto... siendo irrespetuoso. Eso es todo, Angeline. El caballero está sano y salvo, y tal parece que la propiedad robada no fue robada en absoluto. Una historia aburridísima, de hecho. Pero no debemos permitir que lady Sara se quede a las puertas de la alta sociedad. Va a necesitar de personas de buena reputación que la ayuden a entrar.

—Como seguro que lady Webb se encargará de hacer —replicó ella—. ¿Por qué debería interesarme este asunto, Tresham? —Sin embargo, se detuvo tras un discurso inusualmente breve y lo miró en silencio con la taza a medio camino de los labios antes de soltarla en el platillo y echarse a reír de nuevo—. ¡Ay, Tresham, estás interesado! ¡Qué maravilla! Ay, me muero de ganas por contárselo a Heyward. Pero ese marido mío tan irritante se ha ido a la Cámara de los Lores y seguro que no volverá hasta que sea hora de hacer las rondas de visitas. Tresham, ¡estás enamorado de ella!

Jocelyn utilizó el monóculo a pesar de que aumentaría el espantoso bonete.

—Me alegro de haber provocado tanta hilaridad —dijo—, pero «estar enamorado de alguien» y el título de Tresham son términos excluyentes, como bien deberías saber. Sin embargo, me voy a casar con lady Sara. Te complacerá saber que eres la primera en enterarse, Angeline, con excepción de la dama, por supuesto. Y me ha rechazado, por cierto.

Angeline lo miró boquiabierta y por un increíble momento Jocelyn creyó haberla dejado sin habla.

—Lady Sara te ha rechazado. —Por fin encontró la voz—. ¿A ti? ¿Al duque de Tresham? ¡Bien por ella! Confieso que apenas me fijé en la joven cuando era tu enfermera. Tenía un aspecto espantoso vestida de gris. ¿Quién se pone gris cuando hay tantísimos colores para elegir? Me quedé de piedra cuando cantó en tu velada. Y sabía bailar el vals. Eso debería haber sido una pista, pero confieso que no me paré a pensarlo. Pero ahora te ha rechazado. Me va a caer muy bien. Debe ser una mujer de carácter. Justo lo que te hace falta. Sí, me va a encantar tenerla de hermana.

—Me ha rechazado, Angeline —le recordó con sorna.

Su hermana lo miró sin comprender.

—Eres un Dudley, Tresham —le recordó—. Los Dudley no aceptamos un no por respuesta. Yo no lo hice. Heyward se mostró contrario a casarse conmigo todo un mes después de que nos presentaran, te lo aseguro. Creía que era frívola, que era una cabeza hueca y que hablaba demasiado. El hecho de que Ferdie y tú fuerais mis hermanos tampoco me ayudó a caerle mejor. Pero se casó conmigo. De hecho, se llevó un chasco la primera vez que me lo pidió y lo rechacé. Me dio miedo de que se fuera a casa y se pegara un tiro. ¿Cómo no iba a caer rendido ante mis encantos cuando yo estaba decidida a que lo hiciera?

—Eso mismo me pregunto yo —repuso él.

Jocelyn se vio sometido a casi otra media hora de la incesante cháchara de su hermana antes de que se marchara. Sin embargo, tuvo la sensación de que la mañana había estado bien aprovechada. La respetabilidad de Jane estaba asegurada. Y tras susurrarle al oído indicado, había conseguido el apoyo de unas poderosas fuerzas con las que asediar la fortaleza de su terca determinación de no casarse con él.

De pasada se preguntó por qué quería asediar sus defensas. Al fin y al cabo, no pensaba admitir que la necesitara personalmente. Solo era su obstinación, por supuesto. Jane Ingleby siempre había dicho la última palabra en lo que a él se refería.

Pues bien, lady Sara Illingsworth no lo haría. Así de sencillo.

De repente, se descubrió pensando qué ponerse cuando fuera a verla esa tarde. Como si fuera un colegial enamorado.

23

Sara, tienes mala cara —comentó lady Webb—. Es normal, por supuesto, después de todo lo que has soportado. Pronto les devolveremos el color a tus mejillas. Ojalá pudiéramos salir esta tarde a dar un paseo, a pie o en carruaje. Hace un día precioso. Sin embargo, esta es una de las tardes que me quedo en casa para recibir visitas. Así que, querida, por muy molesto que nos resulte, debemos prepararnos para recibirlas.

Jane llevaba un vestido de talle imperio, muy a la moda, de muselina estampada. Estaba guardado en uno de los baúles que contenían sus pertenencias y que habían llegado durante la mañana de manos de Phillip y del cochero del duque de Tresham. La había peinado la doncella que su madrina le había asignado. No obstante, aunque externamente pudiera parecer preparada para enfrentarse a una tarde de conversación, abordó el tema que la preocupaba.

—Tía Harriet —dijo—, tal vez sea mejor que me mantenga apartada de tus invitados.

Lady Webb, que había estado mirando por la ventana, se acercó a ella para sentarse en el sillón situado frente al que Jane ocupaba.

—Eso es justo lo que debes evitar —le aconsejó—. Sara, aunque ninguna de las dos lo hemos comentado, soy consciente de cómo te has estado ganando la vida durante estas últimas semanas. Por muy espantoso que sea el hecho de haberte visto obligada a recurrir a algo así, ya ha acabado. Nadie tiene por qué saberlo. Puedes estar segura de que Tresham obligará a guardar silencio a cualquiera que pueda sospechar la verdad. Y, además, está dispuesto a casarse contigo. Es un caballero y sabe que te ha comprometido. No solo está preparado para hacer lo honorable, sino para insistir hasta conseguirlo.

—Se le da muy bien —comentó Jane con amargura—. Pero sabe a la perfección que conmigo no le funcionará.

—La reputación del duque de Tresham tal vez sea la peor de toda la ciudad —reconoció lady Webb con un suspiro—. Aunque puede que exagere. No se le conoce ningún vicio en particular, pero todo el mundo está al tanto de su lado salvaje y de su tendencia a involucrarse en cualquier altercado que se produzca. Es igual que su padre y que su abuelo.

—¡No! —exclamó Jane con más pasión de la que pretendía—. ¡No lo es!

Lady Webb enarcó las cejas. Sin embargo, antes de que pudiera hablar, llamaron a la puerta del salón y el mayordomo la abrió para anunciar las primeras visitas: sir Conan Brougham con lady Brougham, su madre, y la señorita Chloe Brougham, su hermana. Pocos minutos después fueron seguidos por lord y lady Heyward, esta última dejando muy claro que el motivo de su visita era hablar con Jane y sermonearla por haber ocultado su verdadera identidad mientras se encontraba en Dudley House.

—En la vida me he sorprendido tanto como cuando me lo contó Tresham —afirmó—. Y estoy muy agradecida de que la haya encontrado y la haya traído hasta aquí, lady Sara. ¡Menuda ocurrencia acusarla de ser una asesina! Cada vez que lo pienso, estallo en carcajadas, tal como Heyward puede atestiguar. Supongo que el señor Jardine fue muy maleducado con usted. Cuando me lo presentaron, tuve la impresión de que era un canalla repulsivo. Creo que se contuvo usted al golpearlo solo con un libro, y por su parte, es ridículo que le diera tanta importancia y que corriera a contárselo a su padre. De haber estado en su lugar, lady Sara, yo habría corrido a por un hacha.

—Amor mío —terció lord Heyward al tiempo que apartaba

a su esposa—, lady Webb lleva un rato invitándote a que tomes asiento en este sillón.

El número de visitantes fue muy numeroso. Unos cuantos eran amistades de lady Webb. Muchas eran personas que Jane había conocido en Dudley House durante su estancia. El vizconde de Kimble, lord Ferdinand Dudley y el barón Pottier, por ejemplo. Jane no tardó en comprender quién los había enviado y por qué habían aparecido. Se había puesto en marcha una campaña para limpiar su nombre. Lejos de complacerla, el descubrimiento la enfureció. ¿De verdad la creía incapaz de manejar su propia vida sin que él la ayudara? Ojalá se presentara en persona para poder decirle cuatro cosas, pensó.

Y apareció.

Llegó solo, vestido de forma inmaculada con una chaqueta azul, unos pantalones beige tan ajustados que parecían una segunda piel y unas botas de montar tan relucientes que bien podían ser espejos. Y, por supuesto, estaba guapísimo, aunque Jane ignoraba cuándo había empezado a encontrarlo guapo. Y tan viril que le robaba el aliento. Y rodeado por su detestable arrogancia ducal.

Lo odiaba con todas sus fuerzas, aunque los buenos modales le impedían fulminarlo con la mirada o exigirle que se fuera. Ese no era su salón, al fin y al cabo. Era una invitada igual que lo era él.

Tras intercambiar los saludos de rigor y una reverencia con lady Webb, la saludó a ella de forma gélida, como si solo fuera una mota de polvo que flotara delante de sus ojos, pensó indignada. Observó con una ceja enarcada el grupo de personas que la rodeaba: lady Heyward, lord Ferdinand y el vizconde de Kimble, entre otros, todos ellos amigos o familiares suyos. Y después entabló conversación con la señora Minter y con el señor Brockledean, una conversación que se prolongó durante un cuarto de hora.

Jane había decidido que no hablaría con él cuando escuchó que el mayordomo lo anunciaba. De modo que ¿cómo se atrevía a negarle la oportunidad de darle la espalda? Aunque, claro, también deseaba tener la oportunidad de decirle que no era necesario que se molestara en enviar gente para que la visitara ni tampoco que intentara devolverle la respetabilidad a su vida. ¿Cómo se atrevía a no acercarse para que ella pudiera expresar sus reproches y decirle que se ocupara de sus propios asuntos?

—Ferdie, tu nuevo tílburi es espléndido —estaba diciendo lady Heyward—. Mucho más bonito que el anterior. Sé que te verás obligado a aceptar la apuesta si alguien te reta a demostrar su superioridad. No debes aceptar. Mis nervios no soportarían otra carrera como la anterior. Aunque jamás me cansaré de escuchar la descripción de la última curva del recorrido, cuando aceleraste pese a las advertencias de Tresham y de Heyward, que te pidieron que condujeras con precaución. Ojalá lo hubiera presenciado. Lady Sara, ¿verdad que a veces es frustrante ser mujer?

Jane se percató por el rabillo del ojo de que se había puesto en pie. El duque de Tresham, por supuesto. Estaba a punto de marcharse. Pero se volvió hacia el grupo donde estaba ella. Iba a acercarse para hablar con ella. Volvió la cabeza y le regaló a su hermano una sonrisa deslumbrante.

—Lord Ferdinand, tengo entendido que su habilidad con las riendas es famosa —dijo.

Puesto que era un joven hablador y simpático, que le caía estupendamente, por cierto, lord Ferdinand mordió el anzuelo al instante.

—¡Caray! —exclamó—. ¿Le gustaría dar un paseo en mi tílburi mañana por la tarde, lady Sara?

—Me encantaría, gracias —contestó con cordialidad mientras alzaba la vista hacia los oscuros ojos del duque de Tresham, que se había detenido a escasa distancia del grupo.

Sin embargo, se habría sentido decepcionada si hubiera esperado encontrar irritación en su rostro. Porque tuvo la osadía de mirarla con sorna.

—Señorita, vengo a despedirme de usted —le dijo al tiempo que inclinaba ligeramente la cabeza.

—¿Ah, sí, excelencia? —replicó ella todavía sonriente—. Se

me había olvidado que estaba aquí. —Era el comentario más maleducado que había pronunciado en la vida. Y se sintió muy satisfecha de sí misma.

—Vaya —repuso él sin dejar de mirarla y hablando de forma que solo ella y el grupo que la rodeaba pudieran escucharlo—, pero supongo que ese es el motivo de mi fama de evitar el tedio de hacer visitas de cortesía. Sin embargo, en su caso he hecho una excepción, ya que rara vez tengo la oportunidad de tomar el té con una antigua empleada.

Jane estaba convencida de que se volvió y se marchó con la satisfacción de haber dicho la última palabra. Olvidados los buenos modales, lo observó alejarse echando chispas por los ojos mientras los miembros de su grupo los miraban atónitos o fingían sufrir de una repentina sordera o sentían la necesidad de carraspear. Lady Heyward le dio unos golpecitos en el brazo.

—Bien hecho —le dijo—. Lo ha puesto usted en su sitio maravillosamente. Lo ha sorprendido tanto que Tresham se ha rebajado con ese comentario tan rencoroso. ¡Qué bien me cae usted!

La conversación siguió hasta que los invitados comenzaron a marcharse al cabo de unos minutos.

—Nunca he tenido tanto éxito con mis tés en casa —confesó lady Webb con una carcajada una vez que todos se hubieron marchado—. Y creo que debemos agradecérselo al duque de Tresham, Sara.

—En fin —replicó Jane con más aspereza de la que pretendía—, pues le estoy muy agradecida. Si alguna vez aparece y pregunta por mí, no estoy en casa, tía Harriet.

Lady Webb se sentó y la miró fijamente.

—Sara, ¿tan mal te trató? —quiso saber.

—No —contestó ella con voz firme—. No me obligó a nada, tía Harriet. Me hizo una proposición y yo acepté. Yo insistí en firmar un contrato por escrito y él se ciñó a las condiciones del acuerdo. No me trató mal.

Pero me obligó a quererlo. Y lo que es peor, me obligó a apreciarlo como persona. Y después descubrió la verdad y se volvió tan frío como el hielo y ni siquiera me creyó capaz de poder desnudar mi alma como él desnudó la suya. Pero destruyó todas mis emociones y me dejó vacía, desconcertada y tan infeliz como lo puede estar una persona, pensó.

No pronunció sus pensamientos en voz alta, no hizo falta.

—Pero te has enamorado de él —sentenció lady Webb en voz baja.

Jane alzó bruscamente la mirada, pero no pudo contener las despreciables lágrimas que le anegaron los ojos.

—Lo odio —la corrigió con convicción.

—Ya lo veo —repuso lady Webb con una pequeña sonrisa—. ¿Por qué? ¿Puedes decírmelo?

—Porque es un monstruo arrogante que carece de sentimientos —contestó ella.

Lady Webb suspiró.

—¡Válgame Dios! —exclamó—. Sí, estás enamorada de él. No sé si alegrarme o compadecerme de ti. Pero dejemos el tema. Llevo todo el día pensando qué hacer para ayudarte a dejar atrás el pasado. Sara, voy a llevarte a la próxima recepción de la reina y al día siguiente celebraremos un baile para presentarte formalmente en sociedad. La idea me entusiasma, como si fuera una niña pequeña. Será la sensación de la temporada, estoy casi segura. Eres muy famosa, querida. Así que vamos a empezar a planearlo todo.

Sería la presentación en sociedad con la que Jane había soñado unos cuantos años antes. Pero en ese momento no podía dejar de pensar en que Jocelyn había aparecido esa tarde con una actitud fría y arrogante, y que le había dado la espalda hasta que vio la oportunidad de insultarla. ¿Cuántos días habían pasado desde que terminó su retrato y después le desnudó su alma mientras ella lo escuchaba sentada en su regazo?

Parecía que había pasado toda una vida.

Parecía que eso les había pasado a otras personas.

Lo odiaba.

El profundo dolor que albergaba en el corazón jamás se aliviaría.

Y en ese momento recordó algo que le provocó un ataque de pánico. Su retrato. Su precioso retrato. ¡Lo había dejado en casa!

¿En casa?

¡En casa!

Durante la temporada social que se celebraba en primavera, la alta sociedad cabalgaba y paseaba, a pie o en carruaje, por Hyde Park a primera hora de la tarde. Todo el mundo iba a ver y a ser visto, a cotillear y a dar que hablar, a lucir y observar las últimas tendencias de la moda, y a intercambiar coqueteos.

Jane llevaba un vestido y una pelliza azules, y un sencillo bonete de paja atado bajo la barbilla con una ancha cinta azul. También llevaba una sombrilla de color beige que le había prestado lady Webb. Se encontraba sentada en el tílburi de lord Ferdinand Dudley, quien manejaba las riendas mientras conversaba con ella y realizaba las presentaciones de todas aquellas personas que se acercaban con la intención de conocer a la famosa lady Sara Illingsworth, cuya historia volvía a ser la comidilla de todos los salones y clubes de Londres.

Jane sonrió y conversó. Al fin y al cabo, brillaba el sol y disfrutaba de la compañía de un guapo caballero que se deshacía en atenciones. Un caballero que se parecía muchísimo a su hermano, aunque no pensaba guardarle rencor por eso.

Era precisamente el recuerdo de su hermano lo que evitaba que se lo estuviera pasando bien. Pese a todo lo que había sucedido durante las últimas cuarenta y ocho horas (dejar atrás el miedo, volver a ser ella misma, recuperar su posición en el mundo) casi deseaba que el tiempo retrocediera una semana. A esa semana que habían pasado juntos. Él, pintando. Ella, bordando. Cómodos en su mutua compañía. Estableciendo una amistad. Enamorándose.

Una ilusión.

Porque la realidad era la que tenía frente a los ojos.

Y la realidad llegó a caballo, junto al vizconde de Kimble. La realidad era el duque de Tresham, por supuesto. A esas alturas le resultaba difícil pensar en él como en «Jocelyn». El duque lucía su expresión sombría, taciturna e inalcanzable. Su rostro habitual, en pocas palabras. Se llevó la fusta al ala del sombrero e inclinó la cabeza mientras le deseaba buenas tardes. El vizconde, por su parte, sonrió y le cogió una mano que se llevó a los labios. Después procedió a entablar una breve conversación. Los inexpresivos y oscuros ojos del duque se mantuvieron en todo momento clavados en ella.

Jane sonrió, conversó e hizo girar la sombrilla mientras accedía a pasear de nuevo por el parque al día siguiente con lord Kimble. Después se marcharon y Jane, manteniendo la alegre sonrisa, se vio obligada a tragarse el nudo que se le había formado en la garganta y a luchar contra el dolor que sentía en la nariz y en el pecho.

Pero no tenía tiempo para cavilar. A su lado estaba lord Ferdinand al que debía escuchar y otras personas con quien hablar. Unos minutos después de que Jocelyn se alejara, lady Heyward, que paseaba en un cabriolé descubierto, le presentó a la condesa viuda de Heyward y comenzó a parlotear.

—Estoy deseando que llegue su baile de presentación en sociedad en casa de lady Webb —afirmó—. Nos ha llegado la invitación esta misma mañana. Supongo que Heyward me acompañará, un detalle extraño en él, ya que los bailes lo aburren. Lady Sara, ¿puede creerse usted que alguien encuentre aburrido bailar? Ferdie, ni se te ocurra poner los ojos en blanco de esa forma tan fea. No me refería a ti. Además, todo el mundo sabe que prefieres las peleas al baile. Jamás imaginarás las palpitaciones que sufrí cuando me enteré el otro día de que Tresham y tú os habíais enfrentado a tres de los hermanos Forbes. Aunque como le dije a Tresham, la victoria habría sido mucho más dulce si os hubierais encargado de los cinco. No sé por qué los otros dos se limitaron a mirar mientras machacabais a sus hermanos.

—Angie —le advirtió Ferdinand—, déjalo.

Sin embargo, Jane se volvió y lo miró sorprendida.

—¿Tuvieron una pelea hace pocos días? —le preguntó—. ¿Un duelo con pistolas? ¿Y mataron a tres oponentes?

—Nos enfrentamos a puñetazos, señora —puntualizó lord Ferdinand, bastante avergonzado—. Dejamos inconscientes a dos de ellos, uno cada uno. El tercero no pudo levantarse del suelo porque tenía la nariz rota. Habría sido justo molerlo a patadas mientras se retorcía. Angie, no tienes por qué hablar de estas cosas cuando hay otras damas presentes.

Lady Heyward puso los ojos en blanco.

—Ferdie —replicó—, supongo que también es de mala educación pasar las noches en vela, con los nervios destrozados, porque Tresham va a batirse en duelo con los otros dos Forbes. Con pistolas, creo. Acabará muerto, seguro. Aunque creo que es grandioso por su parte batirse contra ellos en dos mañanas consecutivas. Algo sin precedentes. Ojalá viva para enfrentarse al segundo.

Jane tuvo la impresión de que toda la sangre se le acumulaba en los pies, provocándole un hormigueo que le dejó el resto del cuerpo helado, sudoroso y sin fuerzas.

—Angie, eso es un asunto de caballeros —la reprendió su hermano—. Si no tienes otra cosa mejor de la que hablar, te sugiero que regreses a casa con el pájaro que llevas encaramado en el ala de tu bonete y que le des alpiste antes de que se muera. Y de paso puedes regar todas las flores que lo rodean. No acabo de entender cómo es posible que tu cuello aguante tanto peso. Buenos días, señora. —Se llevó la mano al ala del sombrero para despedirse de la condesa viuda y azuzó a los caballos para que se pusieran en marcha.

Jane aún temía la posibilidad de sufrir un desmayo. Sobre todo por el molesto pitido que tenía en los oídos. Los pinchazos y el hormigueo se habían desplazado hasta las manos.

—¿Su Excelencia va a batirse en duelo de nuevo? —preguntó—. ¿Dos veces más?

—Lady Sara, no tiene por qué preocuparse por ese asunto —le aconsejó lord Ferdinand con voz alegre—. Me encantaría que me permitiera batirme con uno de ellos, ya que fue a mí a quien intentaron matar. Pero se niega, y cuando Tresham se propone algo, o se opone a algo como en este caso, es imposible discutir con él.

—¡Ay, qué hombre más tonto! —exclamó Jane, furiosa. La ira la salvó del desmayo, ya que hizo que la sangre volviera a circular por su cuerpo—. Y todo por una cuestión de honor.

—Exactamente, señorita —reconoció lord Ferdinand antes de cambiar de tema con sutileza, pero con determinación.

No uno, sino dos duelos, pensó Jane. En dos mañanas consecutivas. Era más que posible que lo mataran. Las probabilidades de morir serían el doble de lo normal.

Pero se lo tendría merecido, concluyó, furiosa.

¿Cómo podría seguir ella adelante?

¿Cómo podría seguir adelante en un mundo donde no estuviera Jocelyn?

Jocelyn echaba de menos a Jane más de lo que había creído posible. Sí, la primera tarde fue de visita a casa de lady Webb y, cómo no, ella lo azuzó para que se mostrara imperdonablemente grosero delante de un numeroso grupo de testigos solo por su impertinencia y por la deslumbrante sonrisa que le había regalado a Ferdinand mientras aceptaba su invitación a pasear por el parque. Una sonrisa que lo había enfurecido hasta tal punto que estuvo muy tentado de asestarle un puñetazo a su hermano en la cara. Después, cabalgó por el parque a sabiendas de que ella estaría paseando, primero con su hermano y después con Kimble, y tuvo que intercambiar los saludos de rigor con la joven. Nada más. Porque la expresión obstinada y el rictus severo de sus labios le indicó que si hubiera intentado añadir algo más, habrían acabado discutiendo de nuevo. Cosa que le habría encantado hacer de encontrarse a solas.

Estaba decidido a conquistarla, por supuesto. Tal vez, reconoció, porque ella estaba decidida a rechazarlo. Sin embargo, sabía que sería inútil aplicar la estrategia habitual de intentar imponerle su voluntad. Debía concederle el tiempo necesario para que su mente asimilara el giro positivo que había sufrido su suerte.

Debía concederle el tiempo necesario para que lo echara de

menos. Porque seguro que lo echaba de menos. Aunque cuando descubrió su verdadera identidad creyó que la simpatía que Jane le demostraba era puro cuento, ya no estaba tan seguro. Recordó la agradable armonía que habían establecido en el gabinete. Además, era imposible malinterpretar la pasión que sentía por él. Se arrepentía muchísimo de las dos últimas visitas que le había hecho. Una de noche y la otra de día. No había sabido manejar bien la situación.

Al principio, había decidido que le concedería el tiempo que necesitara. Porque él también lo necesitaba. Debía enfrentarse a dos duelos, ambos con pistolas. Sin embargo, había descubierto que no pensaba en ellos con el mismo aplomo con el que se había enfrentado a los cuatro anteriores. En esa oportunidad era muy consciente de que podía morir.

Tal vez en las ocasiones previas ese hecho fuera poco relevante. Tal vez en esos momentos tenía algo por lo que vivir.

Jane.

Pero ¿cómo podía cortejarla cuando cabía la posibilidad de que muriera? ¿Cómo podía hacerlo cuando era evidente que seguía enfadada con él, cuando todavía se sentía tan dolido por su traición?

Y así, durante los días previos al primer duelo, el que lo enfrentaría al reverendo Josiah Forbes, Jocelyn evitó de forma deliberada cualquier encuentro con Jane. Fue a la casa en una ocasión y se descubrió vagando por el gabinete. Examinó el bordado inconcluso, todavía montado en el bastidor, y se la imaginó allí sentada, con la espalda recta mientras bordaba con elegancia. Cogió el ejemplar de *Mansfield Park* que descansaba en la mesa situada junto al sillón donde él solía sentarse. No había acabado de leerlo. Interpretó una melodía en el piano con la mano derecha, sin sentarse siquiera. Y después clavó la vista en el retrato de Jane.

Jane, rodeada por el brillo de la vida y del amor que surgían de su interior e iluminaban el lienzo. ¿Cómo podía haber dudado de ella? ¿Cómo podía haberla tratado con esa gélida furia en vez de abrazarla e invitarla a compartir todos sus secretos, todos sus temores? Ella nunca le había dado la espalda. Había sido al contrario.

Convocó a su abogado, que se presentó en Dudley House, y cambió su testamento.

La imagen de lo que debería haber hecho y no había hecho lo torturó de forma incesante. No la había abrazado.

Tal vez nunca tuviera la oportunidad de volver a hacerlo.

Si pudiera abrazarla una vez más, pensó con un sentimentalismo inusual en él, moriría feliz.

En sus momentos de lucidez se reprendía por pensar todas esas absurdas tonterías.

No obstante, poco después descubrió por Angeline que estaba invitada a una fiesta concurrida, pero privada, en casa de lady Sangster. Jane, por supuesto. No podía asistir a bailes públicos porque todavía no había sido presentada en la corte ni tampoco se había celebrado su presentación en sociedad. Pero sí había aceptado la invitación a la velada de lady Sangster.

A la que él también estaba invitado.

Y que se celebraría la víspera del primer duelo.

24

$\mathcal{L}$ady Webb le había asegurado a su ahijada que asistir a la velada de lady Sangster no era nada excepcional. Que, de hecho, debía aparecer en público todo lo posible antes de celebrar su presentación en sociedad, para que nadie creyera que tenía algo que ocultar.

Sin embargo, la velada se celebraría la víspera del primer duelo de Jocelyn. Jane no le había hablado de ello a su madrina. No había hablado del tema con nadie desde que interrogó a lord Ferdinand. Apenas había dormido ni comido. No podía pensar en otra cosa. Había sopesado la idea de ir a Dudley House para suplicarle que le pusiera fin a esa tontería, pero sabía que sería en vano. Era un hombre, con el sentido del honor de un hombre.

De modo que asistió a la velada, en parte por su madrina y en parte por sí misma. Tal vez se distrajera un poco, si bien se pasaría el resto de la noche y la mañana posterior en vilo, hasta obtener noticias. Sin embargo, si sobrevivía al encuentro, tendría que repetirlo al día siguiente. Se arregló con esmero, eligió un elegante vestido de satén dorado oscuro y le ordenó a su doncella que le recogiera el pelo con estilo. Incluso consideró la idea de aplicarse un poco de colorete en las mejillas cuando su madrina le comentó que estaba guapa, pero pálida.

La velada de lady Sangster iba a ser una reunión selecta de índole privada. Sin embargo, a ojos de Jane era un acontecimiento muy concurrido. La puerta de doble hoja que separaba el salón y la sala de música estaba abierta de par en par, al igual que la de la sala adyacente. Las tres estancias estaban a rebosar de invitados.

Los condes de Heyward y lord Ferdinand conversaban animadamente con otras personas. ¿Cómo podían hacerlo cuando sabían que su hermano se enfrentaría a la muerte por la mañana y lo repetiría al día siguiente? El vizconde de Kimble también había asistido, y le sonreía de forma encantadora a la joven con la que estaba hablando. ¿Cómo podía hacerlo cuando uno de sus mejores amigos podía morir por la mañana? Al verla, se disculpó con la joven y se acercó a ella para saludarla con una reverencia.

—Lady Sara, evito los eventos insípidos como si fueran la peste —le dijo, al tiempo que le regalaba su sonrisa más peligrosa y atractiva—, pero me comentaron que usted asistiría a esta velada.

—¿Me está diciendo que sobre mí recae el peso de aligerar el tedio de esta insípida velada? —le preguntó ella, dándole unos golpecitos en un brazo con el abanico.

Lady Webb se alejó para saludar a unos amigos.

—Todo el peso. —El vizconde le ofreció el brazo—. Vamos a beber algo en algún rincón vacío donde podamos disfrutar de un *tête-à-tête* antes de que alguien descubra que estoy monopolizando su compañía.

Era un hombre simpático y divertido. Durante unos minutos, Jane se descubrió manteniendo un inocente coqueteo y riendo de buena gana. Todo ello sin dejar de preguntarse cómo era posible que el vizconde pudiera pensar en otra cosa que no fuera el peligro que corría su amigo y cómo ella era capaz de reírse.

En el aire flotaba el murmullo de las numerosas conversaciones que tenían lugar a su alrededor. También les llegaba el sonido de la música, procedente de la estancia contigua. Había vuelto con fuerza a su propio mundo, pensó mientras observaba lo que sucedía. Era cierto que su aparición había despertado un considerable interés, nada que se pudiera catalogar de grosero, por supuesto, pero sí inconfundible a fin de cuentas. Sin embargo, nadie la había mirado de reojo ni había parecido escandalizarse por la temeridad de aparecer en un evento exclusivo de la alta sociedad.

Tuvo la impresión de haber logrado una pequeña victoria.

—Estoy desolado —dijo lord Kimble—. Mi mejor broma y ni siquiera la ha hecho sonreír.

—¡Oh! —exclamó ella, contrita—. Lo siento mucho. ¿Qué es lo que ha dicho?

La sonrisa del vizconde fue más afable de lo normal.

—Veamos si la música consigue distraerla de forma más efectiva —sugirió al tiempo que le ofrecía nuevamente el brazo—. Todo saldrá bien, de verdad.

De modo que sí estaba preocupado. Y estaba al tanto de que ella lo sabía. Y también de que estaba intranquila.

Lord Ferdinand se encontraba en la estancia intermedia, entre el grupo que rodeaba el piano. Le sonrió mientras la tomaba de la mano y se la llevaba a los labios.

—Kimble, debo protestar —dijo—. Llevas demasiado tiempo con la dama. Ahora me toca a mí. —Le colocó la mano en su brazo y la llevó hacia el piano.

Se parecía mucho a su hermano, pensó ella. Salvo que era un poco más esbelto y tenía las piernas más largas. Además, lo que en Jocelyn era sombrío, en lord Ferdinand era todo luz. Parecía un joven afable, feliz y sencillo, supuso. O quizá no. Tal vez esa impresión se debiera a que había dispuesto de la oportunidad de descubrir las secretas profundidades del carácter de Jocelyn durante el período en el que había sido su amante… y su amiga.

—Hay más gente de la que esperaba —comentó ella.

—Sí. —Lord Ferdinand la miró con una sonrisa en los labios—. Yo tengo casi la misma experiencia que usted en lo concerniente a estas reuniones tan selectas, lady Sara. Suelo evitarlas.

—¿Por qué no lo ha hecho en esta ocasión? —le preguntó Jane.

—Porque Angie me dijo que estaría usted. —Le sonrió de nuevo.

Una respuesta muy similar al comentario que lord Kimble había hecho poco antes. ¿Tan enamorados estaban ambos caballeros de ella? ¿O acaso ambos sabían qué papel había jugado en la vida de Jocelyn?

—¿Le gustaría cantar? —le preguntó lord Ferdinand—. Si puedo convencer a alguien para que la acompañe al piano, ¿lo haría? Por mí, si no por los demás. Su voz es la más hermosa que he escuchado en la vida.

Jane cantó *La muchacha de aspecto delicado* acompañada al piano por la señorita Meigham. La multitud congregada en torno al piano la escuchó con más atención que a las anteriores intérpretes. Y desde las otras estancias llegaron más invitados para oír su voz.

Entre ellos el duque de Tresham.

Lo vio en el vano de la puerta del salón mientras agradecía el aplauso posterior a su interpretación con una sonrisa. Su aspecto era elegante e inmaculado, no el que cabía esperar en un hombre que iba a enfrentarse a la muerte en cuestión de horas.

Sus miradas se entrelazaron durante un momento interminable mientras un extraño silencio se extendía por la sala de música. Después, Jane apartó la mirada, volvió a sonreír y las conversaciones se retomaron como si no se hubieran interrumpido.

—¡Caramba! —murmuró lord Ferdinand, que seguía junto a Jane y que la instó a alejarse del piano a fin de que otra joven ocupara su lugar—. ¿Qué demonios está haciendo esa mujer aquí?

Lady Oliver se encontraba junto a Jocelyn, se percató Jane al mirar de nuevo en su dirección. Le estaba diciendo algo mientras esbozaba una sonrisa. Jocelyn le contestó y ella le colocó una mano en el brazo.

Lord Ferdinand se había repuesto de la sorpresa.

—Los refrigerios están en la estancia situada al otro lado del vestíbulo —le dijo—. ¿Le apetece que vayamos? ¿Me permitirá servirle un plato? ¿Tiene hambre?

—Estoy famélica —contestó ella con una sonrisa deslumbrante al tiempo que lo tomaba del brazo.

Cinco minutos después estaba sentada a una pequeña mesa con un plato repleto de comida delante y cuatro invitados más con los que conversar además de lord Ferdinand. Ya más avanzada la velada, fue incapaz de recordar lo que le habían dicho o lo que ella había replicado. Ni tampoco recordaba lo que había comido.

Él había asistido. Como si un duelo no fuera nada del otro mundo. Como si no apreciara su vida. Y había permitido que esa mujer lo tocara y hablara con él sin rechazarla abiertamente. Una actitud que lo hacía parecer no solo culpable, sino también falto del buen gusto de mantener las distancias con su supuesta amante, una mujer casada. ¿Tanto daba de sí el honor de un hombre?

A la postre, abandonó la sala de refrigerios del brazo de lord Ferdinand, con quien atravesó el vestíbulo y las dos estancias adyacentes. ¿Sería demasiado temprano para ir en busca de su madrina y sugerirle que se marcharan a casa?, se preguntó. ¿Cómo iba a soportar una hora más en ese sitio sin desmayarse o sin sufrir un ataque de histeria?

Justo cuando estaban a punto de entrar en el salón, alguien invadió el vano de la puerta. Jocelyn. La aferró por la muñeca derecha y miró a su hermano, si bien no le dijo ni una sola palabra. Lord Ferdinand tampoco dijo nada, se limitó a apartarse del brazo de Jane y a entrar en el salón sin ella. Jane tampoco habló. Fue un momento extraño.

Jocelyn la llevó de nuevo al vestíbulo y después giró a la izquierda, apartándola de las estancias iluminadas donde se celebraba la velada hasta llegar a una puerta sumida en las sombras. En ese momento la detuvo, la volvió para que apoyara la espalda en la puerta y se colocó frente a ella, sin soltarle la muñeca. Su rostro estaba velado por la oscuridad. Pero podía ver sus ojos, que la miraron con tal intensidad, producto de la mezcla de la pasión, la tristeza, el deseo y la desesperación, que solo acertó a devolverle la mirada, muda y desconsolada.

Ninguno de ellos pronunció palabra. Sin embargo, el silencio estaba cargado de ellas.

«Puedo morir mañana o la mañana posterior.»

«Hazme tuya. Puedes morir.»

«Esto puede ser la despedida.»

«La eternidad. ¿Cómo voy a enfrentarme a la eternidad sin ti?»

«Amor mío.»

«Amor mío.»

Y después él la estrechó con fuerza entre sus brazos y la sostuvo así, como si quisiera aceptarla dentro de su cuerpo. Jane lo abrazó con el mismo ímpetu, como si ansiara fundirse con él, convertirse en un solo ser eternamente. Así podía sentirlo, olerlo y escuchar los latidos de su corazón.

Tal vez por última vez.

Jocelyn buscó sus labios en la oscuridad y la besó con pasión, ajenos a la proximidad de todas esas personas que seguían en las estancias cercanas. Jane se dejó envolver por su calor, su sabor, su virilidad y su esencia. Lo importante era que estaba con Jocelyn, que él era el aire que respiraba, el corazón que latía en su interior, el alma que le daba sentido a la vida. Y que estaba con ella, sano y salvo entre sus brazos.

Nunca lo dejaría marchar. Jamás.

Sin embargo, él levantó la cabeza y la miró un buen rato en silencio antes de soltarla y alejarse. Jane escuchó cómo se perdían sus pasos en dirección al salón. Y se quedó sola.

Más sola de lo que jamás se había sentido. Con la vista clavada en el oscuro vestíbulo y sin moverse de la puerta.

Ninguno de los dos había hablado.

—Ah, aquí está —dijo una voz amable al cabo de un minuto—. Permítame acompañarla hasta lady Webb, señorita. ¿Le pido que la lleve a casa?

Durante unos instantes fue incapaz de contestarle. Pero después tragó saliva y se alejó de la puerta con gesto decidido.

—No, gracias, lord Ferdinand —contestó—. ¿Todavía sigue aquí lady Oliver? ¿Lo sabe? ¿Me llevaría con ella, por favor?

Lord Ferdinand titubeó.

—No creo que tenga que preocuparse por ella —dijo—. Tresham no…

—Lo sé —lo interrumpió—. Lo sé muy bien. Pero deseo hablar con ella. Ya va siendo hora de que alguien lo haga.

Él titubeó, pero acabó ofreciéndole el brazo para llevarla de vuelta al salón.

Lady Oliver parecía tener dificultades para integrarse en algún grupo. Estaba sola en el centro del salón, abanicándose con una sonrisa desdeñosa como si quisiera decir que consideraba indigno unirse a cualquiera de los grupos repartidos por la estancia.

—Estoy seguro de que ni siquiera ha recibido invitación —murmuró lord Ferdinand—. Lady Sangster no la habría invitado a sabiendas de que también había invitado a Tresham. Pero supongo que es demasiado educada como para echarla. ¿Está segura de que quiere hablar con ella?

—Sí, lo estoy —le aseguró Jane—. No es necesario que se quede a mi lado, lord Ferdinand. Gracias. Es usted muy amable.

Lord Ferdinand saludó a lady Oliver con una rígida reverencia. La dama se volvió y enarcó las cejas, sorprendida, al ver a Jane.

—Vaya, la famosa lady Sara Illingsworth en persona —comentó mientras lord Ferdinand se alejaba—. ¿En qué puedo ayudarla?

Jane había pensado alejarla hasta la sala de refrigerios, pero parecían disfrutar de cierta intimidad, aisladas como estaban en el centro de salón, con el murmullo de las conversaciones y la música que les llegaba desde la estancia contigua.

—Diciendo la verdad —contestó ella, que la miró directamente a los ojos.

Lady Oliver abrió su abanico y comenzó a moverlo muy despacio para refrescarse la cara.

—¿La verdad? —preguntó—. ¿Y qué verdad es esa, si es tan amable?

—Puso en peligro las vidas de su marido y la del duque de Tresham por no decir la verdad —respondió Jane—. Y ahora va a poner en peligro la de sus hermanos y otra vez la de Su Excelencia. Y todo por no haber dicho la verdad.

Lady Oliver se quedó lívida y detuvo el movimiento del abanico. Era evidente que acababa de llevarse una sorpresa tremenda, que no sabía nada de los duelos hasta ese mismo momento. Pero saltaba a la vista que era una mujer fuerte. Recuperó la compostura al instante y volvió a abanicarse.

—Lady Sara, me considero afortunada por tener hermanos dispuestos a defender mi honor —replicó con frialdad—. ¿Qué quiere? ¿Que los convenza para que se retracten y así salve a su amante? Le convendría más que muriera en un duelo. Así se libraría de la ignominia de acabar tirada como un trapo sucio cuando se canse de usted. Eso es lo que Tresham hace siempre con sus queridas.

Jane la miró con expresión fría y seria.

—No va a distraerme de mi propósito. De lo que quiero que usted diga, lady Oliver —añadió—. El duque de Tresham jamás fue su amante. Pero siempre ha sido un caballero. Prefiere la muerte a contradecir a una dama y ocasionarle una humillación pública. La pregunta, señora, es: ¿es usted una dama? ¿Permitirá que estos caballeros sufran y tal vez mueran solo porque la mentira es más conveniente para su vanidad que la verdad?

Lady Oliver soltó una carcajada.

—¿Eso le ha dicho? —le preguntó—. ¿Que nunca ha sido mi amante? ¿Y usted lo ha creído? Pobre lady Sara. Después de todo, es una ingenua. Podría contarle ciertas cosas… pero no importa. ¿Tiene algo más que decirme? ¿No? En ese caso, le deseo buenas noches. Me esperan unos amigos.

—Si alguien muere por culpa de su mentira —le advirtió Jane—, la espera una vida muy desagradable, una que no envidio. Una vida durante la que cargará con el peso de su conciencia todos los días y todas las noches. Ni siquiera podría escapar de ella en sueños. Por si no se ha dado cuenta, acabo de hacerle el cumplido de pensar que posee usted conciencia, que es simplemente vanidosa, pero no malévola. No voy a desearle buenas noches. Espero que pase una noche espantosa. Espero que la pase atormentada por las imágenes de lo que puede pasar en cualquiera de esos dos duelos. Y espero que, antes de que sea demasiado tarde, sea capaz de hacer lo único que puede hacer para recuperar el respeto de sus pares.

Observó cómo lady Oliver cerraba el abanico y caminaba en dirección a la sala de música. Después, al volver la cabeza, vio que lady Angeline y su madrina, del brazo de lord Ferdinand y de lord Kimble respectivamente, la esperaban para que se uniera al grupo.

—Vamos, Sara —le dijo su madrina—, es hora de volver a casa. Estoy muerta de cansancio después de haber disfrutado del placer de tanta conversación.

—Permítanme el honor de acompañarlas hasta su carruaje, señoras —dijo lord Kimble.

Lady Angeline se acercó a Jane para abrazarla. Sin decir nada, algo poco habitual en ella.

Lord Ferdinand sí habló.

—Iré a verla mañana por la mañana, lady Sara —dijo.

Para decirle si Jocelyn estaba vivo o muerto.

Jocelyn pensaba que la noche no iba a acabar nunca. Pero acabó, por supuesto, después de incontables horas de duermevela, de sueños extraños y vívidos, y de largos desvelos. Le resultaba extraño que ese duelo fuera tan distinto de los cuatro que lo habían precedido. Salvo por la emoción fruto de los nervios que había experimentado en dichas ocasiones, no recordaba haber pasado mala noche en ninguno de los casos anteriores.

Se levantó antes de lo necesario y escribió una carta larga, que sería entregada en el caso de que no regresara. Después de firmarla y de estampar su sello en la cera caliente, se la llevó a los labios y cerró los ojos un instante. La había abrazado una vez más. Pero había sido incapaz de pronunciar una sola palabra. Desconocía las palabras que dicho momento precisaba. Carecía de experiencia previa.

Era una extraña ironía haber encontrado el amor justo cuando tenía que enfrentarse a los acontecimientos de la mañana. Y de la mañana del día siguiente si sobrevivía.

Qué curioso haber hallado el amor sin creer en su existencia. Y con la convicción de que el matrimonio era una trampa, aunque fuera con ella.

Tiró del cordón de la campanilla para llamar a su ayuda de cámara.

Jane no había dormido. Lo había intentado, pero solo logró quedarse tendida en la cama con la vista clavada en el dosel sumido en las sombras, mareada y con el estómago revuelto. Al final había sido más fácil levantarse, vestirse y sentarse con las rodillas abrazadas en el alféizar acolchado de la ventana, donde a ratos se le quedó congelada la mejilla por apoyarla en el cristal, tras lo cual se arrebujaba con el chal de cachemira para calentarse.

Debería haber dicho algo. ¿Por qué se había quedado callada cuando había tantas cosas por decir? Aunque conocía la respuesta a esa pregunta. No había palabras para expresar las emociones más profundas del corazón.

¿Y si Jocelyn moría?

Se estremeció pese al chal y apretó los dientes para evitar que le castañetearan.

Había superado cuatro duelos sin sufrir heridas mortales. Seguramente podía sobrevivir a otros dos. Sin embargo, las probabilidades estaban en su contra. Y lord Ferdinand, que no había sido rival para su decidido interrogatorio durante el paseo por el parque, había revelado no solo el lugar y la hora del encuentro, sino también el hecho de que el reverendo Josiah Forbes era un tipo impasible y un tirador excelente, pese a su vocación.

Los pensamientos de Jane se vieron interrumpidos cuando alguien llamó a su puerta. Sobresaltada, miró en esa dirección. Era muy temprano. La puerta se abrió despacio, y su doncella asomó la cabeza con precaución, mirando hacia la cama.

—Estoy aquí —dijo Jane.

—¡Ah, milady! —exclamó la muchacha, intentando distinguirla en la penumbra—. Le pido disculpas, pero abajo hay una dama que insiste en hablar con usted. Ha sacado al señor Ivy de la cama, que ha sido quien me ha avisado a mí. La dama no admite una negativa por respuesta.

Jane se puso en pie con el estómago revuelto y mareada.

—¿Quién es? —preguntó. Sabía quién debía de ser, pero no se atrevía a dejarse llevar por la esperanza. Además, era demasiado tarde. Seguro que era demasiado tarde.

—Lady Oliver, milady —contestó la doncella.

Jane ni siquiera reparó en su aspecto. Salió corriendo del dormitorio y voló escaleras abajo con unas prisas muy poco elegantes.

Lady Oliver estaba en el distribuidor de la planta baja, paseándose nerviosa. Cuando Jane apareció, levantó la mirada y corrió hacia el pie de la escalera. A la mortecina luz del alba, aumentada por las velas de un candelabro, Jane vio que la mujer estaba muy nerviosa.

—¿Dónde están? —exigió saber—. ¿Dónde van a encontrarse? ¿Lo sabe? ¿Y a qué hora?

—En Hyde Park —contestó Jane—. A las seis.

—¿En qué punto de Hyde Park?

Jane solo podía suponer que el duelo se celebraría en el mismo sitio que el anterior. Pero ¿cómo explicarle la localización exacta? Hyde Park era muy grande. Meneó la cabeza.

—¿Por qué? —preguntó ella a su vez—. ¿Va a ir?

—Sí —contestó lady Oliver—. Rápido, rápido. Dígame dónde.

—No sabría decirle —respondió Jane—. Pero sí puedo llevarla hasta allí. ¿Tiene usted un carruaje?

—En la puerta —contestó la dama, señalando con la mano—. Lléveme, pues. Rápido. Corra en busca de una capa y de un bonete.

—No tenemos tiempo —replicó ella mientras pasaba junto a lady Oliver, a quien agarró de un brazo—. Deben de ser más de las cinco. ¡Vamos!

Lady Oliver no necesitó que se lo repitiera. Al cabo de un minuto estaban sentadas en el carruaje, de camino a Hyde Park.

—Si muere… —Lady Oliver dejó la frase en el aire mientras se llevaba un pañuelo a la nariz.

No puede morir, pensó Jane. No puede. Le quedan muchas cosas por vivir. ¡No puede morir!, repitió para su adentros.

—Siempre ha sido el mejor de los hermanos —siguió lady Oliver—, mucho más cariñoso conmigo que los demás. Era el único que jugaba conmigo cuando era pequeña, el único que me dejaba seguirlo. No debe morir. ¡Por Dios! ¿No puede ir más rápido el cochero?

Ya habían llegado al parque, pero el carruaje no podía avanzar hasta el claro situado tras la arboleda. El cochero, vituperado a voz en grito por su señora, desplegó los escalones a toda prisa, y lady Oliver los bajó (decentemente ataviada con una capa, bonete y guantes) a trompicones, seguida de Jane, que iba con la cabeza descubierta, un vestido mañanero, un chal y unos escarpines.

—¡Por aquí! —gritó mientras echaba a correr.

No estaba segura, por supuesto. Tal vez no fuera el sitio correcto. Y aunque lo fuera, tal vez llegaran demasiado tarde. Aguzó el oído en busca de algún disparo, presa de la tensión, pero solo escuchó sus jadeos y los sollozos de lady Oliver.

Era el lugar correcto. Tan pronto como llegaron a la linde de la arboleda, vieron a los espectadores, todos muy silenciosos.

¡Solo podía haber un motivo para dicho silencio!

El reverendo Josiah Forbes y el duque de Tresham, ambos en mangas de camisa, con pantalones y botas de montar, estaban de espaldas, contando los pasos correspondientes y con las pistolas dirigidas hacia el cielo. Estaban a punto de detenerse. Para apuntar.

—¡Deténganse! —gritó Jane—. ¡Deténganse!

Obedeciendo su propia orden, se detuvo y apretó los puños, que se llevó a los labios.

Lady Oliver chilló y se tropezó.

Los duelistas se detuvieron. Jocelyn localizó a Jane de inmediato con la mirada, pero no se volvió ni bajó la pistola. Se miraron desde la distancia. El reverendo Forbes se volvió y bajó la pistola con un ceño feroz.

—¡Gertrude! —gritó con voz estentórea—. Fuera de aquí. Este no es lugar para una mujer. Ya me encargaré de ti más tarde.

Lord Oliver, que parecía aturdido y avergonzado, se separó

de los espectadores y de buena gana habría agarrado a su esposa del brazo para alejarla de allí. Sin embargo, la susodicha se zafó de su mano.

—¡No! —se negó ella—. Tengo algo que decir.

Jane, que seguía sosteniendo la mirada de Jocelyn sin flaquear, era toda oídos. No tardó mucho en comprender que lady Oliver había decidido interpretar el papel de mártir valiente que sacrificaba su propia reputación para salvar la vida de su querido hermano. Pero eso daba igual. Al menos iba a hacer lo que debería haber hecho mucho antes, antes del duelo entre el duque de Tresham y su esposo.

Qué raro, pensó Jane analizándolo todo fríamente. Si lady Oliver hubiera hecho lo correcto desde el principio, ella no habría conocido a Jocelyn. Qué frágil era el azar que definía esos momentos clave para el transcurso de la vida.

—Josiah, no le dispares a Tresham —suplicó lady Oliver—. Y Samuel tampoco debe hacerlo. Su Excelencia no ha cometido ninguna falta. Entre él y yo no ha habido nada. Yo quería que lo hubiese, pero él no quiso saber nada de mí. Quise ser la protagonista de un duelo, me pareció un gesto grande y romántico. Pero estaba equivocada y ahora lo admito. No debéis dispararle a un hombre inocente. Cargaríais con ese peso en vuestras conciencias durante el resto de la vida. Y yo también.

—Gertrude, ¿sigues defendiendo a tu amante? —le preguntó el reverendo Forbes con la voz que debía de usar en el púlpito, supuso Jane.

—Tú me conoces bien —replicó lady Oliver—. Si fuera cierto, no me humillaría delante de una audiencia. Simplemente he decidido hacer lo correcto. Si no me crees, habla con lady Sara Illingsworth, que ha venido conmigo. Ella presenció el desaire que sufrí por parte de Tresham el día que lo visité después del último duelo. Nunca fue mi amante. Pero su caballerosidad le impidió llamarme mentirosa.

Jocelyn, que seguía sin moverse, no apartaba los ojos de Jane. Sin embargo, y pese a la distancia, ella lo vio enarcar una ceja con sorna.

En ese momento Jane se percató de que seguía con los puños en los labios.

El reverendo Josiah Forbes atravesó la distancia que lo separaba de su contrincante. Jocelyn se volvió por fin y bajó la pistola.

—Tresham, parece que estaba equivocado —dijo el reverendo, todavía con la voz del púlpito—. Le debo una disculpa y retiro el desafío. Si se siente ofendido por lo ocurrido, continuaremos con el duelo, por supuesto. Al fin y al cabo, mi familia es responsable de un deshonroso complot para hacerle daño a la suya.

Jane supuso que a los otros tres hermanos les había puesto los puntos sobre las íes después del incidente con el tílburi de lord Ferdinand.

—Creo que ese asunto ya está vengado, Forbes —replicó Jocelyn con un suspiro indolente—. En cuanto a esto, no ha hecho usted nada que yo no hubiera hecho para defender a mi propia hermana. —Se pasó la pistola a la mano izquierda y extendió la derecha.

Se escuchó un suspiro colectivo procedente de los espectadores mientras se estrechaban la mano. El capitán Samuel Forbes se adelantó para ofrecer sus disculpas y para retirar su desafío. Jane bajó las manos despacio y vio que se había clavado las uñas en las palmas de las manos.

Lady Oliver se desmayó y se dejó caer en brazos de su esposo de forma muy elegante.

Acababa de tener lugar una reconciliación honorable. Jocelyn se quedó solo de nuevo y volvió a mirar en dirección a la linde de la arboleda. Acto seguido, levantó la mano izquierda con la palma hacia arriba para impedir que sus amigos se acercaran al mismo tiempo que gesticulaba con la derecha, indicándole a Jane que se aproximara.

La mente de Jane se quedó en blanco salvo por un profundo alivio y una rabia abrasadora cuyo fuego avivaron esos dedos que la instaban a acercarse. ¡Como si fuera un perro! ¡Como si él fuera incapaz de acercarse a ella! Acortó la distancia que los separaba hecha una furia hasta detenerse prácticamente pegada a Jocelyn.

—¡Eres un hombre horrible! —exclamó en voz baja y temblorosa—. Horrible, arrogante y obstinado. ¡Te detesto! Acabas de enfrentarte a la muerte esta mañana, y habrías muerto sin decirme una palabra. Ni siquiera me hablaste anoche. Ya no necesito más pruebas de que esto es lo que te importo —dijo, chasqueando los dedos frente a su cara, muy satisfecha con el sonido que se produjo—, tengo pruebas de sobra. No quiero volver a verte en la vida. ¿Me entiendes? Nunca más. No te acerques a mí.

Él la miró con arrogancia y sin demostrar el menor arrepentimiento.

—¿Te has presentado aquí a esta hora de la mañana, a medio vestir, para ordenarme que no me acerque a ti… lady Sara? —añadió, con evidente ironía, empleando la fría lógica—. ¿Has desoído los dictados del decoro para decirme que soy horrible? En fin, cógete de mi brazo sin más demora para que pueda acompañarte hasta el carruaje de lady Oliver. Supongo que allí es adonde están conduciendo a la dama. Tal vez con el drama que está teniendo lugar se olviden de ti, de forma que solo te quedarán veinte o treinta caballeros como carabinas y escoltas. Una situación que lady Sara Illingsworth debería evitar, ya que su reputación sigue pendiendo de un hilo.

Le ofreció el brazo, pero Jane lo rehusó y se aprestó a caminar sola en dirección al carruaje. Jocelyn la siguió.

—Supongo que todo esto ha sido idea tuya, ¿verdad? —le preguntó—. Un argumento digno de una maravillosa obra dramática. Salvado por los pelos.

—No he tenido nada que ver en la parte de salvarte por los pelos —puntualizó con voz gélida—. Me limité a sugerirle anoche a lady Oliver que tal vez fuera hora de decir la verdad.

—En ese caso, te debo la vida. —Sin embargo, pronunció las palabras con un deje arrogante y sin pizca de gratitud.

—Puedes volver con tus amigos —le espetó ella una vez que tuvieron el carruaje a la vista y fue evidente que lo alcanzaría antes de que la todavía inconsciente lady Oliver volviera a casa.

Jocelyn se detuvo, se despidió de ella con una reverencia y se marchó sin mediar palabra. No obstante, mientras se alejaba, Jane recordó algo.

—¡Jocelyn! —lo llamó.

Él se detuvo y volvió la cabeza para mirarla con un brillo extraño en los ojos.

—Se me olvidó llevarme el bordado —dijo tontamente, incapaz de decir lo que quería decirle en realidad.

—Te lo llevaré —se ofreció él—. No. Disculpa. No quieres volver a verme en la vida. Ordenaré que te lo lleven. —Y se dio media vuelta.

—¡Jocelyn!

Él volvió a mirarla por encima del hombro.

—Se me olvidó llevarme el retrato.

Jane tuvo la impresión de que transcurría un buen rato mientras se miraban a los ojos en silencio antes de que él dijera:

—Ordenaré que te lo lleven.

Y después se dio media vuelta y se alejó de ella.

Como si la noche anterior no hubiera sucedido. Pero ¿qué había sucedido en realidad? ¿Solo había sido un beso robado entre un hombre y su antigua amante?

Se volvió y se apresuró hacia el carruaje.

25

Su bastidor, el cuadro y el ejemplar de *Mansfield Park* fueron entregados el mismo día. Phillip fue el encargado de llevarlos, pero Jane no lo vio. Solo sabía a ciencia cierta que él no los había llevado en persona. Se alegraba de que no lo hubiera hecho. Su comportamiento de esa mañana había sido dictatorial, frío y ofensivo. Llegó a la conclusión de que el tierno anhelo que sintió en el beso de la noche anterior fue producto de su imaginación. El hecho de que no hubiera ido en persona para llevarle sus cosas le ahorró el tener que negarse a recibirlo. No quería volver a oír su nombre en la vida.

Una resolución que a la mañana siguiente quedó en entredicho por absurda. Lady Webb seguía en su vestidor y el mayordomo llevó a Jane la prensa diaria al comedor matinal.

—Hay una carta para usted, milady —le informó.

Jane se la quitó de la mano y comprobó con ansiedad el nombre y la dirección que figuraban en el exterior. Sin embargo, el alma se le cayó a los pies de inmediato. No era la letra grande e inclinada del duque de Tresham. Tan desilusionada estaba que ni siquiera se dio cuenta de que reconocía la letra.

—Gracias —dijo, y rompió el sello.

Era de Charles. Una carta bastante larga. Remitida desde Cornualles.

El conde de Durbury había regresado a Candleford Abbey, le decía Charles, con las noticias de que habían encontrado a

Sara y de que se alojaba en casa de lady Webb. Para su tranquilidad, Charles le comunicaba que se había anunciado desde Candleford Abbey que Sidney Jardine, de quien se había dicho durante mucho tiempo que estaba a las puertas de la muerte, por fin había recuperado la salud.

> Jamás había estado tan preocupado, porque me encontraba lejos de casa cuando todo esto sucedió y por tanto no pudiste recurrir a mí. Te habría seguido a Londres, pero ¿dónde buscar? Se rumorea que Durbury contrató a un investigador de Bow Street y que ni siquiera él pudo encontrarte. ¿Qué posibilidades habría tenido yo de hacerlo?

No obstante, podría haberlo intentado de todas formas, pensó Jane. Si la hubiera querido de verdad, habría ido a Londres.

> Durbury también anda diciendo otra cosa, aunque estoy convencido de que no es verdad. Creo que lo dice por mí, Sara, para hacerme daño y preocuparme. Sabes lo mucho que siempre ha despreciado el mutuo cariño que nos tenemos. Dice que ha dado su consentimiento para que el duque de Tresham te corteje. Estoy seguro de que te reirás con todas tus ganas cuando leas esto, Sara, pero… ¡Tresham! Nunca he conocido a ese hombre, pero tiene la reputación de ser el libertino más infame de toda Inglaterra. Espero de todo corazón que no te esté molestando con sus indeseadas atenciones.

Jocelyn, pensó Jane. ¡Ay, Jocelyn!

> Voy a ir a Londres en cuanto haya solucionado unos importantes asuntos de negocios. Iré para protegerte de las aviesas intenciones de cualquier hombre que crea que este desafortunado incidente te hace merecedora de toda clase de insultos. Voy a ir para traerte de vuelta a casa, Sara. Si Durbury no da su consentimiento para que nos casemos, nos casaremos sin él. No soy un hombre rico y detesto la idea de que pierdas tu fortuna, pero soy

capaz de mantener una esposa y una familia para que vivamos bien, incluso con ciertos lujos.

Jane cerró los ojos e inclinó la cabeza sobre la carta. Le tenía muchísimo cariño a Charles. Siempre se lo había tenido. Durante años había intentado convencerse de que le tenía el suficiente cariño como para casarse con él. Pero por fin sabía que nunca sería capaz de quererlo. No había pasión en el amor que él sentía. Solo un tibio aprecio. Era evidente que no entendía lo que ella había sufrido esas últimas semanas. Ni siquiera en ese momento acudía corriendo a su lado. Antes tenía que encargarse de unos asuntos de negocios.

Mientras doblaba la carta y la dejaba junto al plato se sentía fatal, a un paso de la desesperación. No había pensado en Charles desde que llegó a casa de la tía Harriet. Había sido consciente, por supuesto, de que un enlace entre ambos era imposible, pero en ese preciso momento se había visto obligada a enfrentarse a esa realidad, antes de que estuviera preparada para ello.

Tenía la sensación de que acababan de arrebatarle un cómodo salvavidas. Se sentía como si estuviera total y eternamente sola.

Y sin embargo Charles iba a ir a Londres.

Tenía que escribirle para decirle que no lo hiciera, decidió al tiempo que se ponía en pie a pesar de que no había desayunado. Sería una pérdida de tiempo y de dinero para él recorrer toda esa distancia. Además, decirle por carta que no iba a casarse con él le resultaría mucho más fácil que hacerlo cara a cara.

Jocelyn tardó unos cuantos días en asimilar que ya no estaba amenazado por una muerte inminente, que los Forbes y al parecer lord Oliver estaban satisfechos con que lady Oliver hubiera dicho la verdad durante su dramática interrupción del duelo.

Cuando por fin lo asimiló, una mañana en la biblioteca mientras leía el último informe de Acton Park, descubrió que le faltaba el aliento. Y cuando apoyó los codos en el escritorio y levantó las manos, descubrió con cierta fascinación que le temblaban.

Agradeció sobremanera que Michael Quincy no estuviera presente para ver ese fenómeno.

Un fenómeno muy raro, dado que ninguno de sus duelos previos había conseguido que encarara su propia mortalidad. Tal vez porque nunca antes se había enfrentado cara a cara con la vida y con el deseo de vivirla plenamente. Mientras leía el riguroso y práctico informe de su administrador, sintió por primera vez una inmensa nostalgia. Quería ir a Acton Park, quería ver la casa con los ojos de un adulto, deambular por los prados y por las colinas boscosas, recordar el niño que había sido y descubrir al hombre en quien se había convertido.

Quería ir con Jane.

La deseaba hasta un punto doloroso. Sin embargo, había decidido dejarla tranquila hasta después de su aparición en sociedad. Bailaría con ella en su baile de presentación y la cortejaría con determinación hasta que claudicara, porque acabaría claudicando. Nadie podía desafiar su voluntad para siempre.

Pero todavía faltaba una semana entera para el baile. No podía esperar tanto. Temía que fuera ella quien lo desafiara, cuando nadie más lo había hecho antes. Y mientras esperaba, gente como Kimble o incluso su propio hermano la acompañaban por toda la ciudad, irradiando encanto por los cuatro costados y arrancándole esa sonrisa deslumbrante que tan poco le había prodigado a él. Y después se enfureció consigo mismo por haber admitido sentirse celoso, nada más y nada menos. Si quería a otro hombre, que se lo quedara. Podía irse al cuerno por lo que a él se refería. Se entretuvo imaginándose que peleaba con Kimble y Ferdinand a la vez… con espadas. Una en cada en mano.

Y un puñal entre los dientes, pensó con desdén. Y un parche negro sobre un ojo.

—¡Maldita sea! —exclamó en su vacía biblioteca, golpeando el escritorio con un puño para hacer hincapié en su postura—. Voy a retorcerle el cuello.

Se presentó en la casa de lady Webb esa misma tarde, pero

rechazó la invitación del mayordomo de acompañarlo al salón, donde estaban atendiendo al resto de las visitas. Solicitó hablar a solas con lady Webb, de modo que lo hicieron pasar a un salón recibidor de la planta baja.

Era consciente de que Lady Webb no lo aceptaba. Aunque no era tan maleducada como para decírselo en voz alta, por supuesto. Y su postura era muy comprensible. Durante sus años de adulto no se había ganado la buena opinión de las damas respetables como ella. Todo lo contrario. Aunque no le caía bien, era evidente que reconocía la necesidad de proponerle matrimonio a su ahijada.

—Aunque si lo rechaza —le advirtió antes de ordenar a un criado que fuera en busca de Jane—, la apoyaré incondicionalmente. No voy a permitir que la avasalle.

Jocelyn le hizo una reverencia formal.

Pasaron dos minutos más antes de que Jane apareciera.

—¡Oh! —exclamó ella al tiempo que cerraba la puerta a su espalda, sin apartar la mano del picaporte—. Eres tú.

—Lo era la última vez que me miré en un espejo —replicó, haciendo una elegante reverencia—. ¿A quién esperabas?

—Creía que tal vez era Charles —contestó ella.

Jocelyn frunció el ceño y la fulminó con la mirada.

—¿Charles? —Sus buenas intenciones se fueron al garete—. ¿El pusilánime de Cornualles, quieres decir? ¿El palurdo que cree que va a casarse contigo? ¿Está en la ciudad?

Los labios de Jane volvieron a desaparecer, como era su costumbre.

—Sir Charles Fortescue no es un pusilánime ni un palurdo —dijo ella—. Siempre ha sido mi mejor amigo. Y va a venir en cuanto le sea posible.

—En cuanto le sea posible —repitió él—. ¿Dónde ha estado durante este último mes? Porque no lo he visto venir corriendo a Londres para buscarte ni para rescatarte de las garras de tu tío, de tu primo o lo que sea Durbury para ti.

—¿Dónde iba a buscarme? —replicó ella—. Si los investigadores de Bow Street no pudieron encontrarme, ¿qué posibilidad habría tenido Charles de hacerlo?

—Yo te habría encontrado. —La miró con los ojos entrecerrados—. El mundo no habría sido lo bastante grande para esconderse, lady Sara —dijo con retintín—, si yo la hubiera estado buscando.

—No me llames así —pidió ella—. No es mi nombre. Soy Jane.

Su enfado se disipó y por un momento olvidó la irritación que sentía por sir Charles Fortescue, pusilánime y palurdo.

—Sí —convino—. Lo eres. Y yo soy Jocelyn.

—Sí. —Se humedeció los labios.

—¿Por qué estás agarrada al picaporte como si tuvieras miedo? —le preguntó—. ¿Temes que me abalance sobre ti para forzarte?

Jane meneó la cabeza y se adentró en la estancia.

—No te tengo miedo.

—Pues deberías. —Dejó que su mirada la recorriera de arriba abajo. Llevaba un vestido de muselina amarillo claro. Su pelo resplandecía—. Te he echado de menos. —Pero, después de todo, no podía permitirse semejante vulnerabilidad—. En la cama, por supuesto.

—Por supuesto —replicó ella con descaro—. ¿A qué si no ibas a referirte? ¿Por qué has venido, Jocelyn? ¿Sigues sintiéndote obligado a proponerme matrimonio porque soy lady Sara Illingsworth y no Jane Ingleby? Me insultas. ¿Tanto importa el nombre por encima de la persona? Ni en tus sueños más desquiciados se te habría ocurrido casarte con Jane Ingleby.

—Siempre has creído saber lo que yo pensaba, Jane —repuso—. ¿Ahora también sabes lo que sueño?

—No te habrías casado con Jane Ingleby —insistió—. ¿Por qué quieres casarte conmigo ahora? ¿Porque es lo que debe hacer un caballero, al igual que debe enfrentarse a la muerte en un duelo antes que llamar mentirosa a una dama? No quiero a un caballero perfecto, Jocelyn. Preferiría al libertino.

Descubrió que esa era una de las pocas ocasiones en las que su furia no crecía en la misma medida que la de ella. Ese hecho le confirió una ventaja definitiva.

—¿En serio, Jane? —Su voz era una caricia—. ¿Por qué?

—Porque el libertino tenía cierta espontaneidad, cierta vulnerabilidad, cierta humanidad, cierta… Ay, ¿qué palabra es la que necesito? —preguntó, gesticulando con las manos.

—¿Pasión? —sugirió.

—Sí, eso mismo. —Esos ojos azules lo miraban echando chispas—. Prefiero que discutas y te pelees conmigo, que me insultes y que intentes darme órdenes, que me leas en voz alta y que me pi… pintes, que te olvides de mí y del resto del mundo mientras te pierdes en la música. Prefiero a ese hombre, por odioso que pueda llegar a ser. Ese hombre tenía pasión. No voy a tolerar que te comportes como un caballero conmigo, Jocelyn. Me niego.

Contuvo la sonrisa. Y refrenó la esperanza. Se preguntó si Jane se daba cuenta de lo sugerentes que habían sido sus últimas palabras. Seguramente no. Porque seguía echando humo por las orejas.

—¿Te niegas? —Echó a andar hacia ella—. En ese caso será mejor que te demuestre lo poco caballero que soy.

—Como te acerques un solo paso más, te daré una bofetada —lo amenazó.

Sin embargo, ella no iba a retroceder ni un palmo para poner más distancia entre ellos, naturalmente. Jocelyn dio dos pasos al frente hasta que sus pies casi se tocaron.

—Por favor, Jane. —Su voz volvió a ser una caricia—. ¿Me dejas besarte?

—¿Por qué iba a hacerlo? —Jane tenía los ojos brillantes por las lágrimas, pero se negaba a apartar la mirada. Y él no sabía si eran lágrimas de rabia o de emoción—. ¿Por qué voy a dejar que me beses? La última vez me hiciste creer que te importaba aunque no dijiste nada. Y a la mañana siguiente me hiciste un gesto con la mano, gélido y arrogante, para que me acercara, como si yo fuera un perro que debía acudir a tus pies. ¿Por qué voy a dejar que me beses cuando te importo un comino?

—¿Un comino? —preguntó—. Ni siquiera me gusta el comino, Jane. Me gustas tú.

—Vete —le ordenó ella—. Estás jugando conmigo. Supongo que debo agradecerte muchas cosas. Sin ti ahora mismo estaría en

Cornualles enfrentándome a Sidney y al conde de Durbury. Pero no sé yo si solo me ayudaste para salvaguardar tu orgullo. No me apoyaste cuando realmente necesitaba confiar en ti. No…

Jocelyn extendió un brazo y le puso un dedo en los labios. Jane guardó silencio de repente.

—Deja que lo diga yo. Nos acercamos mucho esa semana, Jane. Más de lo que me he acercado jamás a otra persona. Compartimos intereses y conversación. Compartimos consuelo y emociones. Nos hicimos amigos además de amantes. Más que amigos. Más que amantes. Me convenciste sin darme un sermón de que para ser una persona completa tenía que perdonarme y también perdonar a mi padre por lo sucedido en el pasado. Me demostraste que ser un hombre no consiste en eliminar todas las emociones más exaltadas y tiernas. Me enseñaste a volver a sentir, a enfrentarme al pasado, a recordar que hubo alegría además de dolor en mi infancia. Y lo hiciste simplemente estando allí. Siendo Jane.

Ella se apartó de su dedo, pero aun así Jocelyn no le permitió hablar. Todavía no. Le cogió la barbilla con la mano.

—Me dijiste que habrías confiado en mí igual que yo confié en ti si no hubiera descubierto la verdad cuando lo hice. Debería haberte creído, Jane. E incluso cuando descubrí la verdad, debería haberme comportado de una manera muy distinta. Debería haber ido a verte. Debería haberte estrechado entre mis brazos, como tú me abrazaste la noche anterior, decirte lo que había averiguado e invitarte a contármelo todo, a confiar en mí, a apoyarte en mí. Sabía lo difícil que era revivir ciertos recuerdos. Yo mismo superé esa dificultad la noche anterior y debería haber sido más sensible. Me fallé a mí mismo, Jane. Y, ¡que me aspen!, también te fallé a ti.

—No —dijo ella—. Eres despreciable. No puedo discutir contigo cuando hablas así.

—No discutas conmigo —suplicó—. ¿Me perdonas, Jane? ¿Por favor?

Jane lo miró a los ojos como si quisiera saber si era sincero. Jamás la había visto tan indefensa. Ni siquiera intentaba ocultar su ansia por creer en él.

—Jane —dijo en voz baja—, tú me has enseñado que el amor existe de verdad.

Dos lágrimas resbalaron por las mejillas de Jane. Él las enjugó con los pulgares al tiempo que le tomaba la cara entre las manos y se inclinaba para besarla allí donde acababa de acariciarla.

—¡Creía que ibas a mo… morir! —exclamó ella de repente—. Creía que llegaríamos demasiado tarde. Creía que escucharía un disparo y te encontraría muerto. Lo sentía aquí dentro. —Se tocó el pecho—. Una premonición. Estaba desesperada por llegar hasta ti, por decir todas las cosas que nunca he dicho, por… por… ¡Ay, Dios! ¿Por qué nunca encuentro un pañuelo cuando lo necesito? —Estaba buscando en los inexistentes bolsillos de su vestido, sorbiéndose la nariz de forma muy vulgar.

Jocelyn le dio un enorme pañuelo blanco.

—Pero llegaste a tiempo —le recordó— y dijiste todas esas cosas. A ver si lo recuerdo con exactitud: soy un hombre horrible, arrogante y obstinado, ¿no? Eso es muy desagradable, Jane. Creo que también dijiste que me detestabas, y que no debía acercarme a ti en la vida. ¿Me olvido de algo?

En ese momento Jane se sonó la nariz y después dio la impresión de que no sabía qué hacer con el pañuelo. Así que se lo quitó de la mano y se lo guardó en el bolsillo.

—Me habría muerto contigo si tú hubieras muerto —confesó ella, y Jocelyn tuvo la satisfacción de ver cómo comenzaba a enfadarse de nuevo—. Eres un hombre horrible y odioso. Si vuelves a arriesgarte a que otro hombre te rete a un duelo, ¡te mataré yo misma!

—¿Lo harás, amor mío? —preguntó.

La vio apretar los labios.

—Estás decidido a conquistarme, ¿verdad? —replicó ella—. ¿Es una trampa?

—Si supieras por lo que estoy pasando, Jane… —repuso—. Me aterra que vayas a rechazarme. Y sé que si lo haces, no habrá manera de hacerte cambiar de idea. Apiádate de mí. Nunca me he visto en este trance. Siempre he sido capaz de salirme con la mía fácilmente.

Sin embargo, ella se limitó a mirarlo con la misma expresión beligerante.

—¿Qué pasa? —le preguntó él, pero Jane meneó la cabeza ligeramente—. Jane, ansío volver a casa. Volver a Acton Park… contigo. Empezar a crear nuestros propios recuerdos y nuestras propias tradiciones. Creías conocer mis sueños. Pero este es mi sueño. ¿No quieres compartirlo conmigo?

La vio apretar los labios todavía más.

—¿Por qué no me hablas? —Unió las manos a la espalda e inclinó la cabeza ligeramente hacia ella—. ¿Jane?

—Todo esto es por ti, ¿verdad? —le soltó ella—. Se trata de lo que tú quieres. De tus sueños. ¿Y yo qué? ¿Te importo aunque sea un poco?

—Dímelo tú —replicó—. ¿Y tú, Jane? ¿Qué quieres? ¿Quieres que me vaya? ¿De verdad? Si eso es lo que quieres, dímelo… pero en voz baja y con seriedad, no con pasión, para que sepa que lo dices en serio. Dímelo y me marcharé.

Ni siquiera enfrentarse a la pistola de Forbes unos días antes le había provocado tal pánico.

—¡Estoy embarazada! —exclamó—. No tengo alternativas.

Jocelyn retrocedió como si ella acabara de asestarle un puñetazo en el mentón con todas sus fuerzas. ¡Por el amor de Dios! ¿Desde cuándo lo sabía? ¿Se lo habría dicho si no hubiera ido a verla ese día?

¿Se lo habría dicho en algún momento? ¿Habría confiado en él, lo habría perdonado alguna vez?

Jane lo fulminó con la mirada durante el silencio que siguió a sus palabras. Jocelyn apretó las manos a la espalda con tanta fuerza que se hizo daño.

—Vaya —susurró a la postre—. En fin, eso lo cambia todo, Jane.

26

$\mathcal{L}$ady Webb abrió la puerta del vestidor de Jane y entró. Su atuendo, un vestido de color azul oscuro y un turbante coronado por plumas del mismo color, contrastaba muchísimo con el de Jane, que parecía casi etérea con un vestido muy escotado de encaje blanco y satén, adornado con un festón plateado en el bajo, en el ceñidor que llevaba bajo el pecho y en las mangas cortas.

—¡Ay, Sara, querida! —exclamó lady Webb—. Eres la hija que nunca he tenido. Qué afortunada me siento. Ojalá tu pobre madre estuviera aquí para poder verte durante el día más importante de tu vida. Estás guapísima.

Jane había estado examinando su aspecto de forma crítica en el espejo de pie de su vestidor. Se volvió hacia su madrina y replicó:

—Lo mismo me dijiste ayer, cuando me vi obligada a ponerme esa ropa tan espantosa, pesada y anticuada con la que la reina insiste en disfrazarnos para ser presentadas en sus recepciones. Hoy me siento mucho mejor.

—La presentación en la corte es obligatoria —le recordó lady Webb—. Tu baile de presentación es tu entrada triunfal a la sociedad.

—¿Crees que será triunfal?

Jane cogió su abanico, que descansaba sobre el tocador. Estaba nerviosa y emocionada por lo que iba a suceder esa noche.

Llevaba todo el día a la carrera, preparándose para el baile. Cuando regresó de la salida matinal que hizo acompañada por su doncella, observó maravillada cómo el salón de baile se transformaba delante de sus ojos. Estaba adornado con cintas, lazos y flores blancas y plateadas, y la única nota de color era el verde de las plantas. Se habían bajado las enormes arañas para limpiarlas y colocar cientos de velas. La orquesta había llegado a última hora de la tarde para dejar sus instrumentos en el estrado. En el comedor se habían dispuesto la mejor vajilla, la mejor cristalería y la mejor cubertería para disfrutar del suculento banquete que se serviría a medianoche.

—¡Por supuesto que será triunfal! —exclamó lady Webb, que se acercó a Jane para abrazarla, aunque con cuidado a fin de no estropear sus respectivos atuendos—. ¿Cómo no va a serlo? Eres lady Sara Illingsworth, hija del difunto conde de Durbury y una gran heredera. Eres tan preciosa como una princesa de cuento. Y ya tienes una considerable corte de admiradores.

Jane sonrió con tristeza.

—Todos ellos excelentes aspirantes a marido —señaló su madrina—. El vizconde de Kimble, por ejemplo, ha sido muy atento y creo que podrías meterlo en cintura sin problemas. No tienes por qué sentirte obligada a alentar las atenciones de Tresham, en caso de que quiera seguir cortejándote, claro. Me hizo una propuesta decente. O al menos creo que lo fue. Pero la elección es tuya, Sara.

—Tía Harriet… —protestó ella.

—No diré más al respecto —se apresuró a decir lady Webb—. Ya he hablado demasiado. Más de la cuenta, tal vez. Vamos, tenemos que bajar al salón de baile. Nuestros invitados llegarán pronto. Cyril y Dorothy ya estarán esperándonos.

Lord Lansdowne era el hermano de lady Webb, que lo había invitado, a él y a su esposa, para que la ayudaran en su papel de anfitriona. Lord Lansdowne sería la pareja de Jane para inaugurar el baile.

El salón le había parecido magnífico a la luz del atardecer. En esos momentos robaba el aliento. Las velas estaban encendidas y su luz dorada resplandecía sobre los tonos blancos y plateados, y se multiplicaba por el efecto de los largos espejos situados en las paredes.

Jane pensó que parecía un salón adornado para celebrar una boda. Pero esa noche se festejaba su presentación en sociedad. Y todo debía salir bien. Nada podía arruinar una fiesta para la que su tía Harriet se había esforzado tanto y para la que había empleado tanta energía. Y en la que había gastado una gran cantidad de dinero. Todo para asegurarse que tanto el día anterior como esa noche fueran perfectos para su ahijada.

—¿Estás nerviosa, Sara? —le preguntó lady Lansdowne.

Jane la miró con los ojos llenos de lágrimas.

—Solo porque quiero que todo salga bien por la tía Harriet —contestó.

—Debo decir que estás guapísima, querida —añadió lord Lansdowne—. Ojalá pueda disimular lo patoso que soy en la pista de baile… —Y se echó a reír de buena gana.

Jane se volvió hacia lady Webb, que la observaba con una expresión muy maternal.

—Gracias por todo esto, tía Harriet —le dijo—. Mi madre no lo habría hecho mejor.

—Bueno, querida. ¿Qué puedo decir? —Su tía tenía los ojos sospechosamente brillantes.

Por suerte, quizá, los primeros invitados llegaron en ese momento.

Los cuatro se apresuraron a formar la línea de recepción justo a las puertas del salón de baile.

La siguiente hora pasó para Jane en un abrir y cerrar de ojos, mientras era presentada (por fin, a la avanzada edad de veinte años) a sus pares, a la alta sociedad. Entre todos esos extraños también había caras conocidas. Algunas personas que ya creía conocer bien. El guapísimo y simpático vizconde de Kimble, a quien su tía consideraba un posible pretendiente. El amigable sir Conan Brougham, y algunos amigos más de Jocelyn, los mismos que lo habían visitado mientras estaba en Dudley House. También saludó a lord Ferdinand Dudley, que le hizo una reverencia y se llevó una mano a los labios mientras le regalaba su alegre sonrisa. Y también llegaron los condes de Heyward. El conde la saludó muy cortésmente, hizo los comentarios típicos de cualquier presentación y se habría marchado hacia el salón si su mujer no hubiera tenido otras ideas en mente.

—¡Ay, Sara! —exclamó la susodicha al tiempo que la abrazaba con el consiguiente peligro para sus respectivos atuendos—. ¡Estás preciosa! Cómo envidio lo bien que te queda el blanco. Yo parecería un fantasma, de ahí que tenga que llevar colores más intensos. Aunque Tresham y Ferdie se pasan la vida criticando mis gustos, son así de desagradables. ¿Tresham vendrá esta noche? Esta tarde me lo he cruzado en el parque y no se ha dignado responderme de forma clara. ¿Habéis discutido? Me parece espléndido que discutas con él. Hasta ahora nadie había sido capaz de plantarle cara. Espero que no lo perdones muy rápido, sino que lo hagas sufrir. Pero mañana sí estaría bien que...

Lord Heyward la aferró por el codo con firmeza.

—Vamos, amor mío —dijo—. Si seguimos más tiempo, la fila bajará por la escalera, atravesará el recibidor y llegará hasta la acera.

—Sara, ¿has discutido con el duque? —le preguntó lady Webb cuando la pareja se marchó—. No has dicho nada desde que vino a verte la semana pasada. ¿Sabes si tiene la intención de venir esta noche?

No obstante, era cierto que había una larga fila de personas esperando para saludarlos, de modo que no tuvieron oportunidad de seguir hablando de temas privados.

Tresham sí asistió. Por supuesto que asistió. Llegó tarde, pero no demasiado. Jane y lady Webb estaban todavía a las puertas del salón de baile con lord y lady Lansdowne, mientras en el interior los invitados charlaban alegremente y la orquesta comenzaba a afinar los instrumentos. Iba vestido con un frac ajustado de color negro, unas calzas grises de seda, un chaleco bordado con hilo de plata, una camisa de lino de color blanco níveo, el mismo color de las medias y del encaje de los puños, y unos zapatos negros. Saludó a los cuatro con otras tantas reverencias formales, correctas y arrogantes.

—Lady Sara —murmuró cuando llegó frente a Jane. Aferró el mango del monóculo, pero no llegó a llevárselo al ojo mientras la miraba despacio de arriba abajo—. ¡Válgame Dios! Parece usted casi una novia.

¡Qué hombre más odioso!, pensó ella. Porque Jocelyn debía de saber muy bien que el blanco era el color casi obligatorio para cualquier dama que fuera presentada en sociedad.

—Excelencia —murmuró ella a su vez, enfatizando la palabra para vengarse por el hecho de que la hubiera llamado «lady Sara». Acompañó el saludo con una genuflexión.

Jocelyn no se entretuvo, sino que continuó hacia el salón de baile. Jane lo desterró de sus pensamientos. Aunque le costara trabajo, debía hacerlo. Esa noche era más para su tía que para ella.

Cinco minutos después lord Lansdowne la llevó hasta la pista de baile para inaugurar la fiesta con una serie de contradanzas. Jane disfrutó al máximo del momento. Estaba bailando en una fastuosa velada en Londres por primera vez y ella era la protagonista de la noche. La contradanza era un baile enérgico y complicado, que la dejó sonrojada y risueña. Otras parejas se unieron a ellos, bastantes para dejar bien claro que al día siguiente la tía Harriet podría alardear de que el evento había sido la sensación de la temporada.

Jocelyn no bailó. Jane no lo miró directamente ni una sola vez, pero fue consciente de su presencia en todo momento. Se limitó a caminar solo por el perímetro de la pista de baile, muy apuesto y serio, observando a los bailarines. Cuando la contradanza acabó, y después de que lord Lansdowne la acompañara de vuelta con lady Webb, momento en el que se le acercaron varias posibles parejas de baile, entre ellos lord Ferdinand, vio que Jocelyn abandonaba la estancia.

Jocelyn merodeaba por el salón de baile. No había otra forma mejor para describir sus movimientos. Hasta él era consciente de lo que hacía mientras atravesaba el salón de baile, la sala de juegos, la sala de refrigerios, el distribuidor que conectaba las tres estancias y de vuelta al salón de baile. Era incapaz de detenerse en un sitio concreto, aunque Pottier lo había invitado a unirse a una partida de cartas y lady Webb le había ofrecido presentarle a alguna pareja de baile. Al final tuvo que lidiar con Ferdinand, por supuesto. Y con Angeline.

—No sé para qué te has molestado en venir, Tresh —le reprochó su hermano cuando se encontraron en el distribuidor. Ferdinand iba de camino a la sala de refrigerios y Jocelyn estaba a punto de entrar en la sala de juegos por tercera vez—. Lo único que has hecho desde que llegaste es pasearte con actitud malhumorada y arrogante. Si has venido para aguarle la noche a lady Sara, te advierto que no voy a permitírtelo.

Jocelyn miró a su hermano con satisfacción. Después se llevó el monóculo al ojo.

—¿Sigues con el mismo ayuda de cámara, Ferdinand? —le preguntó—. ¿Aunque siga intentando degollarte? Eres más valiente que yo, compañero.

Ferdinand frunció el ceño mientras se tocaba el pequeño corte que lucía en la parte derecha del mentón. Jocelyn siguió caminando hacia la sala de juegos.

Angeline se mostró un poco más locuaz. Pero claro, ¿cuándo no lo hacía? Al parecer, aplaudía a Jane por parecer tan radiante y feliz cuando era evidente que había discutido con él. Añadió que esperaba que Jane lo llevara por la calle de la amargura y jamás lo perdonara por la ofensa que debía de haberla enfurecido; y que nunca más lo consideraría su hermano a menos que conquistara a Jane, le pidiera matrimonio y se negara en rotundo a aceptar un no por respuesta.

—Eso es lo que conseguí que hiciera Heyward —confesó, y procedió a abanicarse la cara mientras su hermano la miraba disgustado.

—Angeline —replicó Jocelyn—, me pregunto si eres daltónica. Es la explicación más benévola que se me ocurre para justificar esa espantosa mezcla de plumas rojas y rosas que llevas en el pelo.

Ella pasó por alto el comentario.

—Te casarás con lady Sara en la iglesia de Saint George, en Hanover Square, antes de que concluya la temporada —sentenció—. Con la alta sociedad en pleno. Insisto en que lo hagas, Tresham. ¿Tendré que planearlo yo?

—Que el Señor nos asista… —murmuró antes de despedirse de ella con una galante reverencia y continuar caminando hacia el salón de baile.

Ya casi había llegado el momento. El cotillón que la orquesta interpretaba estaba llegando a su fin. Y la siguiente pieza sería un vals. Se detuvo cerca de la puerta, ya sin merodear, y observó cómo Brougham llevaba a una sonrojada y sonriente Jane de regreso con lady Webb. A su alrededor se reunió la inevitable corte de aspirantes. Tal parecía que Kimble era el ganador. Porque estaba sonriendo mientras le decía algo a Jane. Jocelyn se acercó a ellos despacio.

—Señorita —dijo cuando estuvo lo bastante cerca—, si no me equivoco, este es mi baile.

—Demasiado tarde, demasiado tarde —replicó Kimble con un deje impertinente—. Yo se lo he pedido primero, Tresham.

Jocelyn miró a su amigo con expresión arrogante y las cejas enarcadas mientras sus dedos se cerraban en torno al mango del monóculo.

—Te felicito, amigo mío —repuso—, pero de todas formas la mano de la dama es mía. Claro que si insistes en discutir ese punto…

—Excelencia —terció Jane, más avergonzada que furiosa.

Jocelyn se llevó el monóculo al ojo y la miró. Los jovenzuelos que la rodeaban estaban petrificados a esas alturas, como si esperaran una trifulca a puñetazos de un momento a otro y estuvieran aterrados de verse implicados.

—Tresh, bastantes duelos has tenido ya —dijo Kimble—. Además, no me apetece enfrentarme al cañón de tu pistola, aunque sepa con certeza que dispararías al aire llegado el momento.

—Acto seguido, hizo una reverencia, tuvo la temeridad de guiñarle un ojo a Jane y se alejó.

—Excelencia, no puedo bailar el vals —le recordó Jane a Jocelyn—. Este es mi baile de presentación y todavía no cuento con el permiso de las damas del comité organizador de Almack's para bailar el vals en público.

—¡Pamplinas! —exclamó él—. Este es su baile, lady Sara —le recordó—, y puede bailar si lo desea. ¿Lo desea?

Lady Webb, que podría haber protestado, guardó silencio. La decisión era de Jane. ¿Tendría el valor de aceptar? Jocelyn la miró a los ojos.

—Sí —contestó a la postre al tiempo que le colocaba la mano en el brazo—. Por supuesto que sí.

Y así ocuparon su lugar en la pista de baile, hecho que llamó considerablemente la atención de todos los invitados, según se percató Jocelyn. Jane y él eran un tema candente, recordó, pese a todos sus esfuerzos por acallar los rumores. Y, para colmo, acababa de engatusarla para bailar un vals desafiando todas las convenciones sociales.

La opinión de los demás le importaba un comino. Pero a Jane sí que le importaba, por supuesto. Ese era su baile de presentación, el baile que lady Webb había planeado con abnegado entusiasmo. La miró de nuevo a los ojos mientras la tomaba entre sus brazos. ¿Cómo comportarse como debería hacerlo un caballero y actuar como si Jane no fuera nada para él? ¿Cómo disimular lo que sentía por esa mujer? El simple hecho de tocarla como la estaba tocando… Sin embargo, mantuvo la distancia adecuada entre sus cuerpos y se concentró en disimular el deseo que lo abrumaba.

—Ha sido un detalle muy feo por tu parte decir lo que dijiste al llegar —le reprochó ella.

—¿Te refieres a que te he llamado «lady Sara»? —preguntó—. Ese es tu nombre. He hecho gala de mi mejor comportamiento. Y, además, tú te vengaste en un abrir y cerrar de ojos, Jane.

—No me refería a eso —replicó ella—, sino a lo otro.

—¿Al comentario de que pareces una novia? —precisó Jocelyn—. Es cierto. Encaje blanco, satén y mejillas sonrojadas.

—¡Más bien coloradas! —protestó Jane—. He estado bailando.

—Con tus más fieles y persistentes admiradores —apostilló él.

—¿Estás celoso?

Jocelyn enarcó las cejas, sin dignarse contestar. Lo que hizo fue acercarla más a su cuerpo. De forma escandalosa, de hecho. Era consciente de los murmullos que se producían tras los abanicos, los impertinentes y las manos enguantadas. Jane no protestó.

A partir de ese momento guardaron silencio. La orquesta interpretaba un vals muy alegre y el salón de baile era mucho más grande que el salón de Dudley House, donde bailaron su primer vals. La condujo por el perímetro de la estancia, haciéndola girar al ritmo de la música sin dejar de mirarla a los ojos y mientras sus cuerpos se rozaban.

No había necesidad de palabras. Ya habían hablado mucho desde que se conocieron. Tanto que a veces podían mantener una elocuente comunicación sin necesidad de emitir sonido alguno. Pese a sus buenas intenciones, le hizo el amor con la mirada, ajeno por completo a cualquiera que estuviera observándolos. Ella apretó los labios, pero sostuvo su mirada en todo momento. Para advertirle que no estropeara la noche. Y no pensaba hacerlo, por lady Webb. Quizá la hubiera arrastrado al escándalo al engatusarla para bailar el vals, pero no logró que le devolviera la mirada apasionada. Ni tampoco logró que discutiera. Sin embargo, su mirada le decía muchas otras cosas. Sus ojos eran más expresivos de lo que ella pensaba.

—En fin, Jane —dijo al percatarse de que el vals llegaba a su fin—, ¿cuál es tu veredicto? ¿Es el día más feliz de tu vida?

—Por supuesto —contestó ella mientras esbozaba una lenta sonrisa—. ¿Cómo no iba a serlo? Y tú, ¿eres feliz? —le preguntó a su vez.

—Totalmente —respondió.

Mientras la cogía del brazo para llevarla de vuelta con lady Webb, vio que la dama estaba acompañada por un desconocido. Un joven vestido de forma inmaculada y perfecta, pero que no prestaba atención a la elegancia o a las últimas tendencias de la moda. Como si viviera casi todo el tiempo en el campo. El palurdo pusilánime, si no estaba muy equivocado.

Una sospecha que quedó confirmada casi de inmediato, cuando Jane miró hacia su madrina después de escuchar el comentario que alguien le hizo al pasar. Cuando miró hacia delante, le dio un apretón en el brazo y avivó el paso.

—¡Charles! —exclamó, ofreciéndole las dos manos al palurdo, que lo miraba furibundo a él, como si estuviera dispuesto a despedazarlo miembro a miembro.

—Sí, Sara —replicó el muy imbécil, mirando a la postre a la mujer que supuestamente era el amor de su vida y tomándola de las manos—. He venido. Ahora estás a salvo.

—He venido —repitió Charles—. Y al parecer justo a tiempo, Sara. Ese tipo me resulta muy ofensivo.

Jane lo había tomado del brazo para acompañarlo a la sala de refrigerios. Sí, Jocelyn se había comportado de forma bastante irritante. Había adoptado el papel de duque de Tresham incluso antes de que ella hiciera las presentaciones y le había demostrado un arrogante desdén mientras se llevaba el monóculo al ojo. Y después de presentarlos, comentó con deje desdeñoso:

—¿Ah, sí? El paladín de Sara, ¿verdad? ¿Su caballero defensor que cabalgó para rescatarla cuando estaba en las fauces del dragón?

A Charles le resultaron muy indignantes sus palabras, pero no encontró mejor réplica que aducir que en aquel momento estaba lejos de casa y que al volver descubrió que ni siquiera el investigador de Bow Street había dado con ella.

—Sí, por supuesto —convino entonces Jocelyn con un suspiro, tras lo cual se despidió de ella y de lady Webb con una inclinación de cabeza antes de marcharse.

Para su más absoluta vergüenza, Jane tuvo que contener una carcajada. Al ver a Charles en el salón de baile de su tía Harriet solo había sentido consternación y vergüenza. Estaba segura de que debía de haber recibido su carta antes de partir de Cornualles. Pero había ido a Londres de todas formas.

—Sí, has venido —dijo ella—. Pero ¿por qué, Charles, si te escribí para decirte que no lo hicieras?

—¿Cómo iba a mantenerme apartado de ti? —le preguntó él a su vez.

—Y, sin embargo —replicó ella mientras aceptaba el vaso de limonada que él le ofrecía después de cogerlo de una bandeja—, no viniste cuando más te necesitaba, Charles. Sí, lo sé. —Levantó una mano para indicarle que guardara silencio—. No te pareció lógico venir porque no sabías dónde buscar. Era más sensato quedarse en casa.

—Sí, exacto —convino él—. He venido ahora que puedo hacer algo. Me alegro de que lady Webb haya organizado este baile en tu honor. Lo más adecuado es que lady Sara Illingsworth sea presentada en sociedad rodeada por la aristocracia. Pero es lamentable que incluso en un acontecimiento como este te veas obligada a soportar la compañía de todos esos libertinos y cazafortunas que te invitan a bailar.

—La tía Harriet ha elegido a los invitados —señaló Jane—. Y todos aquellos caballeros con los que he bailado esta noche han contado con su aprobación. Al hacer ese comentario la estás insultando, Charles.

—Bueno, pero estabas bailando un vals con el duque de Tresham —insistió él—, que se ha tomado muchas libertades al mirarte como te miraba, Sara. Además, no tenía derecho a invitarte a bailar un vals. Tal vez por su culpa te tilden de ser una fresca. Sé que fue él quien te encontró y te trajo a casa de lady Webb, así que supongo que tu madrina no tuvo más remedio que invitarlo. Pero no debes alentarlo. Es imposible que un hombre como él se acerque a una mujer decente con intenciones honorables, te lo aseguro.

Jane suspiró mientras bebía un sorbo de limonada.

—Charles —dijo—, no voy a discutir contigo. Siempre hemos sido amigos y te agradezco que te preocupes tanto por mí como para haber venido. Pero te recuerdo que no debes juzgar a las personas sin conocerlas.

—Me basta con su reputación —replicó Charles—. Sara, discúlpame, pero te recuerdo que has disfrutado de una educación exquisita y que has llevado una vida muy protegida lejos de lugares como Londres. Entiendo que una experiencia como la de esta noche te resulte emocionante. Pero no debes abandonar tus raíces. Tu lugar está en el campo. No sería feliz viviendo aquí.

—Cierto —convino con una sonrisa sin apartar la mirada del vaso—. Tienes razón.

—Entonces, vuelve a casa conmigo —la instó—. Mañana, pasado mañana o la próxima semana. Vente.

—¡Ay, Charles! —exclamó—. Me encantaría que hubieras leído la carta que te envié. No puedo volver a Cornualles. Esa etapa de mi vida ha acabado. Espero que sigamos siendo amigos, pero tengo que…

—No es el hombre adecuado para ti, Sara —la interrumpió con cierta urgencia—. Hazme caso, no lo es. Solo te traería infelicidad.

—Que es precisamente lo que yo te traería a ti —señaló ella con dulzura—. Te tengo un gran afecto, Charles. Sin embargo, no te quiero.

—El amor llega después del matrimonio —replicó él—. El afecto es un comienzo más que suficiente.

Jane le colocó una mano en el brazo.

—No son el momento ni el lugar apropiados para esta conversación, Charles —le recordó—. Había prometido este baile y he faltado a mi promesa. Si no volvemos al salón, me sucederá lo mismo con el siguiente y no me gustaría nada.

—En ese caso hablaremos mañana —le prometió él.

Le encantaría que Charles no hubiera ido a Londres, pensó mientras la acompañaba de vuelta al salón de baile. Pero no dijo nada más.

Un poco más tarde, una vez sentada para cenar a una de las largas mesas dispuestas en el comedor y acompañada por amigos y conocidos, vio que Charles reclamaba la silla vacía situada frente a la suya. Jane le sonrió y le presentó a los comensales más cercanos. Mientras los demás charlaban y reían sobre una amplia variedad de temas, Charles se mantuvo en silencio.

El barón Pottier anunció que tenía la intención de trasladarse a Brighton para pasar el verano, una vez que finalizara la temporada social. Era el lugar donde veraneaba el príncipe regente, y la mitad de la alta sociedad lo seguía.

—¿Irá usted, lady Sara? —le preguntó lord Pottier.

—No, creo que no —respondió—. Prefiero pasar el verano en el campo.

El vizconde de Kimble, que estaba sentado junto a ella, le cogió la mano y se la llevó a los labios.

—Pero Brighton carecerá de todo atractivo sin usted —le dijo con un brillo alegre en los ojos—. ¿Debo raptarla y llevarla conmigo?

—Ah, no, ni hablar —contestó lady Heyward entre carcajadas—. En caso de que haya algún rapto, será por mi parte. Con la ayuda de Heyward. Claro que él jamás accedería a hacer algo tan atrevido y peligroso, por supuesto. Así que tendría que hacerlo con Ferdinand. Raptaremos a lady Sara y a Tresham y los llevaremos a Saint George para celebrar una boda magnífica. ¿Verdad, Ferdie?

Lord Ferdinand, que estaba sentado junto a Charles al otro lado de la mesa, sonrió.

—Angie, si intentara maniatar a Tresham, debería contar con la ayuda de al menos medio regimiento de fornidos soldados —adujo.

El vizconde de Kimble soltó un sentido suspiro.

—¡Caramba! —exclamó—. No se olvide de mí, o me romperá el corazón, señora.

Jane rió al escucharlo, y la conversación habría seguido por otros derroteros, pero Charles, que tal vez no se había percatado de que todo era una broma, decidió hablar en ese momento.

—Como lady Sara ha dicho, volverá al campo para pasar el verano. O tal vez antes —añadió.

—Desde luego —convino lady Heyward, riéndose—. Después de la boda. Ferdie, en serio…

—Lady Sara volverá a Cornualles. Conmigo —puntualizó Charles con suficiente énfasis como para llamar la atención de todos los comensales de la mesa—. Hace mucho que estamos comprometidos.

—¡Charles! —lo reprendió Jane antes de explicarles al resto de los invitados—: Charles y yo hemos sido amigos y vecinos toda la vida.

—Tresham tendría que decir un par de cosas sobre su… compromiso —comentó el barón Pottier—. ¿De verdad va a volver a Cornualles, lady Sara? ¿Pese a Jardine?

—Creo que seré capaz de defender a mi prometida de cualquier posible impertinencia por parte del aludido —afirmó Charles.

—Charles, por favor…

—Está usted muy equivocado, señor —terció alegremente lady Heyward—. Lady Sara va a casarse con mi hermano, aunque hayan discutido y esta noche solo hayan bailado una vez…

—Déjalo, Angie —la interrumpió lord Ferdinand—. La dama parece mortificada. Vamos a cambiar de tema. Hablemos del tiempo.

Pero Charles no estaba dispuesto a claudicar. Se puso en pie, empujando la silla con las corvas. Y de algún modo el gesto se hizo con la atención de todo el abarrotado comedor, de forma que las conversaciones decayeron al punto.

—Lady Sara Illingsworth no será el objeto de las galanterías de los dandis londinenses durante mucho más tiempo —afirmó con la voz temblorosa por la indignación—. La llevaré a casa, al lugar al que pertenece. No a Candleford Abbey, sino a casa.

Jane habría cerrado los ojos por la vergüenza, pero antes miró a una figura ataviada de negro que contemplaba la escena desde el vano de la puerta del comedor. Debía de estar a punto de salir de la estancia cuando se detuvo, monóculo en mano, para mirar a Charles.

—Señor Fortescue —dijo lady Lansdowne desde el extremo

de la mesa—, ¿debemos suponer que está usted anunciando su compromiso con Sara?

Jane buscó la mirada de Jocelyn, que seguía en el vano de la puerta.

—Charles… —dijo.

—Sí, señora —respondió el susodicho, alzando la voz para dirigirse a todos los invitados al baile—. Tengo el honor de anunciar mi compromiso con lady Sara Illingsworth. Confío en que todos los presentes nos deseen un futuro feliz.

El silencio fue reemplazado por un repentino murmullo. Sin embargo, Jocelyn dio un paso hacia la mesa en ese instante y volvió a hacerse el silencio.

—No, no, no —dijo, adoptando de nuevo la actitud del duque de Tresham—. Estoy seguro de que lady Sara no ha dado su consentimiento y le recuerdo, Fortescue, que no es de buena educación hacer semejante anuncio a menos que la presunta novia esté de acuerdo.

—Por supuesto que está de acuerdo —replicó Charles, irritado—. Estamos compromet…

—¿Estás de acuerdo, Jane? —El monóculo ducal se desvió hacia ella—. Qué mala eres, amor mío.

Jane escuchó un jadeo femenino fruto de la elección de las palabras del duque. Aunque Jocelyn debía de estar pasándoselo en grande, ella más bien deseaba que se la tragara la tierra.

—No es su amor —protestó Charles—, y le agradecería que…

—¡Le aseguro que lo es! —exclamó Jocelyn, que se acercó un poco más mientras bajaba el monóculo—. Y me opongo enérgicamente a su compromiso imaginario con ella, amigo mío. Verá, por mucho que le agradezca el interés que ha demostrado por el bienestar de Jane, no puedo permitir que se case con mi esposa.

Los murmullos se extendieron de nuevo, pero fueron sofocados rápidamente por aquellos que sisearon exigiendo silencio. Nadie quería perderse una sola palabra del drama que estaba aconteciendo y que sería relatado una y otra vez con gran deleite en numerosos salones privados y en los clubes de caballeros durante días, o tal vez semanas.

—¿Cómo? —Charles estaba lívido, según se percató Jane con un rápido vistazo. La miró desde el otro lado de la mesa—. Sara, ¿es cierto?

Ella asintió de forma casi imperceptible.

Charles siguió mirándola un poco más mientras los murmullos se alzaban de nuevo, seguidos de más siseos, y después se volvió y salió del comedor rozando el brazo del duque en el proceso.

—Ven, Jane —la invitó Jocelyn, que le tendió una mano.

Jane lo obedeció, aunque le temblaban las rodillas. Él le estaba sonriendo, y jamás le había visto esa sonrisa: sincera, entrañable, radiante.

—Damas y caballeros —dijo mientras la tomaba de la mano—, permítanme presentarles a mi esposa, la duquesa de Tresham. ¿Señora? —dijo, dirigiéndose a lady Webb, a quien le hizo una reverencia—. Le pido disculpas por haberme visto obligado a realizar este anuncio. Jane insistió en que nada debía estropear el día de ayer ni el de hoy, ya que usted había planeado de forma incansable su presentación a la reina y su presentación en sociedad. Acontecimientos que habrían debido alterarse para una mujer casada. De modo que accedí a retrasar nuestro anuncio hasta mañana. —Se colocó la mano de Jane en el brazo y la cubrió con la suya, tras lo cual observó a los invitados, si bien sus ojos se detuvieron en sus hermanos cuando añadió—: Nos casamos esta mañana con una licencia especial. Fue una boda discreta, como ambos deseábamos, con la única asistencia de mi secretario y de la doncella de la duquesa como testigos. —Miró a Jane con una sonrisa, con esa maravillosa, tierna y abierta sonrisa, y se llevó su mano a los labios.

Su anuncio había suscitado movimientos y mucho ruido entre los invitados.

—Amor mío —murmuró, aprovechando el momento de intimidad—, estaba decidido a llevar a mi esposa a mi casa, a mi cama, durante lo que restara de noche después de que tu baile acabara. Como verás, no soy un santo.

—Nunca he querido a un santo —replicó ella—. Solo te quiero a ti, Jocelyn.

Jocelyn se inclinó hacia ella con una mirada ardiente y le susurró con pasión al oído:

—Mi amor y mi vida. Mi Jane. Y por fin, y para siempre, mi esposa.

Jane solo tuvo un instante, un instante eterno, para regalarle una sonrisa radiante y para asimilar con gran sorpresa que era cierto. Que estaba casada con Jocelyn, con su amor, con el tesoro de su corazón, con la otra mitad de su alma. La felicidad que sentía era inmensa. ¡Jocelyn era su marido!

Y ya no había motivos para ocultarlo.

Y en ese momento la abrazó la tía Harriet, llorando y regañándola entre carcajadas. Y después fue el turno de lady Heyward, que la estrechó con fuerza sin parar de hablar a gran velocidad. Lord Ferdinand la besó en la mejilla con una sonrisa y la llamó «hermana». El vizconde de Kimble fingió llevarse una mano a un corazón destrozado mientras la besaba también en la mejilla. Los amigos de Jocelyn lo felicitaron estrechándole la mano y dándole palmadas en la espalda. Su hermana le mojó el chaleco con sus lágrimas, pese a las protestas de Jocelyn, y declaró que sus nervios no podían asimilar semejante sobresalto, que jamás había sido tan feliz y que organizaría un fastuoso baile en honor de los recién casados que se celebraría la semana siguiente, tras lo cual añadió que retaba a su irritante marido a intentar detenerla.

Después de ese momento, todo fue muy confuso. Los invitados se trasladaron al salón de baile y felicitaron a la flamante y feliz pareja con reverencias, genuflexiones, apretones de manos, abrazos y besos según avanzaban junto a ellos. El baile tardó bastante en retomarse.

A la postre se quedaron solos en el comedor con lady Webb, con lord y lady Lansdowne, con los condes de Heyward y con lord Ferdinand. Jocelyn se sacó la resplandeciente alianza de Jane de un bolsillo del chaleco, le levantó la mano y se la colocó en el dedo anular, donde tan brevemente había descansado esa mañana.

—Con este anillo, amor mío, te desposo —dijo, tras lo cual

inclinó la cabeza para besarla en los labios delante de la reducida audiencia. Después miró a lady Webb—. Señora, ¿cree que podría convencer a la orquesta para que interpretara otro vals?

—Por supuesto —respondió la tía Harriet.

Y así fue como bailaron de nuevo el vals, solos durante los cinco primeros minutos mientras los demás los observaban.

—Insisto en que casi pareces una novia, Jane —dijo Jocelyn mientras la música comenzaba. En esa ocasión era una melodía lenta y romántica—. De hecho, eres la viva imagen de una novia. La mía.

—Y el salón de baile está decorado como si se celebrara una boda —añadió ella, devolviéndole la mirada—. La nuestra.

Y entonces Jocelyn hizo algo realmente escandaloso. Inclinó la cabeza y le dio un beso apasionado. Después, cuando se apartó de sus labios, le sonrió con picardía y la besó con delicadeza. Y volvió a besarla con todo el anhelo, la esperanza y el amor que ella sabía muy bien que guardaba en su corazón. Porque ella también los guardaba en el suyo.

—Jamás reformará al peligroso duque de Tresham —sentenció una voz sin identificar que sonó increíblemente alta y clara mientras Jocelyn la hacía girar al compás del vals.

—¿Y para qué querría reformarlo? —replicó una voz femenina.

El papel utilizado para la impresión de este libro
ha sido fabricado a partir de madera
procedente de bosques y plantaciones
gestionados con los más altos estándares ambientales,
lo que garantiza una explotación de los recursos
sostenible con el medio ambiente
y beneficiosa para las personas.
Por este motivo, Greenpeace acredita que
este libro cumple los requisitos ambientales y sociales
necesarios para ser considerado
un libro «amigo de los bosques».
El proyecto Libros Amigos de los Bosques promueve
la conservación y el uso sostenible de los bosques,
en especial de los bosques primarios,
los últimos bosques vírgenes del planeta.

Papel certificado por el Forest Stewardship Council®